MIRIAM HET MEDIUM

ROCHELLE SHAPIRO

Miriam het Medium

VAN HOLKEMA & WARENDORF
Unieboek BV, Houten/Antwerpen

ROMAN *je blijft lezen*

Oorspronkelijke titel: Miriam the Medium
Oorspronkelijke uitgave: Simon & Schuster, Inc.
Copyright © 2004 Rochelle Shapiro

Copyright © 2007 Nederlandstalige uitgave:
Uitgeverij Unieboek BV,
Postbus 97, 3990 DB Houten

www.unieboek.nl

Vertaling: Ans van der Graaff
Omslagontwerp: Wil Immink
Omslagillustratie: Getty Images
Opmaak: ZetSpiegel, Best

ISBN 978 90 269 8497 6 / NUR 340

*Voor Marlene Goodman Quin, fantastische vriendin en genezeres,
en de briljante helderziende, wijlen Vincent Ragone,
en natuurlijk mijn Bubbie, Sarah Shapiro.*

*Hoewel eerlijk, is het nooit goed
Om slecht nieuws te brengen...*

– William Shakespeare
Antony and Cleopatra

Goed nieuws... was duurder geworden.

– Alice Hoffman
Fortune's daughter

1

Mijn werkkamer leek een geheime kamer zoals je die in een droom zou kunnen ontdekken.

Elke morgen beklom ik de gammele trap naar mijn toevluchtsoord in de noordvleugel van ons oude huis in tudorstijl, waar kristallen voor de ramen hingen, die regenbogen op de witte muren wierpen. Ik ging in het wit gekleed en gebruikte mijn echte naam, zodat de mensen me zouden vertrouwen. Ik kon het voelen als de mensen me vertrouwden. Ik was beter in mijn werk als ze dat deden.

In die kamer werd ik Miriam, het telefoonmedium.

Om halfacht 's ochtends, met tien sessies op het programma, had ik behoefte aan rust en stilte. Ik draaide een van mijn rode pijpenkrullen om mijn vinger en trok hem helemaal naar beneden, tot net boven mijn elleboog. Toen ik losliet, veerde hij terug naar schouderlengte. Ik ademde diep in en sprak een langgerekt 'Ohm' op de uitademing, terwijl mijn haar knetterde van statische elektriciteit. Mijn gedachten waren als bladeren die voorbijdreven in een vijver. Weer zei ik 'Ohm'. De details van mijn werkkamer begonnen te vervagen alsof ik in een sauna zat; alles verloor zijn scherpte en werd wazig.

Nog voor ik een boodschap door kon krijgen, werd er een briefje onder mijn deur door over het witte tapijt geschoven. Ik zag het briefhoofd van mijn mans zaak – APOTHEEK MIRROR. Mijn trance was verbroken. Geërgerd stak ik mijn voet uit en schoof het briefje naar me toe. Ik had Rory gevraagd brief-

jes voor mij in de keuken te leggen, zodat ik ze tijdens het ontbijt kon lezen.

Lieve Miriam,
Ik heb onmiddellijk 1100 dollar nodig. Ik kan mijn rekeningen
niet betalen omdat Medicaid nog steeds niet heeft uitbetaald.
Haal alsjeblieft onze obligaties uit de kluis en breng ze naar Mir-
ror, zodat ik ze kan verzilveren voor de bank sluit. En misschien
een paar bagels van Best Bagels. Drie met sesam.

Liefs,
Rory

Obligaties en bagels? Rory's poging tot luchtigheid maakte me
nerveus.

'Ohm,' zei ik weer.

De vijver met bladeren was verdwenen. Mijn gedachten
dreunden door me heen als een tandartsboor. Ik kon niet werken als ik me druk maakte over onze problemen, maar door
Rory's zakelijke tegenslagen zouden we misschien de hypo-
theek niet op tijd kunnen betalen. Met onze creditcards zaten
we ook al aan de limiet. Diep ademhalen.

Ik dacht aan de witheid in mijn geest en mijn angst werd
minder. Toen ging de telefoon en werd ik uit mijn concentra-
tie gehaald.

'Hallo, Miriam?' De stem had een aangename klank. 'Je
spreekt met Ellen Minsk.'

Ik had Ellen nog nooit ontmoet, maar nu ik haar stem hoorde, zag ik haar voor me alsof we tegenover elkaar stonden. Ik
zag zwart krulhaar, en zachte bruine ogen die aan de buitenkant iets naar beneden weken. Ik stelde me voor dat ik een ge-
pantserd borstschild droeg dat steeds dikker werd, maar voelde
toch een steek in mijn hart.

'Je hebt hartenpijn,' zei ik. 'Is er sprake van een verbroken
verloving?' Ik hoorde haar naar adem happen.

'Ja.'

Er verscheen een beeld voor me. Een uil. Toen die landde, draaide hij zijn kop honderdtachtig graden. Ik wist wat dat betekende, maar zag ertegenop haar dat te vertellen. 'Je verloofde was niet goed voor je. Hij keek altijd naar andere vrouwen, zelfs als hij met jou samen was.'

Ik wilde haar iets positiefs vertellen waar ze vol van zou zijn, maar ik voelde mijn trance wegzakken door zachte voetstappen op de trap. Ik keek op de klok. Rory en Cara hadden al weg moeten zijn. Ik ademde nog drie keer diep in. De zuurstof bracht informatie mee.

'Ik zie een bruidstaart voor je.'

'Wanneer?' vroeg Ellen dringend.

'Geef me even de tijd, alsjeblieft,' zei ik. Soms kwamen de beelden snel en met verbazingwekkende helderheid. Andere keren leek het of ik tien verschillende brillen moest proberen voor ik iets duidelijk zag. Ik ademde nogmaals in en zag toen vaag iets verschijnen. Het werd helderder... een grote, blauwe acht. Ik kon het niet over mijn hart verkrijgen haar te vertellen dat ze hem pas over acht jaar zou ontmoeten. Ik hoorde haar biologische klok duidelijk tikken. Toen zag ik haar toekomstige echtgenoot. Hij droeg een zwart lintje op zijn revers. Een weduwnaar. Naast hem stonden zijn vier kinderen, die allemaal nors keken. Zonder dat zij daar iets aan kon doen zouden al zijn kinderen Ellen Minsk haten, het ene nog erger dan het andere. Haar prachtige zwarte haar zou al snel grijs worden.

Je kon mensen de waarheid vertellen, maar er waren vele waarheden. Het lot was als een ondergrondse route met veel vertakkingen, die elk naar andere mogelijke levens leidden. Ik hoefde Ellen alleen maar een duwtje te geven naar een van die vertakkingen die haar naar een prins zouden brengen, een man van haar eigen leeftijd, zonder kinderen, een man die gemakkelijker zou zijn om mee samen te leven. Ik moest proberen te zien wat hem naar haar toe zou brengen, zodat haar nieuwe toekomst zich voor haar kon ontvouwen. Ik ademde in. Zelfs met mijn ogen open zag ik haar lot haast voor me. Er ging een golf van hoop door me heen. Ik wist zeker dat ik Ellen zou kunnen helpen.

De deurklink bewoog. De deur ging open en Cara keek met een gespannen blik in haar ogen naar binnen. 'Mam,' fluisterde ze. 'Ben je klaar?'

Ellens lot verdween. De echte wereld drong binnen. Ik stak mijn vinger op om Cara tot stilte te manen. Ze zweeg, maar ik kon zien dat ze gespannen luisterde.

Ik drukte mijn vinger tegen mijn lippen en sloot mijn ogen. Ellen Minsk kleedde zich als een grijze muis. Ik moest die weduwnaar van haar pad zien te halen. Er verscheen een rode roos voor mijn geestesoog. 'Koop een rode jas,' zei ik. Er verscheen een zilveren vogel. 'En vlieg tijdens je volgende zakenreis eerste klasse.'

'Ik heb een mooie rode jas gezien bij Bloomies, maar ik dacht: rood? Het deed me denken aan een hart en het mijne was gebroken. Ik heb hem teruggehangen, maar nu ga ik hem meteen kopen.' Ze lachte. 'Natuurlijk, een rode jas. Dat is precies wat ik nodig heb om uit mijn dip te komen. En wie weet wat ervan zal komen? Miriam, je bent fantastisch. Ik voel me nu al beter.'

Ik zag Ellen voor me en voelde me duizelig, alsof ik vier glazen champagne had gedronken op een nuchtere maag.

Ik hing op en draaide me naar Cara. Haar lange donkere haar werd op haar achterhoofd bijeengehouden door een vlinderklem. Ze droeg een zwart lycra truitje met V-hals en lange mouwen en een strakke spijkerbroek. De huid onder haar groene ogen glom van de camouflagecrème. Ook al zeiden Rory en ik vaak tegen haar dat ze heel pienter was en zich een beetje moest ontspannen, ze zat altijd tot laat in de avond te leren en barstte in tranen uit als ze niet minstens een negen haalde.

Het was soms gewoon griezelig om naar haar te kijken, omdat het net was alsof ik mijn eigen moeder zag. Cara had op haar zeventiende de groene ogen, het glanzende bruine haar, de slanke taille en de lange benen van mijn moeder. Ze was chic en tenger. En net als mijn moeder vond ze mijn 'hippiekleren' afschuwelijk: mijn tunieken, mijn lange gebloemde jurken, mijn sjaals. En allebei vonden ze mijn 'wilde haren' vreselijk. Meer nog dan dat verafschuwden ze mijn paranormale gave, die ik had geërfd van mijn *bubbe*, mijn vaders moeder, die in Rusland een bekend medium was geweest. Mijn moeder had gezegd dat het iets uit de duistere middeleeuwen was, dat ik zou eindigen als een krankzinnige oude baboesjka.

'Cara, je weet dat je me niet mag storen, tenzij het echt een noodgeval is.'

'Dat ís het ook.' Ze trok aan haar V-hals. 'Pap zou me naar school brengen, maar hij staat zijn auto te repareren op de oprit. Ik heb het eerste uur een natuurkundeproefwerk en ik wil er extra vroeg zijn om nog wat te kunnen leren.'

Cara zat in het laatste jaar van de middelbare school en was het soort leerling dat mijn moeder had gewild dat ik was. Ik was blij dat ze naar een goede universiteit zou kunnen, maar maakte me zorgen omdat ze zoveel van zichzelf eiste. Ik zag een flits van een proefwerkblaadje met Cara's naam erboven. Een negen plus. 'Je hoeft niet vroeg naar school om te leren,' zei ik, terwijl ik met mijn vinger tegen mijn slaap tikte. 'Je doet het zo al heel goed.'

Ze fronste haar voorhoofd. Ze had de laatste tijd een hekel aan mijn voorspellingen, zelfs de goede.

'De kinderen in mijn klas zijn genieën. Hoe kan ik het nou "heel goed" doen als ik tien keer zo hard moet leren als de anderen om een fatsoenlijk punt te halen?' Ze rolde met haar ogen. 'Ik wou dat je niet als helderziende werkte.'

Schat,' zei ik rustig, 'dit is wat ik doe. Dit is wie ik ben. Dat weet je.'

'Kun je niet af en toe iemand anders zijn?' vroeg ze, en daarbij trok ze haar neus op zoals mijn moeder dat vaak deed toen ze nog leefde. Ongewild voelde ik mijn zelfvertrouwen afnemen, begon de twijfel te knagen en leek het bijna alsof ík de tiener was.

Ik had andere dingen geprobeerd. Toen ik klaar was met mijn

studie, had ik een baan gevonden als tekstschrijver bij een uitgeverij, maar toen ik me liet ontglippen dat ik paranormaal begaafd was, had de hoofdredactrice me gratis sessies laten houden voor al haar vriendinnen. Ik werkte 's avonds over – de schoonmaakster stofzuigde vaak om mijn voeten heen – en werd uiteindelijk ontslagen wegens te lage productiviteit. De hoofdredactrice zei helemaal niets tot mijn verdediging. Ze gaf me alleen een tissue toen ik in tranen uitbarstte. Naderhand begonnen voormalige collega's me te bellen. De telefoon rinkelde voortdurend. 'Zie je nou?' had mijn vader gezegd. 'Je hebt er in elk geval veel vriendinnen aan overgehouden.'

'Nee, pap,' had ik tegen hem gezegd. 'Ze bellen alleen om te vragen of ze promotie zullen krijgen of dat hun echtgenoten zullen worden uitgezonden naar een andere staat.' Maar ik was het gewend om te worden gebruikt voor informatie. Ik had er geen hekel aan. Nog niet.

Mijn voorspellingen ontlastten me ook. Het merendeel van mijn leven liep ik al rond als een levende antenne die de verlangens en toekomstige geheimen van alle voorbijgangers oppikte, zonder onderscheid. Ik leed aan zintuiglijke overbelasting. De kans om mijn voormalige collega's te 'lezen' bood me een uitlaatklep... en oefening. Hoewel het nog een paar jaar zou duren voor een toevallig telefoontje me ertoe inspireerde als telefoonmedium te gaan werken, hielpen die vroege sessies – en Rory's onwankelbare steun – me te zien waartoe ik in staat zou zijn, als ik de kans maar kreeg.

Ik schudde de herinnering van me af en kreeg een visioen van Rory die naast zijn witte Ford Taurus zijn handen stond af te vegen.

'Je vader heeft de auto gerepareerd,' zei ik tegen Cara. 'Hij staat klaar om te gaan.'

'Darcy brengt Courtney en mij thuis,' zei ze, en holde toen de trap af.

Cara en Darcy kenden elkaar al sinds het kinderdagverblijf, toen Cara nog op mijn schoot zat als ik iemands toekomst voorspelde, en met wijd open ogen naar me opkeek. Soms raakte ze zachtjes mijn wang aan, als om me aan te moedigen. 'Mammies verhalen,' noemde ze mijn voorspellingen, en ze vond ze net zo fascinerend als de sprookjes die ik haar vertelde. Rory's zaak liep destijds ook nog goed en hij had veel tijd voor ons.

Ik keek weer naar zijn briefje. Ik had zojuist vijfennegentig dollar verdiend in twintig minuten, en ik had vandaag nog negen klanten, maar het was slechts een druppel op de gloeiende plaat van alle rekeningen. Ik keek uit het raam. Rory probeerde, zijn zandkleurige haar nat van het zweet, een vlek van de mouw van zijn apothekersjas te vegen. Ik kon zien hoe moe hij was, hoezeer hij gebukt ging onder de zorgen. De vorige avond had hij Cara verteld dat hij haar in november niet naar Vermont kon brengen voor de skiclub, omdat dat het begin van het griepseizoen en zijn drukste periode in de apotheek was. Hij was van plan zesenhalve dag per week te werken en alleen op zondagmiddag vrij te nemen.

Ik zag hen in de auto stappen en wegrijden. Ik kon andere mensen helpen op zakelijk gebied. Waarom Rory dan niet? Ik had een man gezegd niet te investeren in een ijssalon in een winkelcentrum in New Jersey. Die zat naast een supermarkt die ging sluiten, en andere winkels in de omgeving zouden ook dichtgaan. Ik had een vrouw verteld dat ze geruïneerd zou worden als ze meeging in een of ander marketingplan waartoe haar vriend haar probeerde over te halen. Haar vriend was failliet verklaard.

Ik had geprobeerd Rory te sturen, zowel omzichtig als heel direct, maar Rory wilde al net zomin naar me luisteren als Cara. Hij wilde het 'zelf doen'. Nu ik eigenlijk aan de levens van andere mensen hoorde te denken, werd ik in beslag genomen door het mijne. Ik zag Rory's angst dat hij zijn zaak kwijt zou raken. Ik zag Cara die zich van me afwendde, beschaamd om wat ik deed. En ik zag mezelf, hunkerend naar ieders goedkeuring. Ik kon vreemden helpen hun leven op poten te zetten, maar hoe moest ik voorkomen dat het mijne in duigen viel?

Ik vlocht mijn vingers in elkaar. Met de palmen tegen elkaar

rekte ik me uit en ik stelde me voor dat ik naar de geestenwe-
reld reikte om de zolen van mijn bubbes zwarte veterschoenen
aan te raken.

Ik wilde dat mijn gezin mijn gave vertrouwde zoals ik die
van Bubbie had vertrouwd.

2

Al voor ik wist dat ik paranormaal begaafd was, werd ik naar mijn bubbe toe getrokken. Ze woonde zeven blokken verderop in een appartement boven de slagerij van mijn vader in Rockaway Beach, Queens. Er stond destijds vaak een rij mensen voor Bubbies deur, maar ik wist niet waarom. Mijn moeder trok me altijd snel langs hen heen wanneer we mijn vader gingen opzoeken. Toch herkende ik sommige van de mensen die voor Bubbie in de rij stonden, omdat het ook klanten waren van mijn vaders slagerij. Bubbies drempel bleef alleen leeg op zaterdag, en dat was de enige dag dat mijn moeder en ik haar bezochten.

Toen ik zeven was en mijn moeder me langs de rij mensen trok, riep mevrouw Bauman, de caissière van de ijzerhandel, een keer naar me: 'Miriam, je hebt een bijzondere grootmoeder! Ze kan de toekomst zien. Vorige week vertelde ze me dat mijn zwager uit Polen op bezoek zou komen, en nu ligt hij op mijn bank te slapen.'

Mevrouw Feinstein, die achter haar stond, was ook enthousiast. 'Je grootmoeder gaat een zalfje maken om mijn uitslag te genezen,' zei ze. Haar voorhoofd zag eruit alsof er een appel op zat.

'Misschien wil Miriam wel met me mee naar boven om haar bubbe te verrassen,' zei mevrouw Feinstein tegen mijn moeder.

Mijn moeder, die gewoonlijk toch vriendelijk was tegen mevrouw Feinstein, zei kil: 'We moeten verder', en trok me vervolgens de hoek om.

'Luister niet naar hen,' beet ze me toe. 'Bubbies zalfjes en drankjes zijn niets dan kwakzalverij. Haar medicijn werkt alleen bij mensen die niet echt ziek zijn. En haar voorspellingen doen meer kwaad dan goed. Het is allemaal voodoo, dat zeg ik je.'

Mijn moeders ogen schoten vuur. 'Voor je vader uit Rusland vertrok, waarschuwde je bubbe hem al niet met me te trouwen. "Ik zie een waardeloos huwelijk voor je," had Bubbie tegen hem gezegd. "Blijf uit de buurt van de *Amerikanishers*. Vooral die met lang zwart haar, groene ogen en een schoonheidsvlek op haar rechterwang."' Terwijl ze dat zei, raakte mijn moeder haar lange zwarte haren aan, en wees toen naar haar groene ogen en naar de moedervlek op haar wang om me duidelijk te maken dat Bubbie het over haar had gehad. 'Bubbie veroorzaakte al problemen tussen je vader en mij voor ik hem zelfs maar ontmoet had. En je tante Chaia, haar eigen dochter...' Mijn moeders stem stierf weg. 'Ik zeg geen woord meer over haar en wat er van haar geworden is. Het is te vreselijk om aan een kind te vertellen. Wie weet wat voor onzin Bubbie in je hoofd zou stoppen? Ze leeft nog in de duistere middeleeuwen. Ik wil niet dat je een voet in haar appartement zet als ik er niet bij ben.'

'Maar ik wil zien wat Bubbie daar boven doet,' zei ik. Ik wilde net zo zijn als Bubbie. Ik kon niets spannenders bedenken dan dat er mensen in de rij stonden om naar me toe te komen als ik groot was.

Mijn moeder werd bleek. 'Zeg dat nooit meer! Anders gaan we nu direct naar huis in plaats van bij je vader op bezoek.' Ze wachtte met samengetrokken wenkbrauwen. 'Nou, wat wil je?'

'Naar papa,' zei ik zuchtend. Toen ik me omdraaide zag ik de gouden letters op zijn raam: SOLS VLEES.

Mijn vader stond achter de toonbank met zijn schort aan en een potlood achter zijn oor. Zijn krullende haar had de kleur van herfstbladeren boven zijn brede voorhoofd en hoge jukbeenderen. Zijn spieren waren strak gespannen door het sjouwen met koeienkarkassen. Ik zag hem een lendenstuk in wit waspapier wikkelen en er een touwtje omheen binden.

Mijn vaders neef Max somde nog steeds de namen van mijn vaders oude vriendinnetjes op: Masha, Greesha, Bronya, Vera... Max telde al zijn vingers bijna twee keer. 'Een echte vrijgezel,' zei Max dan. Maar toen mijn vader zevenentwintig was, zag hij mijn moeder, negentien jaar oud, een chique kapperszaak binnen stappen, en zelfs al had hij het gewild, dan nog zou hij het niet hebben kunnen nalaten haar achterna te lopen. Hij zag haar naast een kappersstoel zitten. Ze gaf een man een manicure. Ze was vanuit Elmira naar New York gekomen om actrice te worden en deed manicures tussen de audities door. 'Ik wil hetzelfde als die man,' zei mijn vader tegen de man achter de toonbank. Binnen drie weken was mijn vader Bubbies waarschuwing vergeten en vroeg hij mijn moeder ten huwelijk. Hij vroeg haar meteen te stoppen met werken. 'Ik kon de gedachte dat ze de hand van een andere man vasthield niet verdragen,' zei hij. Ze trouwden drie maanden later. Nadat mijn moeder zwanger was geraakt, ging ze niet meer naar audities. 'De enige rollen die ik nu nog zal spelen, zijn in de keuken,' had ze triest gezegd.

Je kon goed zien dat mijn vader nog steeds veel van mijn moeder hield. Zijn blauwe ogen lichtten op toen hij haar bij de deur van zijn slagerij zag staan. 'Nee maar, als dat niet Dorothy is,' – hij sprak het uit als *Dor-o-tie* – 'mijn prachtige Amerikaanse roos,' zei hij. In tegenstelling tot Bubbie vond hij het geweldig dat mijn moeder in dit land geboren was, dat ze altijd de nieuwste mode kende en die namaakte van patronen uit de *Vogue*. Hij vond het fantastisch dat ze de Lindy Hop deed, en kookte naar de recepten uit *McCall's*.

Hij trok zijn schort uit, zei 'Ik zal me eerst even wassen', en liep naar de wasbak achter hem. Daarna haastte hij zich naar mijn moeder en probeerde haar op de mond te kussen, zoals hij elke avond deed. Maar mijn moeder, die nog steeds van streek was over Bubbies invloed op mij, bood hem in plaats daarvan haar wang aan. Ik dacht aan mevrouw Feinstein die boven bij Bubbie was, en bukte stiekem om mijn zakken te vullen met zaagsel van de vloer, gewoon omdat ik niet verondersteld werd dat te doen.

Mijn vader moest gezien hebben wat ik deed. 'Putchkie,' zei hij grinnikend, en tilde me op om me proestend in mijn nek te kussen. Hij had me die bijnaam gegeven naar de *pusjkes*, de blikken trommeltjes aan Bubbies muur waar ze geld in deed voor de armen; hij zei dat er schatten in mij verborgen waren.

'Het zou goed zijn om een zoon te hebben die op een dag de kaddisj voor me kon zeggen,' zei hij, 'maar ik heb iets beters. Een Putchkie om me gelukkig te maken.' Ik herinnerde me dat ik me voelde alsof ik twee theelepels honing had gegeten toen hij me zo vasthield.

'Nou,' zei mijn moeder, 'deze Putchkie moet naar huis om haar sommen te maken.'

'Dag, papa,' zong ik. De hele weg naar huis, als mijn moeder niet keek, strooide ik kleine beetjes zaagsel op de stoep en deed alsof het feeënstof was. *Ik wens, ik wens*, sprak ik geluidloos, *dat ik vanavond naar mijn bubbe mag*. Maar niemand bracht me die avond naar haar toe en er gingen zoveel avonden voorbij, dat ik zeker wist dat de feeën mijn wens nooit zouden vervullen.

Twee weken later, voor hun twaalfde trouwdag, gaf mijn vader mijn moeder een ring met een grote amethist en kleine diamantjes die ze een maand eerder had uitgekozen. 'Ik zal hem voor altijd dragen,' zei ze. Zij verraste hem met twee kaartjes voor *The Fantasticks* en reserveerde een tafeltje in de Russian Tea Room. 'Je moeder weet wel hoe ze mijn geld moet uitgeven,' had mijn vader gezegd. Ik wilde ook een kaartje. Ik voelde me net Schmully, een meisje dat iets verderop woonde en door alle kinderen werd gemeden omdat ze zeiden dat ze zich nooit waste.

'We zouden Putchkie mee moeten nemen,' zei mijn vader, maar mijn moeder antwoordde: 'Amerikaanse stellen gaan samen uit en nemen een oppas.'

De dag voor de voorstelling belde de oppas af en Bubbie was het enige alternatief dat mijn moeder kon vinden. Ik vond het geweldig dat mijn moeder me een hele middag en avond bij Bubbie zou moeten laten, maar besefte wel dat ik niet moest laten merken hoe opgewonden ik was.

Toen we die middag allemaal de trap naar Bubbies appartement op liepen, verscheen ze in haar zwarte jurk met kant aan
de mouwen in de deuropening. Zoals altijd waren haar lange
witte haren gevlochten en als een kroon om haar hoofd gewikkeld. Als ze glimlachte kwamen er rimpeltjes rond haar lichtblauwe ogen. Ze leek heel groot in mijn ogen, maar toen ik
boven kwam en ze me tegen zich aan trok, reikte ik bijna tot
haar schouders. 'Nesjommele,' noemde ze me. Dat betekende
'lieverd' of 'goede ziel'. Ik rook haar lavendelpoeder en zag het
in de rimpels van haar nek zitten. Ik rook ook haar Castileshampoo. 'De enige waar wit haar niet geel van wordt,' zei ze
altijd.

Pap kuste Bubbie, draaide zich om, knielde en gaf mij ook
een kus. Zijn krullen waren platgedrukt waar zijn hoed had gezeten. Hij wreef zijn naar Old Spice geurende wang tegen de
mijne. 'Ik kom terug als het schuurpapier is,' zei hij, en knipoogde toen naar me, kennelijk ook blij dat ik een hele poos
alleen bij Bubbie mocht blijven. Met verende tred liep hij de
trap af.

Mijn moeder legde haar hand op mijn schouder. 'Dag,' zei
ze glimlachend tegen Bubbie, maar ze liet me niet meteen los.
Later hoorde ik dat Bubbie had beloofd die dag geen klanten
in haar appartement binnen te laten, maar mijn moeder vertrouwde haar nog steeds niet. Bubbie liep naar binnen en mijn
moeder gaf me een dikke zoen. Daarna fluisterde ze: 'Ik weet
zeker dat Bubbie het goed bedoelt, maar ze is een beetje ge-
tikt, dus luister maar niet naar wat ze zegt.'

'Oké,' zei ik, en haastte me toen met bonkend hart Bubbies
appartement in. Hoewel Bubbies appartement donker gemeu-
bileerd was, leken de kamers licht door haar kristallen lampen,
witte kleedjes en schalen van geslepen glas vol snoepjes.

'Kijk eens wat voor cadeaus mijn klanten me deze week hebben gebracht,' zei Bubbie glimlachend. Ze liet me een bootje
in een fles zien, beschilderde schelpen, potvarens en een beeld-
je van Franciscus van Assisië. Ik tokkelde op de snaren van de
mandoline die ze me gaf. Haar kasten lagen vol geschenken, en

soms haar koelkast ook. Eén keer had mijn moeder hem opengemaakt en gekrijst toen ze een pot kippenpootjes in gelei zag staan.

'Kunnen we koekjes bakken?' vroeg ik. Ik vond het heerlijk om met een omgekeerd glas de koekjes uit het deeg te steken.

'Ja hoor,' zei ze, en ze ging me voor naar de keuken. Aan de muren hingen bosjes kruiden te drogen, en de planken stonden vol potjes met poeders en drab. Ik heb jaren gedacht dat elke grootmoeder dat soort dingen in haar keuken had. 'Gebruik je die om medicijnen te maken?' vroeg ik.

Ze keek me steels aan. 'Dus je weet wat je bubbe in werkelijkheid doet?'

'Een beetje, maar ik wil er alles van weten.'

Een glimlach rimpelde over haar gezicht. Terwijl ze me liet zien hoe ik het koekjesdeeg moest uitrollen, werd er op de deur geklopt.

'Mevrouw Polnikov, mevrouw Greenhouse hier,' riep een vrouw.

Bubbie keek verbaasd. 'Hè! Ik had de klanten verteld dat ze vandaag niet langs konden komen.'

Ik wilde zien wat Bubbie met haar klanten deed. 'O, laat haar alsjeblieft binnen,' smeekte ik.

Bubbie deed een stap in de richting van de deur, toen een stap terug.

'Alsjeblieft, Bubbie. Ik wil zien hoe je je voodoo doet.'

'Voodoo?' zei Bubbie verontwaardigd. 'Ik ben een genezeres. Voodoo komt van de duivel. Ik heb mijn gave van God gekregen.' Ik kon haar zien aarzelen, ongetwijfeld denkend aan de woede van mijn moeder. Toen zuchtte ze. 'Ik zal mevrouw Greenhouse binnenlaten, maar denk erom, het is ons geheim.'

Toen ze de deur opendeed, kwam een vrouw met een zware boezem en peper-en-zoutkleurig haar naar binnen. Ze was helemaal in het zwart gekleed en had wallen onder haar ogen.

Bubbie nam haar mee naar de kamer, schoof een voetenbankje bij voor mij en ging in de leunstoel met de bol-enklauwpoten zitten. Mevrouw Greenhouse nam plaats op de stoel tegenover haar en keek naar mij. Ze hield haar hand naast haar mond, zodat ik haar niet zou horen, maar mijn moeder zei altijd dat ik zelfs een veertje kon horen vallen.

'Praat u tegen de doden?' vroeg mevrouw Greenhouse op fluistertoon aan Bubbie.

'Nee,' zei Bubbie. 'Zij praten tegen mij.'

Ik boog zo ver naar voren dat ik bijna van het voetenbankje tuimelde.

Mevrouw Greenhouse pakte een zakdoekje en depte haar ogen. 'Ik wil weten of mijn man het me kwalijk neemt dat ik niet met hem naar een betere dokter ben gegaan.'

'Je had niets kunnen doen,' zei Bubbie. 'We gaan allemaal als onze tijd daar is. Zo staat het geschreven.'

'Dat mag wel zo zijn,' zei mevrouw Greenhouse, 'maar ik wil weten of mijn Myron vindt dat ik hem naar het Mount Sinai-ziekenhuis had moeten brengen.'

Bubbie zette haar zilverkleurige bril af en haar ogen werden dromerig. 'Ik zie een man in een grijs pak.'

Ik keek om me heen, maar zag niemand anders dan Bubbie en mevrouw Greenhouse. Mevrouw Greenhouse raakte zo opgewonden dat haar haren uit het netje zakten. 'Myron is in zijn grijze pak begraven!' riep ze uit.

'Hij probeert me iets duidelijk te maken,' zei Bubbie. Ze hield haar hoofd schuin. 'Hij zegt dat hij bij Florence is.'

Mevrouw Greenhouse stak haar kin naar voren. 'Florence was zijn secretaresse. Ze kwam altijd naar het werk in nylon bloesjes die haar halve boezem bloot lieten. Ik heb jaren geleden al tegen Myron gezegd: "Zij vliegt eruit, of jij vliegt eruit." Daarna heb ik nooit meer iets over haar gehoord. Wat handig voor Myron dat Florence ook dood is gegaan.'

'Ach!' zei Bubbie, en ze sloeg met haar hand tegen haar voorhoofd. Toen klaarde haar gezicht op, alsof ze daarmee een idee in haar hoofd had geslagen. 'Myron is nu dertien maanden dood,' zei Bubbie.

'Hoe weet u dat?' vroeg mevrouw Greenhouse.

'Het hangt overal om u heen. Twaalf maanden is lang genoeg

om te rouwen. Uw Myron heeft dood meer plezier dan u levend. Gebruik wat van zijn geld en ga naar een *sjadjen*.'

'Een koppelaarster, op mijn leeftijd?'

'Waarom niet?' vroeg Bubbie. 'Ik zie al een kerel voor u.'

Mevrouw Greenhouse opende haar portemonnee en gaf Bubbie een hele dollar. 'U verdient wel een miljoen,' zei ze.

'Een goed genezeres rekent haar klanten geen kapitalen,' zei Bubbie.

'Godzijdank,' lachte mevrouw Greenhouse, 'want Tillie de koppelaarster doet dat wel.' Daarna bracht mevrouw Greenhouse wat rode lippenstift op, wreef ook een beetje in haar wangen en liep toen, met haar heupen wiegend als Marilyn Monroe, naar buiten.

Toen ze weg was, zei Bubbie: 'Je mag de mensen niet huilend bij je weg laten gaan. Je moet weten hoe je met *sjeiss* moet omgaan en er honing van moet maken.'

'Zag je haar man Myron echt?'

'Natuurlijk. De doden komen bij me binnenvallen alsof ze niets anders te doen hebben. Nadat ze zijn opgesloten in een doodskist, blijven ze daar liever niet.'

'Hoe wist je hoe haar man eruitzag en wat hij zei?' vroeg ik. In mijn zeven jaar had ik alleen een dood roodborstje gezien. En een keer een worm waar ik op getrapt had.

'Je kijkt met je ogen iets omhoog, en een beetje naar rechts,' zei ze. 'Zo... maar niet staren. Gewoon rustig kijken... dan wacht je en luister je.'

Ik deed wat ze had gezegd met mijn ogen. Ik wachtte en luisterde, maar zag of hoorde niets.

Ze pakte mijn hand en bestudeerde de palm. 'Dit is je levenslijn. Die is erg lang. En dit is de lijn van je hart, en hier de berg van Venus, voor de liefde.' Toen ze dat plekje aanraakte, had ik het gevoel dat mijn hart zwol van liefde voor haar.

Ze bleef naar mijn handen kijken. 'Ik zie een stervormige lijn,' zei ze toen. 'Dat kom je niet vaak tegen.'

'Wat betekent dat?' vroeg ik.

Ze bleef gewoon naar mijn handen staren. Elke seconde die

verstreek, leek wel een uur. Ik hoorde haar klok tikken. Ik hoorde de koelkast gonzen. Ik rook de oranjebloesemolie waarmee ze haar meubels inwreef.

Ze keek me weer aan. 'Laten we eens kijken wat het betekent,' zei ze met bevende stem. 'Het zou een teken kunnen zijn van iets waar ik op gehoopt heb. Laten we beginnen met je handen.' Ze stond op van haar stoel, hield haar handen boven mijn hoofd en liet ze toen, zonder me aan te raken, langzaam naar beneden glijden. Ik voelde een tinteling. Ze hield stil bij mijn schouders. Ze nam eerst de ene hand weg en toen de andere. 'Het is je rechterschouder,' zei ze. 'Je moet hem gestoten hebben.'

'Vorige week was ik aan het ronddraaien op mijn bed en toen viel ik eraf. Het ziet nog steeds blauw,' zei ik, en ik trok aan de hals van mijn sweater om het haar te laten zien.

'Een beetje eiwit helpt daar wel tegen,' zei ze.

Ze ging verder met haar handen langs mijn lichaam en hield bij mijn dijbeen weer stil. 'Daar zit ook iets,' zei ze.

'Een brandwond,' vertelde ik haar. 'Ik probeerde zelf warme chocolademelk te maken en morste kokend water uit de ketel. Ik heb het tegen niemand verteld, omdat ik eigenlijk niet aan de hete ketel mag komen.'

'Zie je, niemand kan iets voor de gave verbergen,' zei ze. 'Probeer jij het nu eens bij mij.' Ze ging op de bank liggen.

Ik hield mijn handen boven haar hoofd. 'Wat moet ik voelen?' vroeg ik.

'Soms voel je een schokje of verandert de temperatuur van je handen. Soms trillen je vingers.'

Ik liet mijn handen langzaam tot een paar centimeter boven Bubbies lichaam zakken. Toen ik net onder haar buik was aangekomen, hielden mijn handen stil. 'Bubbie, mijn handen worden warm,' zei ik ademloos.

'Fijn voor jou, maar niet voor mij,' zei ze. 'Het betekent dat je voelt dat ik daar pijn heb.' Ze glimlachte met samengeknepen lippen, ging toen recht zitten en keek me strak aan. 'Nesjommele, dat was een kleine test. Je hebt mijn gave. Ik zou je kunnen leren te doen wat ik doe. Dan zou je mijn officiële assistente kunnen zijn.'

Ik raakte vreselijk opgewonden. 'Wanneer komt de volgende klant?' vroeg ik, springend op mijn stoel.

'Laten we eerst wat eten,' zei Bubbie. Ze omhelsde me. 'Soort herkent soort,' zei ze. 'Toen ik een kleine aardappel was, zoals jij, woonde er een genezeres in mijn *shtetl* die Bedya heette, een grote vrouw met melkblauwe ogen. Alle andere kinderen waren bang voor haar, maar hun ouders klopten altijd bij haar aan voor genezing. Ik was niet bang voor haar. Ik rende nooit weg zoals de andere kinderen. Op een dag kwam ze naar me toe en zei: "Jij hebt mijn gave." Ze zei dat ze dat kon zien aan de manier waarop de lucht om me heen bewoog. "Ga mee naar mijn huis," zei ze. Ik wist niet wat er ging gebeuren, maar ik ging met haar mee, en ze nodigde me uit om te gaan zitten en gaf me honingcake en een glas zoete thee. "Wanneer je dit over jezelf ontdekt, moet je het vieren met iemand die de gave ook heeft," zei Bedya tegen me. Nesjommele, vandaag moeten jij en ik het samen vieren.'

Ik hielp Bubbie haar kanten tafelkleed glad op de keukentafel te leggen. Ze stak een kaars aan en dekte de tafel, we hadden snijbonensalade op zwart roggebrood en honingcake met thee uit haar mooiste servies, terwijl ik dacht: mammie laat me vast nooit meer alleen hierheen gaan. Hoe kan ik dan genoeg van Bubbie leren om haar officiële assistente te worden?

Bubbie legde haar snee roggebrood neer. 'Wat een lang gezicht voor zo'n blijde dag,' zei ze. 'Hoor eens, als je moeder vraagt wat je hier gedaan hebt, hoef je alleen maar te zeggen: "Bubbie las de *Forward* en ik heb naar de radio geluisterd. Het was saai." En dan gaap je. Dan mag je beslist elke week alleen terugkomen.'

'Het is saai,' zei ik om te oefenen, en gaapte toen luid.

'Je zou op z'n minst kunnen wachten tot je je snijbonensalade ophad,' zei Bubbie grinnikend.

We hadden onze honingcake nog niet eens op toen de deurbel weer ging. Een vrouw riep: 'Mevrouw Polnikov, Lydia Smolowitz hier. Vivi Greenhouse vertelde me dat ze vandaag bij u is geweest. U kunt geen verschil maken, hoor.'

Bubbie zuchtte. 'Met dit werk heb je geen eigen leven.' Ze stond op en ik volgde haar naar de deur. Een plompe vrouw van ongeveer mijn moeders leeftijd, met peenhaar en sproeten op haar neus, stapte naar binnen. Haar parfum was zo sterk dat mijn ogen ervan gingen tranen.

'Ik moest gewoon naar u toe,' zei de vrouw.

'Nou, mijn kleindochter is op bezoek en ik heb niet veel tijd,' zei Bubbie. 'We vierden een feestje en ik heb mijn thee nog niet eens aangeraakt.'

'Misschien kunt u alleen mijn theebladeren lezen,' zei Lydia.

Ik keek naar Bubbie op en knikte.

Bubbie glimlachte. 'Kom maar mee naar de keuken, Lydia. Ik zal thee voor je inschenken.'

In plaats van de glazen die ze had gebruikt, zette Bubbie een kleine witte kop-en-schotel neer en schonk er thee in zonder een zeefje te gebruiken. De bladeren kwamen in het kopje. Ik huiverde bij de gedachte dat Lydia ze moest opdrinken, maar Bubbie zei: 'Laat er net genoeg thee in om de bladeren te kunnen ronddraaien, en denk erom dat je blaast, zodat je je mond niet brandt, zoals de vorige keer.'

Lydia blies in de thee en de damp steeg op naar haar peenhaar. Ze dronk, en keek na elke slok in het kopje om te zien of er nog genoeg in zat. Toen pakte ze het kopje op en draaide het naar links. 'Een, twee, drie,' telde ze langzaam. Ze legde het schoteltje op het kopje en keerde het bijna lege kopje toen snel om.

'Het werkt beter als de klant zelf de thee draait en het kopje omkeert,' legde Bubbie me uit. Daarna pakte Bubbie Lydia's kopje op, keek erin en hield het naar diverse kanten schuin. 'Ik zie een vorm die op een A lijkt,' zei ze, 'en de bladeren zijn donker. Dus het is een man, of iemand met donker haar. Hmm. Ik zou zeggen dat het in dit geval een man met donker haar is.'

Lydia's been wiebelde onder de tafel.

Bubbie tuurde in het kopje en voegde eraan toe: 'En de A ligt bij een vorm die op een brandende kaars lijkt. Dus iemand brandt een kaarsje voor een donkerharige man wiens voornaam of achternaam met een A begint.' Bubbie keek Lydia recht in de ogen. 'Ik hoop dat ik het mis heb,' zei ze. 'Je bent al vijftien jaar met Sy getrouwd.'

Lydia schraapte haar keel en gebaarde met haar hoofd in mijn richting. 'Het kind,' zei ze bezorgd.

Ik pakte een potlood en een van mijn vaders notitieboekjes uit mijn zak en begon te droedelen, zodat Bubbie me niet zou vragen naar de andere kamer te gaan, maar Bubbie keek niet eens naar me. 'Lydia, ik heb je niet uitgenodigd, je bent zelf hierheen gekomen.'

'Ga alsjeblieft verder,' zei Lydia. 'Ik moet weten of A ook van mij houdt.'

Terwijl ik deed alsof ik nog steeds zat te droedelen, zag ik Bubbie het kopje neerzetten en naar Lydia's schoteltje kijken. 'Kijk zelf maar,' zei Bubbie. Ze wees naar een vorm die eruitzag als een driehoek. 'Het is een waaier,' zei Bubbie. 'Dat wil zeggen dat je moet afkoelen. Het betekent dat je jezelf voor gek zult zetten.'

'Dat kan me niet schelen,' zuchtte Lydia met haar handen tegen haar borst gedrukt. 'Ik heb behoefte aan *passion*.'

Ik dacht aan de Franse vrouw die ooit bij de viswinkel van Fogel binnen was gekomen en om *poisson* had gevraagd. Destijds vond ik vis smerig. Zelfs als hij helemaal was schoongemaakt, zag ik nog steeds de schubben en glibberige ogen.

'Je zoekt het bij de verkeerde,' zei Bubbie tegen Lydia. 'Kijk eens hier,' zei ze, naar een kronkeltje naast de waaier wijzend. 'Die A van jou heeft een natte noedel. Als je niet weet wat dat betekent, kom je maar even mee naar de andere kamer, dan zal ik het in je oor fluisteren.'

Lydia sloeg haar handen voor haar gezicht, maar ik zag haar toch nog blozen.

'Je hoeft je niet te schamen,' zei Bubbie. 'De reden dat je je tot een natte noedel aangetrokken voelt, is dat je diep in je hart

weet dat je Sy nooit pijn zou doen.' Bubbie schoof het schoteltje weg en keek weer in het kopje. 'Daar zit een kat,' zei ze.
'Die duidt op tevredenheid. Het betekent dat je een lang en
vredig leven met Sy zult hebben. Een leven vol zegeningen.'
Toen knipoogde ze naar Lydia. 'En veel likjes.'

Lydia bloosde nog steeds toen ze haar handen liet zakken,
maar lachte nu ook. 'U hebt gelijk,' zei ze. 'Ik wist dat ik meteen naar u toe moest. Dank u. Dank u.' Ze legde zeven dollar
op de tafel.

Bubbie liet haar uit. Toen ze weer binnenkwam, zei ze: 'Aar-
dige fooi, hè?', en stak het geld voor in haar jurk. 'Maar wat
nog beter is dan het extra geld, is dat ik blij ben vanbinnen. Ik
heb geholpen een gezin bij elkaar te houden. Dat is een van de
mooiste dingen die een genezer kan doen.' Ze nam een hap
van haar honingcake, veegde toen haar mond af met een servetje en zei: 'Er is veel wat je nog moet leren over dit werk.
Ten eerste mag je nooit over je klanten praten. Ze moeten je
kunnen vertrouwen. En hoe slecht je je zelf ook voelt, je moet
ze nooit over jouw problemen vertellen. Ze hebben zelf genoeg aan hun hoofd. Daarom komen ze naar je toe.' Ze nam
nog een hap, kauwde er langzaam op en vervolgde toen: 'Je
moet onthouden dat boosheid een blinddoek en oordoppen is
voor een genezer. Je krijgt de berichten en waarschuwingen
die je nodig hebt niet door als je boos bent. Natuurlijk zul je
wel eens kwaad worden, maar stap daar dan snel weer overheen. Gebruik je gave nooit om op de paarden te wedden of
een jackpot te winnen. En doe dit werk nooit, maar dan ook
nooit op een kermis. Het is geen show. Het is iets heiligs, zoals
Mozes die de brandende struik zag, of Jakob die met de engel
worstelde.'

Ik wist niet goed wat ze bedoelde, maar knikte alsof ik het
begreep.

Bubbie haalde een hand door mijn krullen. 'Heb geduld.
Het vergt een heel leven om alles te leren. Het mooiste is dat
ik je als *meine* officiële assistente sessies met een paar klanten zal
laten doen. Ze zullen het schitterend vinden, vooral omdat ik

ze maar de helft zal berekenen. Maar alleen klanten uit Jersey, niet hier uit de buurt. We willen niet dat je moeder het te horen krijgt.'

Ik wilde alles weten en meteen beginnen. 'Wil je de theebladeren voor mij lezen?' vroeg ik met ingehouden adem.

'Met genoegen,' zei ze.

Toen ik uitademde, begon de vlam van de kaars op de tafel te flakkeren.

Bubbie pakte een schoon wit kop en schoteltje en schonk de thee in. Ik blies erin zoals Lydia had gedaan en dronk de thee op tot bijna aan de vieze blaadjes.

'Zo goed?' vroeg ik.

Bubbie knikte. Ik draaide het kopje rond en telde tot drie zoals Lydia had gedaan.

'Je leert snel,' zei Bubbie, 'maar ik zal het kopje zelf maar omkeren voor je je brandt, zoals met de chocolademelk.'

Nadat ze het kopje had omgekeerd, telde ik hardop terwijl de thee eruit drupte en toen keek Bubbie in mijn kopje. 'Er zijn drie vormen die eruitzien als mensen. De donkere vorm is een man en de twee lichtere zijn vrouwen.' Ze keek weer. 'Nee, wacht, een van de vormen is veel kleiner, dus dat zou een meisje kunnen zijn. Ze zitten dicht bij het oortje, wat wil zeggen dat ze dicht bij huis zijn.'

'Dat moeten papa, mama en ik zijn,' zei ik, naar voren buigend.

Ze hield het kopje schuin. 'Ik zie ook een vorm dicht bij hen die op een handschoen of bokshandschoen lijkt.'

'Dat zal wel een bokshandschoen zijn,' zei ik, denkend aan de woordenwisselingen die mijn ouders vaak over Bubbie hadden. Ik keek haar recht aan. 'Waarom ben je boos op mama omdat ze in Amerika geboren is? Ik ben hier ook geboren.'

'Ik ben niet boos,' zei Bubbie. 'Ik vind het alleen moeilijk om te zien dat de oude manieren overboord gegooid worden.'

'Ik hou wel van je oude manieren,' zei ik tegen Bubbie.

Ze drukte een kus op mijn voorhoofd. 'Je bent me d'r een,' zei ze.

'Wat zeggen mijn theebladeren nog meer?' vroeg ik.

'Dit hier is een anker,' zei ze, naar wat blaadjes op mijn schoteltje wijzend. 'Dat betekent dat je sterk bent vanbinnen.'

'En dat ding dat eruitziet als een cirkel?'

'Dat is een ring,' zei Bubbie. 'Als een ring dicht bij een anker ligt, betekent het dat je een goede man zult krijgen.'

'Ik wil geen man,' zei ik.

Bubbie gooide haar hoofd in haar nek en lachte. 'Nu misschien nog niet, maar dat komt wel.'

3

Toen ik de bank binnenliep om onze laatste obligaties op te halen, gaven kassiers mensen roze reçuutjes als bevestiging van stortingen. Ik had het gevoel dat ik de enige was die spaargeld kwam opnemen. Ik vluchtte naar de kluisruimte en tekende voor mijn kluisje. De bediende bracht me naar een hokje waar ik privacy had. Ik voelde dat vrouwen in andere hokjes hun robijnen en diamanten opborgen tot de volgende grote fuif. Toen ik mijn hand in mijn kluisje stak, voelde ik iets kouds en glads. Mijn hartvormige gouden speld! Het was het eerste cadeautje dat Rory me had gegeven. Ik wist nog wanneer hij dat had gedaan. Het was een van die winters waarin mensen de sneeuwkettingen maanden om hun banden lieten zitten, en schoenen en tapijten de vlekken droegen van strooizout. We waren net terug van de film en stonden in Rory's zalmkleurige Plymouth voor het huis van mijn ouders geparkeerd, met draaiende motor. De oude verwarming blies maar weinig warme lucht over onze voeten; toch bleven we zitten, omdat we elkaar niet wilden verlaten. Op dat moment gaf hij me het doosje en toen ik het hart midden op de witte watten zag liggen, nam ik een ademteug zo warm en zoet als mijn bubbes zoete thee. 'Vind je hem mooi?' vroeg hij.

'Ik vind hem prachtig,' zei ik.

'Echt waar?' vroeg hij.

'Echt waar,' verzekerde ik hem. Hij was tweeëntwintig karaats. Hij had destijds waarschijnlijk niet veel meer gekost dan vijfenzeventig dollar, maar ik bewaarde hem in de kluis, omdat hij voor mij onbetaalbaar was. Nu, met de herinnering aan verhitte kussen die de ramen van de Plymouth hadden doen beslaan, deed ik gretig als een jong meisje de speld op mijn revers. Ik kon plotseling niet meer wachten om naar zijn winkel te rijden en hem te zien. Ik pakte de envelop met obligaties die door de jaren heen steeds dunner was geworden en stak hem in mijn tas, zodat Rory ze kon tekenen en verzilveren bij de bank om de hoek waar hij ze had gekocht, de enige bank waar ze mochten worden verzilverd.

Toen ik Middle Neck Road overstak naar Best Bagels, bleef ik op de dubbele gele streep staan. Misschien moet ik Rory de obligaties niet laten verzilveren, dacht ik, maar er claxonneerde een rode Porsche naar me en ik liep door. Binnen zei ik tegen de winkelbediende: 'Drie sesambagels en een ons magere roomkaas, alstublieft.'

Terwijl hij ze in een zak stopte, hoorde ik 'Nesjommele, ook zo'n gevlochten challe', en er kroop een warme huivering over mijn rug omhoog.

Bubbie kwam de laatste tijd vaak spontaan bij me langs. Ik had dan telkens het gevoel dat ze een warme sjaal om mijn schouders sloeg. 'Ze verkopen hier geen challe,' zei ik tegen haar.

'Wat verkopen we niet?' vroeg de jongen.

Ik voelde dat ik bloosde. 'Ik dacht gewoon hardop,' zei ik. Ik voelde een lichte druk op mijn hoofd, alsof iemand het omlaag wilde duwen. Daar, in de glazen vitrine, zag ik een draadmandje met gevlochten broodjes die wel wat van challes hadden. Geesten hadden niet altijd een goede kijk op aardse afmetingen. 'En een van die broodjes, graag,' zei ik tegen de jongen.

Ik draaide me om naar waar ik dacht dat Bubbie was. 'Ga niet weg,' zei ik.

'Dame, ik ga nergens heen,' zei de jongen. 'Wilt u verder nog iets?'

Ik schudde mijn hoofd, betaalde de bagels en het broodje en vertrok. Ik wenste altijd dat Bubbie langer zou blijven. Maar ook al was ze maar voor heel eventjes gekomen, ze was voor mijn stemming wat gist was voor deeg. Mijn pas leek lichter toen ik terugliep naar mijn blauwe Honda Civic. Bubbie was zonder obligaties naar Amerika ontsnapt, dacht ik bij mezelf, dus Rory, Cara en ik konden ook best zonder. Rory werkte vreselijk hard om Cara en mij een goed leven te geven.

Op Lakeville Road stond het verkeer bumper aan bumper. De man voor me stapte uit en probeerde vanaf het trottoir, met zijn handen boven zijn ogen, te zien wat de oorzaak van de opstopping was. Andere chauffeurs staken nieuwsgierig hun hoofd uit het raampje. In gedachten zag ik een serie oranje pionnen staan. Wegwerkzaamheden, dacht ik bij mezelf.

'Verrekte werkzaamheden!' riep de man terwijl hij weer in zijn auto stapte en het portier dichttrok. Ik voelde dezelfde verrukking als altijd wanneer ik gelijk had. Ik beschouwde mijn gave nooit als iets vanzelfsprekends. Diverse auto's keerden over de doorgetrokken streep.

Na een paar minuten begon het verkeer voort te kruipen. Toen ik eindelijk de oprit naar de Long Islandsnelweg bereikte, zag ik waaraan ze aan het werken waren. Er werd een betonnen muur langs de weg gezet. Ik had dergelijke muren langs andere snelwegen gezien. 'Ze leiden te veel af,' had ik tegen Rory gezegd. 'De schaduwen van geesten dansen eroverheen.'

'Dat geldt alleen voor jou,' had hij geantwoord. 'Voor andere mensen beperken ze de afleiding van bomen en struiken, en ze beschermen mensen die in de buurt wonen tegen de uitlaatgassen en het lawaai.'

Rory zorgde dat ik met beide voeten op de grond bleef. Ik raakte mijn gouden speld aan. Bubbie zei altijd dat een ziel zijn hele toekomst kende voor hij op aarde kwam, maar dat vervolgens de Engel van Vergetelheid zijn lippen aanraakte. 'Daar komt dat kuiltje vandaan,' had ze eraan toegevoegd, terwijl ze naar het deukje net boven mijn bovenlip wees. Als ik dacht aan hoe Rory en ik elkaar hadden ontmoet, had ik het gevoel dat Bubbies verhaal waar was:

Ik had de nieuwsbrief voor oud-studenten zitten doorkijken en een kring van licht rond een aankondiging van een openhuisfeest zien staan, alsof iemand die met een neonroze markeerstift omcirkeld had. Het was een adres in Forest Hill. Ik wist zeker dat de kring van licht een teken was dat daar iets of iemand op me wachtte.

Het ijzelde op de avond van het feest. Ik moest twee bussen nemen om er te komen, zat in de ene bus naast een moeder met lastige kinderen en in de andere tussen een stel tieners die stiekem zaten te roken. Mijn blauwe nep-Borganzabontjas twinkelde van de ijskristallen. Ik vroeg een paar keer de weg en werd langs de wedstrijdtennisvelden naar een wijk gestuurd met grote, historische huizen. Ik had het huis snel gevonden. De ramen waren donker en ik hoorde geen muziek, maar ik belde toch drie keer aan. Na een poosje werd de deur geopend door een man met een verweerd gezicht en een baard. Die is vast eeuwen geleden al afgestudeerd, dacht ik. 'Wat kan ik voor u doen?'

'Het openhuisfeest,' legde ik uit.

Hij knipperde met zijn ogen. 'Dat was vorige week.'

Ik voelde mijn wangen branden van schaamte.

Hij deed de deur wat verder open. 'Wil je soms binnenkomen? Even opwarmen. Een kop koffie, misschien?'

Hij was erg aardig, maar ik vond het eng om bij een vreemde man naar binnen te gaan zonder iemand anders erbij. 'Het is wel goed,' zei ik dapper. 'Sorry dat ik u heb lastiggevallen.'

'Geen probleem. Ik geef volgend jaar weer zo'n feest. Hou de datum maar in de gaten.'

'Dag,' zei ik, trachtend het bibberen te onderdrukken. Ik liep terug naar de zakenwijk. Ik was zo teleurgesteld dat ik wel kon huilen. Mijn kring van licht was uiteengespat. Hou op met dat zelfmedelijden, zo beschimpte ik mezelf. Je komt niet om van de honger in Europa. Je huis is niet leeggeroofd. Je ouders liggen veilig in hun eigen bed. Mijn troostende woorden deden echter niet hun gebruikelijke werk. Tranen vertroebelden mijn zicht en maakten mijn wangen nog kouder. Op de hoek struikelde ik en verzwikte mijn enkel. Je wordt niet achternagezeten door de kozakken, hield ik mezelf voor terwijl ik voorthobbelde. Ze steken je huis niet in brand. Mijn enkel begon zo te kloppen en te branden dat ik geen stap meer kon verzetten. Voor een apotheek die nog laat open was, barstte ik in snikken uit. Even later kwam een man in een witte laboratoriumjas naar buiten om te kijken wat er aan de hand was. De apotheker, dacht ik. Ik was blij om iemand te zien. Ik zag hoe jong hij was, hoe knap. Hij had dik, golvend zandkleurig haar en chocoladebruine ogen. 'Wat is er aan de hand?' vroeg hij, en ik wees naar mijn enkel. Hij knielde neer en sloeg zijn vingers eromheen. 'Behoorlijk gezwollen,' zei hij. Ik had het ijskoud, maar mijn huid werd warm onder zijn aanraking. Zijn wimpers waren lang en dik – ik wilde ze kussen.

'Ik draag je wel de winkel in,' bood hij aan.

'O, nee,' zei ik, maar hij pakte me op en zette me binnen op een stoel neer. Mijn tanden klapperden. Hij hielp me uit mijn natte jas en sloeg zijn ski-jack om me heen. Hij was zo lang dat zijn jas me als een cocon omhulde. Hij maakte oploskoffie voor me en verbond mijn enkel.

'Ik heet Miriam Polnikov,' zei ik. Mijn hele lijf begon warm te worden.

'Rory.'

Ik vond het prachtig, zoals hij zijn lippen tuitte toen hij dat zei. 'Kaminsky,' vulde ik aan. Opeens was ik bang dat hij zich zou realiseren dat ik Bubbies gave had, dat ik helderziend was. 'Je naam staat op je borstzakje,' legde ik uit. 'Ik geloof niet dat ik iemand anders ken die Rory heet.'

'Mijn moeder wilde dat ik in dit land de beste mogelijkheden kreeg. In haar ogen was er niets zo puur Amerikaans als een cowboy, dus vernoemde ze me naar Rory Calhoun. Toen ik nog een luier droeg, trok ze me al beenflappen aan en zette me een cowboyhoed op. En moet je me nu zien... een apotheker. Ik heb zelfs nooit op een paard gezeten.'

Ik wilde iets zeggen wat met paarden te maken had. 'Ik ben één keer op een paard geklommen en er meteen weer af gekomen. Ik had geen idee hoe ver een paardenrug van de grond verwijderd was.'

Hij knikte. 'Over paarden gesproken, je hebt een lift naar huis nodig. Ik run deze winkel. Ik kan over tien minuten sluiten en je dan naar huis brengen.'

'Maar ik woon helemaal in Rockaway.'

'Dat is een reden te meer.' Hij begon de kassa af te sluiten en ik keek toe terwijl hij alles regelde: het licht uitdoen, laden sluiten en op slot doen. Zijn zelfvertrouwen sprak me aan.

'De auto staat iets verderop,' zei hij. 'Het zou tegen de wet zijn om je alleen in de apotheek te laten, dus ik draag je wel naar de auto.'

Dit keer maakte ik geen bezwaar. Hij sloeg zijn ski-jack nog steviger om me heen en tilde me op. Ik sloeg mijn armen om zijn nek, legde mijn hoofd tegen zijn schouder en drukte mijn gezicht tegen zijn warme lijf. In de auto zette hij de verwarming aan, en daarna liep hij terug om het rolluik voor de winkel neer te laten, zoals mijn vader dat ook elke avond had gedaan bij zijn slagerij.

Rory glimlachte vaak naar me terwijl hij me naar huis reed en toen hij bij een verkeerslicht moest stoppen, sloeg hij een arm om me heen. Dat voelde prettig aan, niet zoals bij mijn vorige afspraakje, David, die zijn hand van mijn schouder omlaag had laten zakken naar mijn borsten. Rory was recht voor z'n raap.

'Ik zou morgenavond wel met je uit willen gaan, maar ik moet naar het verlovingsfeest van mijn neef.'

Ik zag scheidingspapieren voor me. 'Zijn huwelijk zal nog geen jaar duren,' flapte ik eruit.

'Wat?' zei Rory.

Ik beet op mijn lip en zette snel de radio aan als afleiding, maar ik zag dat hij vanuit zijn ooghoeken naar me keek.

'Duke, Duke, Duke, Duke of Earl, Duke, Duke, Duke of Earl,' zong ik met Gene Chandler mee. Rory deed ook mee met een tuba-stem en we begonnen te lachen.

Nu begon ik, gesteund door de herinnering, te zingen: 'Nothing can stop me now, cause I'm the Duke of...'

Een man met een mobiele telefoon aan zijn oor zwierde mijn

rijstrook op. Ik toeterde en hij zwierde terug, nog steeds aan de telefoon. Ik kan maar beter op de weg letten als niemand anders dat doet, waarschuwde ik mezelf, maar algauw dacht ik weer aan Rory.

De eerste keer dat hij naar mijn huis kwam, was vroeg op een ochtend, en hij was zo zenuwachtig dat hij in de gang met zijn voorhoofd tegen mijn moeders kroonluchter botste. Er vielen een paar kristallen op de grond in stukken. 'Het spijt me vreselijk, mevrouw Polnikov,' had Rory gezegd, terwijl hij ernstig keek. 'Ik zal ze met plezier vervangen.'

'Denk er maar niet meer aan,' zei mijn moeder met een geforceerde glimlach. Ik was opgelucht, maar toen voegde ze eraan toe: 'Die kristallen komen uit Tsjechoslowakije. De communisten hebben de fabriek gesloten. Als ze gebroken zijn, kunnen ze nooit meer worden vervangen.'

Ik zou het Rory niet kwalijk genomen hebben als hij zich had omgedraaid en zonder mij weer was weggegaan, maar hij bleef en stemde mijn moeder weer gunstiger door een zilveren dienblad van een plank te pakken toen ze hem dat vroeg. Mijn moeder leunde tegen het aanrecht en glimlachte onwillekeurig. 'Hij is een menselijke ladder,' mompelde ze tegen me.

Daarna ging hij met me ontbijten in een wegrestaurantje. We aten gewoon opgebakken aardappels met gebakken eieren, maar ik had nog nooit zo lekker gegeten. Ik wilde niet dat er een eind aan het ontbijt kwam. Ik wilde niet dat hij wegging. Ik begon al: 'Nou, misschien kun je me een keer...'

Maar hij onderbrak me. 'Zullen we naar Battery Park gaan en dan met de veerboot naar het Vrijheidsbeeld?'

We stonden aan de reling naar het ruwe water van de Upper New York Bay te kijken, toeristen stonden om ons heen te babbelen, sommige in talen die ik nog nooit had gehoord. Er spatten waterdruppeltjes op Rory's gezicht. Ik kon het niet laten; ik stak mijn hand op en legde die tegen zijn wang. Hij draaide zijn lippen naar mijn handpalm en drukte er een kus op. Het voelde aan als een stroomstoot door mijn levenslijn. Toen kwam het Vrijheidsbeeld in zicht. De mensen om ons heen drukten zich tegen de reling, maakten foto's, maar Rory en ik werden heel stil. Ik dacht aan mijn vader, die op zijn zeventiende in het vooronder van een schip naar Amerika was gekomen. 'De bemanning verwachtte van ons dat we beneden bleven,' had mijn vader me verteld. 'We zaten als sardientjes in een blik. De paar toiletten stroomden over als de Atlantische Oceaan tijdens een orkaan. De dysenterie, de koorts. En toen kwam ik aan dek in het heldere zonlicht en zag ik de Dame. Toen heb ik het *sjeeheechejanoe*-gebed opgezegd.'

Ik leunde tegen Rory's arm, ademde diep in en zei hardop: 'Gezegend zijt Gij, Heer onze God, heerser van het universum, die ons in leven heeft gehouden, ons kracht heeft geschonken en ons in staat heeft gesteld dit moment mee te maken. Amen.'

Ik keek op naar Rory. Zijn gezicht was zo uitdrukkingsloos als dat van een bewaker bij Buckingham Palace, maar zijn ogen glommen van de tranen.

Toen de boot was afgemeerd en we de trap beklommen naar de top van het beeld, bleven we op een overloop staan om uit het raam te kijken. 'Ik ben hier nog nooit eerder geweest,' zei ik tegen hem.

'Ik ook niet,' zei hij, en trok me dicht tegen zich aan. Mijn kruin reikte maar tot zijn schouder. De andere mensen die omhoogklommen in de fakkel, liepen ons voorbij.

Op weg naar huis vertelde hij me dat zijn ouders twee jaar eerder waren gestorven, zijn moeder aan een aneurysma, zijn vader aan longemfyseem. Rory pakte zijn portefeuille en liet me een foto zien van hen voor hun winkel – STOMERIJ KAMINSKY. Zijn vader zou net zo lang zijn geweest als Rory, maar was kromgebogen, en zijn magere gezicht was zo gerimpeld dat het eruitzag alsof hij het wel eens mocht laten persen. Zijn moeder was klein en stevig, had een massa blond haar en een geforceerde glimlach.

'Ik hield van mijn ouders, maar ik zou nooit een leven willen zoals dat van hen,' zei hij. 'We woonden in drie kleine kamers achter de zaak. Het stonk er en de deurtjes van onze keukenkastjes vielen er altijd af. De meubels waren versleten, het behang liet los. Mijn ouders werkten zo hard dat ze geen tijd hadden om vrienden te maken, mensen te ontvangen of op vakantie te gaan. Vanaf mijn achtste wilde mijn vader dat ik hen hielp. Ik had een hekel aan al die witte overhemden die daar als geesten in hun plastic hoezen hingen.' Rory rilde. 'Ik ben het huis uit gegaan zodra ik kon,' vervolgde hij, 'en heb gewerkt om mijn studie te betalen. Toen ze overleden, lieten ze me wat verzekeringsgeld na, maar ik wou dat ze dat voor zichzelf hadden gehad om een beetje van hun leven te genieten.' Zijn stem raakte vervormd. 'Ze hadden in Auschwitz gezeten.'

'Wat vreselijk,' zei ik.

'Mijn ouders zijn in elk geval een natuurlijke dood gestorven,' zei hij.

'Mijn vader zegt altijd "Het is een zegen voor een jood om in zijn eigen bed te sterven"' zei ik. Toen vertelde ik hem over de lijdensweg van Bubbie en mijn vader in Rusland.

'Het is net alsof we al een gezamenlijke geschiedenis hebben,' zei hij, terwijl hij mijn hand vastpakte en tegen zijn hart hield. Ik had het gevoel een verloren deel van mijn eigen lichaam terug te hebben gekregen.

Rory nam me mee naar al die plekken waar we als kinderen nooit waren geweest – het Empire State Building, waar we de lift namen naar de bovenste verdieping en neerkeken op de stad. 'Op een dag zal dit allemaal van ons zijn,' grapte Rory, en ik moest hard lachen. We gingen naar het circus en voerden de olifanten pinda's. Bij de Verenigde Naties woonden we een bijeenkomst van de Algemene Vergadering bij en we kozen ervoor via een gedeelde koptelefoon naar de Franse vertaling te luisteren, omdat ons dat romantischer leek. Ik vond het leuk dat Rory de leiding nam, plannen maakte. Mijn vader had zijn zaak geleid, maar thuis moest mijn moeder alle mogelijke moeite doen om hem uit zijn stoel te krijgen. Rory sprak af met zijn vrienden en hun vriendinnen, zodat we met zijn vieren op stap konden gaan. De mensen dachten dat ik verlegen was, maar vonden wel dat ik goed kon luisteren, en ze vonden mijn lach schitterend – mijn vaders hartelijke, Russische lach.

En Rory leerde me tennissen. Ik ben er nooit goed in geworden, maar kreeg een kick van zijn gejuich als ik erin slaagde de bal over het net te krijgen. We brachten hele middagen door in het vogelreservaat aan Cross Bay Boulevard in Queens. Hij stond niet als andere vogelaars urenlang door een verrekijker, een telescoop op statief of de zoomlens van een dure camera te kijken. In plaats daarvan hield hij mijn hand vast en liepen we over de zandpaden tussen het wuivende riet. En als hij een kleine zilverreiger zag die zijn vleugels spreidde, wegvloog en zijn onhandige poten introk, rechtte Rory zijn rug en hief zijn hoofd op, alsof hij ook weg wilde vliegen.

Ik kon me niet herinneren dat ik ooit zo gelukkig was geweest sinds Bubbies overlijden. Maar het geheim van mijn voorspellende gave werd een barrière tussen ons, als een betonnen muur langs een snelweg. Ik wist dat ik het hem moest vertellen. Dat moest gewoon, hoe dan ook.

Toen we een maand verkering hadden, nam hij me mee naar een Italiaans restaurant in Astoria. De muren waren spiegelwanden en aan het plafond hingen grote trossen plastic druiven. De tafels tegen de muur stonden half verscholen onder bogen. 'Ik moet je wat vertellen,' zei ik nerveus.

Hij keek me kalm aan. 'Wat?'

Ik keek naar het stel aan de tafel naast de onze. De man hield de hand van de vrouw tegen zijn hart. Ze keken elkaar verliefd aan. 'Zie je dat stelletje daar in de hoek?' vroeg ik hem.

Hij keek even naar hen. 'Ik kijk liever naar jou,' zei hij.

'Ze gaan het uitmaken,' zei ik. 'Ruzie. Kan elk moment gebeuren.'

Hij keek weer naar hen. De twee bogen zich dichter naar elkaar en spraken op gedempte toon. 'Dat geloof ik echt niet,' zei Rory.

Plotseling stond de vrouw op en haar stoel kletterde tegen de vloer. 'Je hebt tegen me gelogen!' riep ze uit, pakte toen haar jas en verdween. In plaats van haar achterna te gaan, bleef de man rustig met zijn vork in de spaghetti zitten draaien. Hij was opgelucht dat het voorbij was.

'Hij is nooit van plan geweest met haar te trouwen, zoals hij haar beloofd had,' zei ik tegen Rory.

Rory keek me aan, zijn hoofd een beetje schuin. 'Ken je hen?'

Ik schudde mijn hoofd. 'Ik heb ze nooit eerder gezien.'

Hij trok zijn wenkbrauwen op tot ze boven zijn bril uit kwamen. 'Hoe wist je het dan?'

'Ik ben helderziend,' fluisterde ik.

Hij zat daar in stilte naar me te kijken alsof ik een vreemde was. Onderzoekend. 'Waarom heb je me dat niet eerder verteld?' vroeg hij zacht.

Ik friemelde met mijn servetje. 'Ik was bang.'

Hij bleef even heel stil zitten. Deze teleurstelling zou me meer pijn doen dan alle andere. Op de middelbare school had ik niet zo serieus verkering gehad dat ik het wilde riskeren om over mijn gave te vertellen. Maar toen ik tijdens mijn eerste studiejaar zes maanden verkering had met een rechtenstudent die Steve heette, vertelde ik hem dat ik helderziend was.

'Geweldig,' zei hij. 'Dan mag je met me mee naar de paardenrennen. Je kunt me helpen mijn studie te betalen.'

Ik legde hem uit dat mijn bubbe me had gewaarschuwd dat ik mijn gave nooit op die manier mocht misbruiken.

'Ik begrijp het,' zei hij, maar dat was niet waar. De volgende keer dat we uitgingen, gaf hij me een lottoformulier en vroeg me de juiste cijfers in te vullen. Ik weigerde nog met hem uit te gaan.

Ik dacht aan Harvey, een verzekeringsexpert, met wie ik een heel jaar verkering had gehad voordat ik het hem vertelde. We zaten in een taxi en kwamen terug van een concert in het Lincoln Center. 'Ik hou van je,' mompelde hij. Ik dacht dat ik ook van hem hield. Hij was hoffelijk. Hij hield de deur voor me open en pakte mijn arm tijdens het wandelen. Hij kocht boeken voor me met in de rug genaaide leeslinten, en hij droomde van een huis op het platteland, een eenvoudig leven, iets waarvan ik had gedacht dat het mij ook gelukkig zou maken.

'Ik ben helderziend,' zei ik tegen hem.

Harvey snoof en lachte toen. 'En ik ben een tovenaar,' zei hij.

'Nee, echt,' zei ik, en ik legde uit dat ik het van mijn bubbe had, die destijds een genezeres werd genoemd.

Hij luisterde, knikte. Toen ik was uitgepraat, zei hij: 'Je moet naar een psychiater.' Hij hield de deur niet voor me open toen ik uit de taxi stapte.

'Bang, waarvoor?' vroeg Rory me nu.

'Bang dat je zou denken dat ik krankzinnig ben.'

'Krankzinnig?' zei hij ten slotte. 'Wat is krankzinnig? Ik bedoel, hoor eens... Ik geef toe dat ik nooit naar een helderziende ben geweest en er zelfs nooit aan heb gedacht dat te doen. Ik lees mijn horoscoop in de krant niet eens. Maar ik heb een wetenschappelijke achtergrond en de wetenschap levert voortdurend bewijs van krankzinnige dingen. Als ik een gave had als de jouwe, zou ik geen genoegen nemen met een gewoon baantje. Ik zou er de kost mee proberen te verdienen.'

'Echt waar?'

'Natuurlijk. En ik zou er trots op zijn. Jij bent anders dan andere mensen.' Toen glimlachte hij, boog voorover en pakte onder de tafel mijn knie vast. 'Je bent bijzonder,' zei hij.

Ik was verrukt, maar draaide toch mijn knieën weg. 'Ik zou niet met je naar de paardenrennen of het casino gaan en verwacht ook maar niet dat ik de lotto voor je zal winnen.'

'Wie heeft je dat gevraagd?' vroeg Rory.

Ik bracht mijn knieën weer binnen zijn bereik.

Tijdens de rit naar Sanford Avenue in Flushing, waar hij woonde, kuste hij me hartstochtelijk bij ieder rood verkeerslicht. Ik was razend gelukkig nu mijn duistere geheim onthuld was.

We kusten elkaar in de lift, helemaal tot aan de zesde verdieping van het gebouw waar hij woonde. Zijn appartement was een grote studio met een oversized bed. Hij moest gezien hebben dat ik ernaar staarde. Ik stelde me een hele reeks meisjes in zijn bed voor. 'Ontvang je vaak mensen?' vroeg ik nerveus.

'Nee, ik ben een onrustige slaper.'

41

Rory ging op het bed zitten. Ik trilde op mijn benen toen ik naar hem toe liep. Hij nam me in zijn armen en trok me mee omlaag. Hij kleedde me langzaam uit. 'Ik ben dol op je rode krullen,' mompelde hij. 'En je huid lijkt wel een stuk Ivory-zeep.' Hij streelde me. 'Ik ben dol op je lange hals en je ronde hoektand,' zei hij, 'en op je korte, dunne wimpers.'

'Hé,' zei ik, 'wimpers horen lang en dik te zijn.'

'Ik weet niet hoe het hoort te zijn,' zei hij. 'Ik weet alleen wat ik leuk vind. En ik vind het leuk dat ik een stuk groter ben dan jij.'

'Je bent zo lang als een man hoort te zijn,' zei ik. 'Ik kijk graag naar je op.'

Toen hij me aanraakte, voelde ik zijn hartslag in zijn vinger-toppen, alsof hij morseseinen naar iedere zenuw in mijn li-chaam stuurde. Onze ademhaling klonk als de oceaan.

Toen ik naderhand in zijn armen lag, doezelde hij in. Ik moest nog steeds om één uur thuis zijn. Als ik ook maar een mi-nuut later kwam, stond mijn vader voor het raam naar me uit te kijken, wankelend van vermoeidheid. Ik vond het zo erg om hem zo vermoeid te zien dat ik altijd mijn best deed op tijd te komen.

'Rory, ik moet naar huis,' fluisterde ik.

'We moeten hier iets aan doen,' zei hij. 'Trouw met me.' Ik voelde mezelf blozen van genoegen.

Toen ik het mijn moeder vertelde, zei ze: 'Rory heeft geen familie en wij ook niet veel, dus we zullen het merendeel van de tempel uitnodigen.'

In plaats daarvan kocht Rory een maand later een groot boeket voor me met lange roze linten. Hij droeg een wit jasje en ik een witte jurk met kant en we reden naar het stadhuis in Jamaica, Queens.

Rory had kopieën van ons bloedonderzoek, uittreksels uit het geboorteregister en onze ringen bij zich. 'Ik ben een ge-tuige vergeten,' zei hij toen we in de rij wilden gaan staan voor de rechter.

Een oude man met een bril met donkere glazen kwam naar ons toe. 'Ik ben blind,' zei hij. 'In plaats van te leven van liefdadigheid, verdien ik mijn brood als getuige.'

Ik had het gevoel dat hij door Bubbie gestuurd was. Rory gaf hem vijftig dollar.

Na de ceremonie gingen we terug naar zijn appartement om het te vieren met een fles Dom Pérignon. Voor zijn raam, uitkijkend op de rijen andere appartementen, brachten we een toost uit op elkaar en heel Flushing. Daarna belden we mijn ouders.

'Hoe kun je me het voorrecht ontnemen om moeder van de bruid te zijn?' raasde mijn moeder. 'Waarom zoveel haast? Was het soms een moetje?'

'Nee, mam, ik ben niet zwanger.'

Rory nam de telefoon van me over. 'Mevrouw Polnikov,' zei Rory. 'Ik kan u verzekeren dat Miriam niet zwanger is.'

Ze riep zo hard dat Rory de hoorn een eind bij zijn oor vandaan moest houden. Ik hoorde haar zeggen: 'Heb je soms een bekkenonderzoek gedaan, meneer de apotheker?'

'Och, mam,' zei Rory, met een knipoog naar mij.

Ze zweeg even. Hij moest haar ontwapend hebben. Hij hield de hoorn tussen ons in zodat we samen konden luisteren. 'Nou, gefeliciteerd dan maar, neem ik aan,' zei ze.

Toen kwam mijn vader. 'Een kleinkind is altijd fantastisch,' zei hij.

Toen ik de deur van Mirror opendeed, stond ik er versteld van hoe duidelijk Rory's financiële problemen zichtbaar waren in zijn zaak. Het lichtblauwe vinyl met gele kroontjes op de vloer was verbleekt tot een zandkleur. Rory had onlangs iemand ingehuurd om de vloer in de was te zetten, maar de vloer was te poreus om daarvan te gaan glanzen. Een paar weken geleden had hij in de avonduren zelf de muren en het plafond geschilderd om geld uit te sparen. Hij was handig, maar hij was zo uitgeput geweest, dat ik onder de verf de plekjes kon zien waar het plamuur niet goed opgeschuurd was.

Ik keek naar de receptenbalie. Rory zat aan de telefoon, met zijn rug naar me toe. Hij zag me niet binnenkomen. Fred, die al dertien jaar bij apotheek Mirror werkte, stond achter de andere balie. Hij was mollig en had grote blauwe ogen en glanzend blond haar dat over zijn voorhoofd viel. Hij had een foto van zijn vrouw Anita en hun zoontje Jeb op de kassa geplakt en keek daar voortdurend naar en raakte de foto steeds aan. Fred was een klant aan het helpen, dus ging ik op de stoel tegen de muur van gaatjesboard zitten, tegenover hem.

Fred zei tegen de man: 'Ik kan niet wachten tot mijn zoontje van drie groot genoeg is om in de Little League te spelen, zodat ik ze als vrijwilliger kan coachen. Ik ben van het slag dat goed voor zijn spelers zou zorgen. Ik had in de eredivisie kunnen spelen als mijn coach me niet te snel na een knieblessure had ingezet.'

De man keek op zijn horloge. 'Sorry, Fred, ik heb dit verhaal al vaker gehoord en ik ben al laat, dus ik wil graag mijn medicijnen.'

Fred was vriendelijk, misschien wel te vriendelijk. Hij stond bekend om dat verhaal. Ik kende ook zijn andere zwakte maar al te goed: wanneer Fred hielp met het papierwerk, was Rory daarna dagen bezig om de zaken weer op orde te brengen. En soms verdwaalde hij tijdens het wegbrengen van bestellingen en bleef hij wel een uur weg. De klant was weg en Fred zat voor zich uit te staren. Ik schraapte mijn keel.

'Mevrouw K.,' zei Fred opgeschrikt. 'Hoe is het met u en uw lieftallige dochter?'

'Prima,' zei ik. Hij keek me stralend aan. Fred liet zelden een gelegenheid voorbijgaan om een babbeltje te maken, maar ik wilde niet dat hij zijn werk nog verder verwaarloosde, dus zweeg ik.

Na enkele ogenblikken zei hij: 'Neem me niet kwalijk, ik moet nog een grote doos bonnen sorteren.'

Ik keek in Rory's richting. Hij zat nog steeds aan de telefoon, dus begon ik het rek met inlegzooltjes op te ruimen. Er zat bijna niets op z'n plaats: dempende zooltjes zaten bij de eeltpleisters en pleisters met een gat erin voor likdoorns zaten bij de steunzolen. Ik zocht naar het juiste vak voor een paar steunzolen, toen een vrouw zei: 'Dat is volgens mij de laatste in mijn maat. Bestelt u ze bij?'

'Nee,' zei ik. 'Ik werk hier niet. Ik ben de stille vennoot.' Dat was waar. Toen Rory de apotheek had gekocht van zijn erfenis, heette die Dubin's. Kort voor de openingsdag zei hij: 'Ik heb een verrassing voor je.' Hij reed me naar Dubin's en wees naar het nieuwe bord boven de deur van zijn winkel. MIRROR stond er met grote rode letters. Ik keek hem niet-begrijpend aan. 'Het is een samenvoeging van onze namen. Mir en Ror. Een partnerschap.'

We kusten elkaar onder het bord alsof het mistletoe was. Toen we eindelijk naar binnen gingen, liep Rory door de smalle gangen en wees naar de lege planken. 'Hier komen de schoonheidsproducten en daar de eerstehulpartikelen. En tegen de muren komt witgeschilderd gaatjesboard,' zei hij trots. 'Dat geeft me heel veel mogelijkheden. Hier komt mijn kantoor.' Hij liet me een kamertje zo groot als een lucifersdoosje zien en nam me vervolgens mee naar de receptenbalie. Hij leek daar wel een reus. 'Zijn de balies niet te laag voor jou?' vroeg ik.

'Ze zijn gemaakt voor een kleine apotheker,' legde hij uit, terwijl hij me liet zien hoe hij moest bukken. 'Zodra we een huis hebben gekocht, pak ik de apotheek en mijn kantoortje aan.'

Aangemoedigd door Rory was ik begonnen mensen de hand te lezen in een café in Long Beach, en op mijn vrije dagen bracht ik hem zijn lunch. Iedereen was dol op hem. Klanten kwamen gewoon even binnen om hem gedag te zeggen. Ze noemden hem Doc.

Nu hoorde ik Rory zeggen: 'Nee, mevrouw Applebaum, u kunt de rest van uw Prilosec niet teruggeven. Dat is onhygiënisch... Natuurlijk bedoel ik niet dat u vieze handen hebt, maar volgens de wet...' Hij hield de hoorn wat verder van zijn oor. 'Mevrouw Applebaum, wilt u alstublieft niet zo hard praten?'

Er kwam nog een klant binnen. 'Hoor eens,' zei de man. 'Ik

heb geen tijd om te kletsen. Ik kom mijn insuline ophalen.'
Fred vroeg naar zijn verzekeringspasje.

Het leek wel of het pas gisteren was geweest dat klanten hun recepten zelf betaalden met een cheque of contant, of dat het tijdelijk voor hen werd opgeschreven. Langzaamaan waren de formulieren gekomen om in te vullen, de kosten voor credit-cards, de extra telefoontjes om toestemming te krijgen om een recept klaar te maken. Rory moest tegenwoordig al zijn geld van derden uitbetaald krijgen: Medicaid, Medicare, bedrijfsver-zekeringen, particuliere zorgverzekeringen. Terwijl hij de reke-ningen van zijn leveranciers op tijd moest betalen, hadden die derde partijen geen deadline voor vergoeding. Hoe meer re-cepten Rory klaarmaakte, hoe dieper we in de schuld raakten. Ik werd moedeloos bij het zien van het Medicaidpasje.

Toen draaide Rory zich om en zag hij me staan. Zijn ogen begonnen te stralen. 'Mim, wat ben ik blij dat je er bent.'

Zijn zandkleurige haar zat in de war, omdat hij geen tijd had gehad om het te laten knippen. Zijn bril stond een beetje scheef. 'Ik heb bagels en obligaties voor je,' zei ik.

'Dank je,' zei hij, en hij kreunde toen hij een etiket voor me-dicijnen moest typen. Hij had rsi door het los en vast draaien van dopjes en het typen. Voor het eerst viel het me op dat hij net als zijn vader krom begon te groeien, door het werken aan de te lage balie.

De eerste vijf jaar dat Rory de zaak had, had hij veel geld verdiend. 'Waarom laat je de boel nu niet verbouwen, zodat je comfortabeler kunt werken?' had ik gevraagd.

'Mim, ik heb het te druk,' had hij gezegd. 'Je weet toch dat ze de prijzen van medicijnen in het Rode Boek drukken? De farmaceutische bedrijven veranderen de prijzen van hun medi-cijnen nu zo vaak dat het Rode Boek met maandelijkse sup-plementen komt. Ik ben elke week uren kwijt met prijzen op-zoeken. Ik weet dat het niet veel lijkt, maar ik probeer een systeem te ontwikkelen door alle medicijnen alfabetisch in een rolodex te zetten en de prijs er met potlood bij te schrijven, zodat ik die telkens kan veranderen.'

Ik had voorgesteld het systeem te automatiseren, maar Rory legde uit dat er geen specifieke software voor farmaceutica was. Hij was uren bezig geweest met het ontwikkelen van zijn eigen programma. Nu had Rory geen tijd én geen geld meer voor de verbouwing.

Ik smeerde roomkaas op een bagel en voerde die aan Rory terwijl hij zat te typen. 'Ik kwam om van de honger,' zei hij. 'Ik heb geen tijd gehad om te lunchen.'

Ik keek naar Fred en zag een cartoonwolkje boven zijn hoofd hangen waarin hij een homerun sloeg en de menigte in het stadion hem toejuichte. WORLD SERIES stond er op een spandoek. Ik had het gevoel dat iedere wedstrijd in Mirror was uitgespeeld. 'Kan Fred niet wat meer helpen?'

Rory begon pillen af te tellen. Ze klonken als hagelkorrels in het plastic bakje van de pillenteller. 'Je weet hoe Fred is,' zei hij schouderophalend, terwijl hij de pillen met een stalen spatel in een flesje schoof.

Dat wist ik maar al te goed. 'Er is heel veel aan de zaak waar je geen invloed op hebt,' fluisterde ik. 'Maar verander dan in elk geval datgene waarvoor dat wel geldt. Ontsla Fred en neem competent personeel aan.'

'Geef die jongen een kans, Mim. Jij ziet niet wat hij allemaal doet. Bovendien heeft hij een gezin te onderhouden.'

'Jij ook. Je bent geen liefdadigheidsinstelling.'

'Mim, je begrijpt het niet. Nu het minder goed gaat met de zaak, kan ik me geen personeel veroorloven. Wie zou ik voor dat geld kunnen aannemen? Een kind zou alleen na school tijd hebben. Fred heeft zijn minpunten, maar hij is in elk geval eerlijk.'

Rory keek me niet aan toen hij dat zei.

Ik steigerde zowat. 'De apotheek is toch voor de helft van mij? Een partnerschap? Je wilt niet eens proberen iemand anders te vinden,' redetwistte ik. 'Als je geen tijd hebt om met sollicitanten te praten, dan doe ik dat met plezier. Ik zal ze met mijn gave onderzoeken. Ik kan een betere hulp voor je vinden. En in de tussentijd kan ik mijn schema wel aanpassen om jou te helpen.'

Nu keek hij me glimlachend aan. Ik wist dat hij dacht aan hoe ik hem in het begin had geholpen. Ik werd zo afgeleid door geesten dat de kassa 's avonds nooit klopte en ik leverde voortdurend strijd met Bubbie, omdat ik maagzuurmiddelen verkocht in plaats van pepermuntolie.

'Ik weet dat ik geen fantastische hulp voor je was. Ik viel alleen maar in. Fred is constant hier. Hij zou het onderhand wel in de vingers moeten hebben.'

'Schat, alsjeblieft... bemoei je met je eigen zaak en laat mij de mijne regelen.'

Ik trommelde met mijn vingers op de balie. 'Kijk nou eens naar Fred. Volgens mij zit hij nog steeds niets te doen.'

Maar Rory keek niet. 'Ik heb hier nu geen tijd voor,' zei hij.

Ik keek hem kwaad aan. 'Sluit me niet buiten.'

'Ik heb het druk,' zei hij.

'Nou, ik heb het ook druk, maar ik heb bagels en onze obligaties voor je gehaald.' Ik gaf hem de envelop.

'Voor óns,' zei hij. 'We hebben er samen voor gespaard en nu zullen ze óns helpen.'

Zijn kaak stak naar voren. Ik had zijn trots gekwetst. 'Sorry,' zei ik, 'dit is niet de tijd en plaats om dit te bespreken. We praten er vanavond wel over.'

'Er valt niets meer over te zeggen, Mim. Einde discussie.'

'Het is altijd einde discussie als jíj dat wilt,' zei ik boos. Zonder hem gedag te zeggen liep ik naar de deur. Ik verwachtte dat hij me achterna zou komen. Er gingen duizenden gedachten door me heen over wat hij zou kunnen zeggen of doen terwijl ik in de auto stapte, maar hij kwam niet.

Thuisgekomen ging ik naar het souterrain om een lading was in de machine te stoppen. Waarom gelooft Rory me niet? vroeg ik me af. Waarom vertrouwt hij er niet op dat ik bepaalde dingen weet? Dat ik ze zie?

Toen we pas met elkaar uitgingen, had ik eens naar zijn werk gebeld en te horen gekregen dat hij ziek was. Ik ging naar zijn appartement en hij rook naar massageolie toen hij de deur opendeed. Hij droeg een van zweet doorweekt T-shirt en een afgeknipte spijkerbroek. Hij had zoveel pijn dat hij nauwelijks kon lopen. 'O, Mim, ik denk dat het in mijn rug geschoten is.' Hij had een angstige, paniekerige blik in zijn ogen. Hij strompelde naar het bed en ging er op zijn buik op liggen, zijn handen in zijn onderrug gedrukt.

Ik zag een schaduw op zijn nier voor me, en toen een kleine grijze steen. 'Rory, we moeten naar een dokter.'

Hij zat kreunend naast me toen ik hem naar het Booth Memorial Hospital reed.

'Het komt wel goed met je,' zei ik telkens tegen hem. Ik zag een kalender met twee doorgekruiste dagen. 'Het is een niersteen en over twee dagen ben je hem kwijt.' Zodra ik het had gezegd, was ik doodsbang dat hij iets ongeneeslijks zou hebben.

In het ziekenhuis maakte de dokter een röntgenfoto van hem. 'Het slechte nieuws is dat u een niersteen hebt. Het goede nieuws is dat die zo klein is dat u hem zonder operatie vanzelf zult kwijtraken.'

Toen de dokter hem adviseerde in een zeef te plassen en de steen mee te brengen bij zijn controlebezoek, konden Rory en ik daar zelfs om lachen.

Maar ik leerde even snel wanneer mijn adviezen niet welkom waren. Een paar dagen later stapte ik naar binnen bij de apotheek waar hij werkte. Er stonden mensen in de rij met hun recepten in de hand. Ik wist dat ik geen kans zou hebben met hem te praten eer het wat rustiger was, maar dat vond ik niet erg. Ik keek graag naar hem wanneer hij aan het werk was. Dan zag ik hoe vriendelijk hij tegen de klanten was, dat hij de tijd nam om een man de mogelijke bijwerkingen van een medicijn uit te leggen en te vragen of iemands nichtje al was hersteld van de griep.

'Hebt u goede oordruppels?' vroeg een man met zijn hand tegen zijn oor, dat duidelijk pijn deed.

Hij was een oudere man met een krassende stem en toen ik naar hem keek, zag ik een rode gloed op zijn kaak en wist meteen dat de pijn helemaal niet van zijn oor kwam. Ik kon het niet laten. Ik tikte hem op zijn schouder. 'Het probleem zit in uw kaakgewricht.'

'Mijn kaakgewricht?' zei de man verbaasd. Hij keek van mij naar Rory en Rory trok zijn wenkbrauwen naar me op.

'Deze druppels zijn uitstekend,' zei Rory beslist, en de man betaalde hem.

'Schat, alsjeblieft,' had Rory gezegd toen de man weg was. 'Ik hou van je. Ik vind het schitterend wat je doet, maar hier kan het problemen geven. Mijn klanten moeten het idee hebben dat dit iets wetenschappelijks is. Ze moeten me vertrouwen. Hoor eens,' voegde hij er glimlachend aan toe, 'jij doet jouw ding en ik doe het mijne.' Ik moet toch nog gekwetst hebben gekeken. 'Sorry,' zei hij. Hij pakte me even speels bij mijn kin en ging toen verder met het klaarmaken van recepten.

Destijds dacht ik: ik wil niet dat mijn huwelijk net zo wordt als dat van mijn ouders. Ik wil niet op een dag in een theekopje kijken en bokshandschoenen zien. Dus aanvaardde ik zijn verontschuldiging en nam me voor mijn helderziendheid niet te gebruiken in de apotheek. Ik had daar geen problemen mee gehad, zolang Rory – ook in zijn eigen zaak – goed draaide, maar nu slokte Mirror Rory en al ons huishoudgeld op. Toen ik chloor in de kragen van zijn apothekersjassen stond te wrijven, had ik zin ze de nek om te draaien.

4

Ik bleef de hele week boos op Rory. Mijn woede uitte zich in huishoudelijke agressie. Ik warmde zijn eten veel te heet op, waste zijn apothekersjassen samen met mijn rode trui en verruilde zijn oude donskussen voor een extra stevig schuim-kussen.

Cara had het al een poosje in de gaten. 'Wat is er aan de hand?' vroeg ze toen ze me in mijn slaapkamer klem had gezet.

'Niets,' antwoordde ik, terwijl ik Rory's schoenen achter in de kast gooide.

Ze bleef even naar me staren, draaide zich toen zonder nog iets te zeggen om en liep de kamer uit.

Op zondag waren Rory en ik in de achtertuin klusjes aan het doen. Rory waste de ramen en ik harkte de bladeren van het gras. We deden ons best om elkaar niet aan te kijken. Zijn mobiele telefoon ging. Terwijl hij die pakte, zag ik Freds gezicht. 'Het is Fred,' zei ik scherp. Ik hoefde niet helderziend te zijn om te weten wat hij wilde. Hij belde minstens een zondag per maand op om te zeggen dat hij 's maandags later of niet zou komen. 'Hij belt om je te zeggen dat hij morgen later of hele-maal niet komt,' zei ik.

Rory keek me lelijk aan, legde zijn wisser neer en beant-woordde het telefoontje. 'Fred, vertel het eens,' zei hij joviaal.

Alsof hij dat niet weet, dacht ik, maar in plaats van 'Dan zie ik je dinsdag wel' zei Rory: 'Ik zal het er met Miriam over heb-ben en dan bel ik je wel terug.' Ik keek Rory aan.

'Mim, Fred en Anita willen dat we vanmiddag bij hen thuis komen.'

Het laatste wat ik wilde was bij hem op visite gaan. 'Je bent toch al de hele week met hem samen?'

'Mim, als je Fred als persoon beter zou leren kennen, zou je begrijpen waarom ik hem niet ontsla. Afgelopen week nog, ik werd gek van de spanning en toen stond Fred opeens aan de achterdeur met een Frankensteinmasker op.'

Toepasselijk, dacht ik. Jaren geleden had Bubbie me echter verteld dat je niet goed boodschappen en waarschuwingen kunt oppikken als je boos bent. Dat was deze week maar al te waar gebleken. Ik was zo kwaad geweest dat ik bij vier klanten helemaal niets had opgepikt. Ik had hun hun geld teruggegeven, maar kon nog steeds het gevoel niet van me afzetten dat ik hen had teleurgesteld. Daarbij was ik de hartvormige gouden speld kwijtgeraakt die Rory me gegeven had. Nu zat er alleen een gaatje in mijn revers. Zowel voor mijn werk als mijn huwelijk moest ik iets ondernemen om het tussen ons weer goed te maken. 'Ik ben blij dat Fred voor een komische noot zorgt,' zei ik, maar ik trok de hark driftiger over het gras.

'We blijven niet lang, Mim. De laatste keer dat je Freds zoontje Jeb hebt gezien was tijdens zijn doop. Nu is hij drie. Fred zeurt me al weken aan het hoofd. Ik kan geen smoesjes blijven verzinnen.'

Onder een formeel bezoek aan een kerk had ik niet uit gekund. Ik wist zeker dat als we 'voor de gezelligheid' naar Fred zouden gaan, dat zou aanvoelen alsof ik in drijfzand sprong en langzaam wegzakte in de blubber van de verwachting dat Fred tot zijn pensioen voor Rory zou blijven werken, of tot Rory bezweek aan overwerk.

'Ik mis het spelen met een klein kind,' zei Rory. 'Toen Cara zo oud was als Jeb trok ik ovenwanten aan en deed alsof het poppen waren. Weet je nog? En ik leerde haar de roep van vogels. Roekoe, roekoe,' deed Rory. 'Nu zit Cara in het debatingteam.'

Ik zuchtte. 'Oké, ik ga wel mee naar Fred.'

'Je zult er geen spijt van krijgen,' zei Rory, maar dat had ik al. Terwijl Rory Fred terugbelde, trok mijn hark voren in het gras. Bubbie had me gewaarschuwd voor de gevaren van langdurige woede, dat het mijn helderziendheid kon ondermijnen, maar ze had me niet verteld wat het middel was om die woede kwijt te raken.

Rory verruilde zijn oude spijkerbroek voor een kakibroek met een overhemd. Ik trok een lange spijkerjurk met drukknopen aan de voorkant aan en een poncho. We kochten onderweg een appeltaart en reden naar Freds huis in Middle Village, Queens. Het was amper een kilometer van Mirror vandaan, maar ik was er zelfs nooit langsgereden. Het was een smal huis met gele shingles, een van de weinige die niet waren afgebroken en vervangen door appartementen. De garage was zo groot dat er nog wel een gezin in zou kunnen wonen.

Anita stond al in de deuropening naar ons te zwaaien. Haar kastanjekleurige haren hingen golvend over haar schouders. Ze was slank en knap in een zwarte rok en wollige roze trui en had een volmaakte tandpastaglimlach. Voor de geboorte van Jeb kwam ze geregeld naar Mirror om Fred op te zoeken en ze bracht dan haar beroemde chocoladekoekjes mee. Ik herinnerde me hoe we samen hadden gelachen toen Fred een keer het Koekiemonster imiteerde en verheugde me er nu bijna op haar weer te zien.

'Welkom,' riep Anita.

We liepen het pad op, Rory met de appeltaart in zijn handen.

Anita deed de deur verder open en Jeb waggelde naar buiten, zijn blonde haar geknipt in een bloempotkapsel, zijn bolle buikje tegen zijn gestreepte truitje duwend. Zijn ogen waren enorm. 'O, wat is hij schattig,' zei ik.

'Hoezo schattig?' zei Rory. 'Hij is een kerel. Nietwaar, machoman?' Rory gaf mij de taart en tilde Jeb hoog op. 'Hoog de lucht in!' riep Rory. Jeb schaterde en sloeg Rory zachtjes in zijn gezicht. Ik herinnerde me Cara's kleine handjes tegen mijn wangen.

Anita leidde ons de woonkamer binnen. 'We maken het graag gezellig,' zei ze.

De muren waren geel geschilderd, net als de buitenkant van het huis, en het meubilair was gemakkelijk schoon te maken. Maar wat vooral mijn aandacht trok was een televisie zo groot als ons gasfornuis met een PlayStation eraan gekoppeld en planken vol videospelletjes erboven.

'Kun jij die spelletjes nu al spelen?' vroeg Rory aan Jeb.

Jeb gaf geen antwoord.

'Hij praat nog niet veel,' zei Anita. Ik vroeg me af of er iets mis was met Jeb, misschien met zijn gehoor. 'Alles in orde,' hoorde ik. Ik controleerde zijn hals op vergrote amandelen, maar alles leek prima.

'Als Jeb de waarheid kon vertellen,' zei Anita, 'dan zou hij zeggen dat die spelletjes van zijn vader zijn. Fred heeft zelfs liever niet dat iemand eraan zit als hij er zelf niet bij is.'

'Nu je het toch over hem hebt, waar is Fred?' vroeg Rory.

'Hij zit boven te werken. Jullie bezoek is waarschijnlijk het enige waarvoor hij achter zijn computer vandaan komt. Ik ben om diverse redenen blij dat jullie zijn gekomen.' Ze hield haar hand naast haar mond en riep naar boven: 'Fred, ze zijn hier.'

'Geweldig, stuur ze maar naar boven,' riep Fred. 'Ik wil ze mijn kantoor laten zien.'

Rory ging, met Jeb nog steeds in zijn armen, voor me uit de trap op, hardop tellend bij elke trede die hij nam. 'Pas op voor de foto's,' zei ik tegen Rory. Het trapgat hing vol met ingelijste foto's van Fred, Anita en Jeb omringd door andere glimlachende gezichten. Ik voelde kloppende harten, open handen, volle zakken. De meesten van hun familieleden leven nog en zijn heel vrijgevig, dacht ik.

Freds kantoor was reusachtig. Hij had waarschijnlijk de grootste slaapkamer genomen. Er stond een bureau met een moderne computer, een kleurenprinter en midden in de kamer een grote tafel met stapels sportbladen en kranten. 'Sorry, ik moet deze zin gewoon even afmaken,' zei Fred zonder op te kijken. Zijn blonde haar zat in de war, alsof hij eraan had getrokken om zijn hersenen te stimuleren.

We wachtten. Hij tikte snel op zijn toetsenbord met alleen zijn wijsvingers, maar er verstreken minuten. De zin die Fred aan het typen was moest van recordlengte zijn. Rory wiebelde van zijn ene voet op de andere. Ik wist ook niet wat ik moest doen. Alleen Jeb leek geen problemen te hebben met de stilte.

Eindelijk stond Fred op uit zijn stoel. 'Hé, baas, hallo, mevrouw K.,' zei hij grinnikend. Hij stak ons een dik manuscript toe. 'Lees eens een paar regels,' zei hij. 'Je zult het prachtig vinden, het is een echte tranentrekker.'

Rory hield Jeb nog steeds vast, dus pakte ik het manuscript aan en las hardop:

TOUCHDOWN
door Frederick A. Hurlburt

Bob Smith was zeventien toen hij langs de kant zat, zijn knie klopte nog steeds van de verrekking tijdens de vorige wedstrijd. Hij probeerde overeind te komen, maar het deed te zeer. 'O, nee!' riep hij uit, maar zijn coach, coach Reardon van Saint Francis High School in Tuckahoe, New York, sloeg hem energiek op zijn schouderbeschermer.

'Je kunt het, Bobby, knul. Je moet wel,' riep de coach overtuigend.

Bob Smiths vader was politieagent, dus Bob hield er niet van als mensen hem een duw gaven en tegen hem bulderden, maar coach Reardon bleef Bob gewoon aankijken en wachtte.

'Ik doe het wel, coach,' zei Bobby vol overtuiging en respect. 'Voor u, voor het team en voor Sint-Franciscus.'

'Zo mag ik het horen,' riep coach Reardon tevreden uit, en hij gaf hem nog een klap.

Ik kneep mijn lippen op elkaar om een neutrale gelaatsuitdrukking te kunnen produceren. 'Een autobiografische roman?' vroeg ik.

Hij zette een hoge borst. 'Nee, het gaat over mij,' zei hij. 'En ik vond het heel mooi zoals je het voorlas. Wil je nog een stukje voorlezen?'

Het waren minstens vijfhonderd bladzijden. Mijn pols deed zeer door het gewicht. 'Ik heb een beetje keelpijn,' zei ik.

Rory nam Jeb op één arm, pakte het manuscript van me aan en gaf het aan Fred terug. 'Waarom gaan we niet naar beneden om een glas water te drinken?' opperde hij.

Ik gaf een kneepje in Rory's arm.

'Ik wilde mijn baas gewoon mijn echte werk laten zien,' zei Fred.

Rory sloeg hem op de rug alsof hij coach Reardon was. 'Heel goed, Fred,' zei Rory. 'Iedere man moet een hobby hebben.'

'Dit is meer dan een hobby voor me,' zei Fred. 'Schrijven is mijn leven. Mijn boek is nooit uit mijn gedachten.'

Dat verklaart zijn gedagdroom bij Mirror, dacht ik.

Anita kwam de kamer binnen en pakte het manuscript uit Freds handen. 'Hij leest me er elke avond uit voor,' zei ze, de stapel papier tegen haar borst drukkend, haar bruine ogen glimmend van trots. 'Zoals Fred zich op dat schrijven stort, weet ik zeker dat hij op een dag een groot succes zal worden.' Ze legde het manuscript voorzichtig terug op de tafel, sloeg toen haar arm om Fred heen en legde haar hoofd tegen zijn schouder. 'Ik sta volledig achter hem.'

Als iemand het ging maken op literair gebied, zag ik stapels boeken met zijn of haar naam erop op een tafel bij Barnes & Noble. Voor Fred zag ik dat niet. Ik wou dat ik hem kon vertellen dat hij beter kon stoppen met schrijven – en met Apotheek Mirror – en een baan kon zoeken die beter betaalde. Ik had ongewild medelijden met Anita, die bleef geloven dat haar man een groot succes als schrijver zou worden.

'Laten we wat gaan eten,' zei Anita.

De spullen in de keuken hadden dezelfde avocadokleur als die van mijn moeder voor ze nieuwe had gekocht. Er hing een spreuk naast het raam:

Waar ik het eten ook ga serveren
Mijn gasten zullen het waarderen

'Ik hoop dat je het niet erg vindt,' zei Anita terwijl ze een ovenschotel van tonijn met aardappelschijfjes en een schaaltje erwtjes en worteltjes uit blik op tafel zette. 'We doen meestal nogal informeel.'

'Het is perfect,' zei ik, en voor mij was dat ook zo.

Tijdens ons eerste etentje na onze verhuizing naar Great Neck, bij Hattie Corrigan – Hattie met haar diamant zo groot als Texas en haar tot een sculptuur gepermanente blonde haar – raakte ik ontmoedigd door haar katoenen servetten die zo waren geperst dat ze als waaiers in haar kristallen wijnglazen bleven staan. Ik was bang dat ik het gouden randje van haar ser-vies zou beschadigen bij het snijden van mijn Beef Wellington. Tijdens de maaltijd ontkurkte Kirk Corrigan de fles wijn die ik had meegebracht. Die had me meer dan twintig dollar ge-kost, wat negentien jaar geleden een hoop geld was. 'Te veel hout,' zei hij.

'We gebruiken hem wel om mee te koken,' voegde Hattie daaraan toe.

Rory hield Jeb tijdens het eten op schoot.

'Geef hem maar aan mij, dan kun jij rustig van je eten ge-nieten,' zei Anita tegen Rory.

'Nee,' zei Rory, terwijl hij een servet onder Jebs kin stopte. 'Dit doet me aan vroeger denken. Ik had nooit een schone broek voor Cara te oud was om op mijn schoot te zitten.'

'Cara heeft een keer haar lamsboutje in Rory's borstzakje gestopt,' zei ik lachend.

Fred keek me aan. 'Rory vertelde me dat je vader uit Rus-land komt,' zei hij. 'We krijgen veel Russische klanten. Ik heb een Russisch-Engels woordenboek gekocht om met hen te kunnen praten. Nou ja, niet echt praten; ik wijs woorden aan en laat hen het antwoord aanwijzen. Ik probeer het wel te oefenen, zodat ze zich beter op hun gemak voelen. Ik heb geleerd tot twintig te tellen en hoe je *pazjalsta* zegt, dat betekent "alstublieft". *Spaziba* betekent "dank u wel", *kak vi seabja tsjavstoete?* is "hoe voelt u zich?" en wat ik het meest gebruik is *sjokri popravlatesj,* "word maar snel beter".'

'Het is erg aardig van je dat je die moeite neemt,' zei ik, iets opgewarmd jegens hem. Mijn vader sprak alleen Jiddisch, maar hij had me vaak verteld dat zijn hart zong als een Amerikaan zelfs maar de moeite nam hem te begrijpen. De gedachte aan mijn vaders gezicht dat oplichtte van dankbaarheid maakte me licht in het hoofd.

Na het eten bood ik Anita aan te helpen met de afwas. 'Je zou het meeste helpen door met Jeb te spelen terwijl Rory en ik een spelletje doen op de PlayStation,' zei Fred.

'Fred heeft gelijk,' drong Anita aan. 'Geniet maar van Jeb.'

Ik stak mijn hand uit, Jeb pakte hem vast en we liepen naar de woonkamer, waar Rory en Fred zich voor de televisie installeerden. Ze joelden als kleine jongens, terwijl Jeb rustig en stil als een kleine boeddha op mijn schoot zat. Zijn haar rook naar Johnson's babyshampoo. Ik voelde me plotseling overstuur. *Farklempt* zou Bubbie zeggen. Ik herinnerde me hoezeer ik naar een baby had verlangd voordat Cara werd geboren, maar ik raakte maar niet zwanger. Ik wilde dat ons huwelijk inderdaad een 'moetje' was geweest, zoals mijn moeder had gemeend toen Rory en ik stiekem waren getrouwd. Ik nam elke ochtend mijn temperatuur op, zoals mijn gynaecoloog had voorgesteld. Ik volgde ook Bubbies adviezen op. Ik sprenkelde bloed van een koosjere koe in mijn achtertuin. Ik maakte een zakje van zijde, verkruimelde er eierschalen in en naaide het aan de ceintuur van mijn oude katoenen badjas en droeg het zakje om mijn middel. Ik waste me met karnemelk en stopte takjes kruidje-roer-me-niet in mijn beha, maar niets werkte. Ik had zin om naar de hemel te roepen: 'Bubbie, zal ik ooit een baby krijgen?' Maar ik wist dat Bubbie evenzeer van streek zou zijn als ik als het antwoord nee luidde. Ik moest een onbekende helderziende vinden.

Die ochtend had ik *Free Soul*, een new-agetijdschrift waarin ik adverteerde, in mijn brievenbus aangetroffen. Behalve mijn advertentie waren er nog drie bladzijden vol helderzienden die werk zochten. Ik schrapte al meteen alle mannelijke helderzienden. Ik was bang dat als ik een man vertelde hoe graag ik zwanger wilde worden, hij zou aanbieden me zwanger te maken. Er was een advertentie bij van een vrouw die zich Via noemde. VOORSPELLINGEN VIA GEUR stond erboven. Ik las de rest van de advertentie. Je kon naar haar huis gaan om je te laten besnuffelen, of je kon ongewassen ondergoed opsturen. Een andere vrouw, Aliyana, beweerde dat ze haar helderziende informatie van buitenaardse wezens doorkreeg. Ik koos voor Isabel, een telefoonmedium. 'Veertig jaar ervaring', stond er in haar advertentie. Ze zou wijs zijn.

'*Hola,*' had Isabel gezegd. Zodra ik haar stem hoorde, voelde ik een band, alsof ze Bubbie was, maar dan Spaans. Ze zei dat we meteen konden beginnen en dat ik het geld naderhand kon overmaken. 'Jij bent te vertrouwen,' zei ze.

'Waarom kan ik niet zwanger worden?' vroeg ik meteen.

'Je bent al zwanger,' zei ze.

'Echt waar?' Ik begon te lachen en te huilen tegelijk. 'Is het echt waar?' Terwijl ik huilde van geluk vormde zich een beeld van Isabel in mijn hoofd. 'Hebt u roze schuimkrullers in uw haar?' vroeg ik.

Isabel lachte. 'Kun je me zien?'

'U hebt een gebloemde kamerjas aan.'

'Ik hou mijn sessies via de telefoon, dus hoef ik me niet netjes aan te kleden.'

'Hebt u een bril op met kleine kunstdiamantjes op het montuur?'

'*Escúchame*, ik heb jou niet gebeld voor een sessie. Jij hebt mij gebeld, weet je nog wel?'

'Ik ben ook helderziend,' zei ik.

'Iedereen die me belt vertelt me altijd uitgebreid hoe helderziend hij of zij is, maar jij, *querida*, houdt de sterren in je handen.'

'O, dat is wat mijn Bubbie in mijn handpalm zag... een ster.' Mijn keel was dik van de tranen.

'Ik kan nu al zien dat je dochtertje een schoonheid zal worden,' zei Isabel. 'Let als ze geboren is op of ze de helm draagt, het geboortevlies. Dat is een van de tekenen van onze gave. *Buena suerta*. Veel geluk als ze de gave heeft, en veel geluk als ze hem niet heeft.'

Ik wist niet wat ze bedoelde en ik wilde Rory zo graag het goede nieuws vertellen dat ik haar er niet naar vroeg.

'Mim, dat is fantastisch!' zei Rory op jubeltoon. 'Ik hoop dat de baby jouw ogen heeft. En jouw gave.'

'O, Rory,' had ik tegen hem gezegd, 'het is geen pretje om de toekomst van andere mensen te kennen.'

Mijn aandacht werd getrokken door het lawaai dat Fred en Rory maakten. 'Dat was een koud kunstje,' hoorde ik Fred lachend zeggen terwijl hij met zijn schouder tegen die van Rory duwde.

'Nou, je hebt dus een spelletje gewonnen,' zei Rory, net zo hard lachend. 'Denk nu maar niet dat je zo fantastisch bent,' voegde hij eraan toe alsof hij en Fred broers waren en Rory voor het eerst van zijn jeugd genoot. 'Als ik die spelletjes thuis had, zodat ik ermee kon oefenen, had jij nu niet gewonnen.'

'Of je ze nou wel of niet thuis hebt, maakt niets uit,' schepte Fred op. 'Ik zal van je blijven winnen, geloof me nou maar.'

Ik bedacht dat Fred, ook al had hij een bescheiden huis en inkomen, vol enthousiasme over zijn leven zat, terwijl Rory en ik ons door de weken heen sleepten. Plotseling realiseerde ik me dat ik jaloers was op Fred en Anita. Wat was het geheim van hun geluk? Ik streelde Jebs haar. Misschien had ik me in Fred vergist.

Ik sloot mijn ogen en probeerde Rory en Fred over tien jaar in de apotheek te zien. Ik wilde weten of Fred er dan nog steeds zou werken. In plaats daarvan zag ik Fred verkleed als kerstman met een zak over zijn schouder. Fred leek ook echt op de kerstman met zijn hartelijke lach, en zijn pogingen de Russen te helpen met zijn woordenboek.

Tijdens de rit terug naar ons huis in Great Neck vroeg Rory: 'En, wat vind je nu van Fred?'

'Hij heeft zijn goede kanten,' gaf ik toe. 'Ik begrijp nu waarom je hem zo graag mag.'

Rory wreef over mijn arm en glimlachte. Hij reed fluitend naar huis.

5

Op de ochtend dat mijn moeder veertien jaar dood was zat ik in Cara's kamer in de schommelstoel waarin mijn moeder met haar had gezeten. Ik sloeg mijn armen om me heen en wiegde heen en weer. 'Als iemand overlijdt,' had Bubbie gezegd, 'moet je alle spiegels in huis gedurende zeven dagen afdekken. Als je daarna de lakens eraf haalt is de spiegel een goede plek om naar de geest van die persoon te zoeken als je dat wilt.'

Ik dwaalde de hele ochtend door het huis, keek naar spiegels en weerkaatsende oppervlakken, hopend op een glimp van mijn moeder in haar Perzische lamswollen jas met schoudervullingen en haar breedgerande hoed met een paradijsvogel voorop. Ze was nooit actrice geworden, maar kleedde zich wel elke dag zo. Ze rookte de Gauloises die ze voor het eerst had geproefd toen haar neef ze na de Tweede Wereldoorlog meegebracht uit Frankrijk. Ze depte Evening in Paris op haar hals en polsen. Veertien jaar wachtte ik al op die geur als teken van haar aanwezigheid.

Nu snoof ik, maar in plaats van Evening in Paris rook ik de Old Spice van mijn vader. Ik keek vanuit mijn rechterooghoeken. Mijn vader stond in Cara's deuropening, met zijn donkerblauwe jasje aan en zijn grijze hoed op, alsof hij net van zijn werk kwam. Ik bleef heel stil staan. Hij zette zijn hoed af en glimlachte naar me.

'Papa, waar is mam?' vroeg ik hardop, maar hij vervaagde.

Ik dacht aan al de geesten die contact met me hadden opgenomen. George Washington was een keer mijn slaapkamer komen binnenwandelen, zijn wangen ingevallen, zijn houten kunstgebit in zijn handen. 'Ga naar de tandarts,' zei hij. Toen ik ging, hoorde ik dat er een wortel van een kies ontstoken was. De Joodse schrijfster Alice B. Toklas had ooit aan mijn keukentafel gezeten en me een brownie aangeboden. Ze had gewild dat ik me ontspande. Soms liep de voormalige eigenaar van het huis, meneer Tegman, rondjes door onze kamers. Hij leed aan de ziekte van Alzheimer en noemde me steeds Hilda. Emily Dickinson had aan mijn bureau een gedicht geschreven, hoewel de bladzijde leeg was toen ik ernaar keek. Zelfs dieren kwamen langs. De geest van Chouchou, de geliefde poedel van mijn cliënte Cynthia, dook op in mijn woonkamer en blafte naar me, al heb ik nooit begrepen waarom. Al die geesten, maar die van mijn eigen moeder had zich nooit bij me gemeld.

En waarom, peinsde ik, zou mijn moeder aan mij verschijnen? Ze had niet alleen heel haar leven geprobeerd mijn gave de kop in te drukken, aan het einde van haar leven had mijn gave haar ook helemaal niet kunnen helpen. Ik had niet eens beseft dat ze ziek was. Rory was degene die zei: 'Mim, ik maak me zorgen. Je moeder wordt veel te mager.'

'Ach, je weet toch hoe mijn moeder is,' zei ik tegen hem. 'Altijd op dieet. Zwarte koffie als ontbijt en lunch, salade en een blikje tonijn als avondeten. Bovendien is mijn vader nog geen jaar dood. Ze is nog steeds verdrietig.'

Rory schudde zijn hoofd. 'Ik zeg je, Mim, dat je met haar naar de dokter moet.'

Het kostte me twee weken om haar over te halen een afspraak te maken. Ze zat in de wachtkamer van dr. Zucker een truitje te breien voor Cara; haar wijsvinger met de wol eromheen gedraaid zwaaide naar me. Haar lippen bewogen alleen als ze steken telde. Na het onderzoek riep dr. Zucker me de spreekkamer binnen. Hij had rimpels in zijn voorhoofd. 'Ik hoop dat het niets is, maar ik stuur uw moeder voor de zekerheid door voor verder onderzoek.'

'Ik dacht dat ik beroemd zou worden voor ik doodging,' was alles wat mijn moeder zei.

We namen haar bij ons in huis en ik ging met haar mee voor haar chemotherapiebehandelingen en hield haar hand vast wanneer ze geen eten binnen kon houden. 'Kanker is het beste dieet dat er bestaat,' zei ze. Aan de eettafel zei ze elke avond: 'Het enige wat me op de been houdt is mijn Cara.'

Ik bond een mooie zijden sjaal om haar kale hoofd, die haar groene ogen nog meer deed stralen. 'Je bent net zo mooi als altijd,' zei ik.

Maar toen ze in de spiegel keek, kreunde ze: 'O, mijn hemel. Ik zie eruit als een baboesjka!'

Binnen een maand lag ze op sterven. Ik sliep in een fauteuil naast haar bed en waakte bij haar. Ik wilde dat ze zou zeggen dat ik een goede dochter was, dat ze van me hield. Ik wilde mijn moeder vragen of ze het me kwalijk nam dat ik niet eerder had gezien wat er met haar aan de hand was.

Op een nacht pakte ze mijn arm vast en trok me naar zich toe. Mijn ogen vulden zich met tranen. Ik dacht dat het moment gekomen was dat ze me zou vertellen dat ze trots op me was. 'Helderziende zijn is werk van niks,' fluisterde ze hees. 'Het kan je gek maken en je wordt betaald met kippenpoten.' Dat waren haar laatste woorden tegen mij. 's Ochtends was ze dood.

Nu liep ik de trap op naar mijn werkkamer. Ik keek in de kleine spiegel die op de plank stond, op zoek naar een glimp van mijn moeder, maar ik zag alleen mijn eigen gezicht. Toen de telefoon ging, wist ik dat het een nieuwe cliënte was, Laura Pierce. 'Hallo?' zei ik. Ik hoorde Laura's ademhaling, maar ze antwoordde niet. 'Hallo?' herhaalde ik.

'Het spijt me,' zei ze ten slotte. 'Ik heb dit nog nooit gedaan. Ik voel me zo dwaas.'

Veel mensen zeiden dat, alsof hun IQ meteen twintig punten zakte als ze contact opnamen met een helderziende. Ik was blij met het stilzwijgen – ik had vooraf helemaal geen informatie over haar doorgekregen. Toen ze belde om een afspraak te maken hield ze haar hand over de hoorn en praatte zo zacht dat ik helemaal geen vibraties doorkreeg.

'Ik... ik wil iets over iemand weten.'

Ik zag duisternis, een grafzerk. Ze wilde dat ik contact opnam met iemand die overleden was. Ik sloot mijn ogen en beefde inwendig van de zenuwen. Met nieuwe cliënten was ik altijd gespannen. Maar nu was het drie keer zo erg omdat ik werd geacht als medium op te treden... om contact op te nemen met dierbaren die gestorven waren en hun boodschap door te geven aan de levenden. Het was heel wat anders dan een sessie rechtstreeks met een cliënt, waarbij ik schokkerige beelden zag van verleden, heden en toekomst, als een videoclip.

Ik keek op de klok. Er waren drie minuten verstreken. Ik voelde het ongeduld van mijn cliënte. Daarna haar teleurstelling. Cliënten verwachtten die pauzes niet. Ik hoorde haar zuchten.

Toen kreeg ik een visioen. Een vrouw die in de berm van een zwarte asfaltweg liep. Ik voelde een golf van opluchting over de informatie, maar raakte weer ontmoedigd toen ik een vrachtwagen de bocht om zag komen razen. Ik zag een kleine madonna, zoals je wel eens in auto's ziet. De vrouw langs de weg was waarschijnlijk Laura's moeder, maar soms doken ook de geesten van vreemden op.

'Had je moeder blond haar?' vroeg ik.

'Hoe weet je dat? Zie je haar? Waar is ze?'

'Ze heeft een ongeluk gehad,' zei ik. 'Ze is aangereden door een vrachtwagen.' Ik probeerde op kalme toon te blijven praten, maar dat viel niet mee. Ik had de klap van de aanrijding gehoord.

Laura begon te huilen. 'Ik heb het zien gebeuren. De auto deed het niet meer. Mijn moeder ging hulp halen. Ik was achttien, maar ze stond erop dat ik in de auto bleef met de portieren op slot.'

'Het was niet jouw schuld,' zei ik zacht. 'Ik zou ook hebben gewild dat mijn dochter in de auto bleef.'

'Ik weet het, ik weet het,' snikte ze. 'Ik heb nu zelf twee

dochters en ze klagen altijd dat ik hen te veel in bescherming neem. Maar wat ik zo vreselijk vind is dat ik ondanks de foto's die ik overal heb staan van mijn moeder, me alleen maar kan herinneren dat ze daar langs die weg liep en die vrachtwagen op haar af reed.'

Soms waren voor mij als medium de beelden emotioneel zo heftig dat het was alsof het verdriet, de angst en zelfs de hoop van de cliënt door mij heen gingen. Ik moest slikken voor ik verder kon gaan.

Nu had ik een visioen van Laura's moeder in de keuken. Rondom de tafel, die vol stond met feestartikelen, zaten kinderen met papieren feestmutsen. 'Ben je bijna jarig?' vroeg ik mijn cliënte.

'Vandaag.'

'Mooi. Verjaardagen en jubilea zijn fantastische gelegenheden om contact te maken,' zei ik, zonder erbij te vermelden dat ik dat jaren zonder succes had geprobeerd tijdens mijn eigen verjaardag. 'Ik zie je moeder in de keuken en ze wil dat ik je feliciteer.' Ik keek wat beter naar haar schort. 'Ze draagt een schort met een vlinder erop.'

'Ja, die is van haar. Ik heb hem nog steeds.' Ik hoorde haar opluchting. Terwijl ik wachtte tot ze weer wat rustiger was, vervaagde en verdween het beeld van haar moeder. Voor ze ophing zei Laura: 'Heel erg bedankt, Miriam. Nu ik weet dat mijn moeder in orde is en bij me is, is het net of ik veel meer lucht in mijn longen kan krijgen. Ik voel me heel vredig.'

Nadat Laura had opgehangen zag ik nog steeds de gloed die om haar heen hing. Ik legde mijn hoofd in mijn handen en masseerde mijn slapen.

Het contact deed me naar mijn eigen moeder verlangen. Ik wilde een boodschap van haar krijgen, een teken. Ik had het vreselijk gevonden dat mijn moeder rookte, maar nu verlangde ik er zelfs naar te zien dat ze haar lippen om het uiteinde van haar lange, zwarte sigarettenpijpje klemde en dan met haar groengemarmerde multifunctionele aansteker haar Gauloise aanstak. Als kind had het me buitengewoon gefascineerd dat een aansteker aan de andere kant een potlood kon zijn. Ik wilde maar dat mijn moeder nog leefde, zodat ik kon zien hoe ze er mijn portret met kronkelharen mee krabbelde. Ik wilde dat ik haar bij haar rozenstruiken kon zien neerknielen om de grond te bedekken met koffiedik. Ik wilde maar dat haar Singernaaimachine nog stond te zoemen in haar slaapkamer, in plaats van stil te staan in ons souterrain, dat ik haar slanke handen nog de stof kon zien geleiden, de punt van haar hooggehakte schoen op de trapper. Het laatste wat ze op die machine had genaaid was een blauw strokenjurkje voor Cara's derde verjaardag, dat ze nooit had kunnen afmaken.

De tranen rolden over mijn wangen. Als ik huilde, zei mijn moeder altijd: 'Schatteboutje, niet huilen, want dan raak je het kuiltje in je wang kwijt.'

Ik wilde haar dat nu horen zeggen. Ik voelde mijn paranormale energie met grote kracht door me heen stromen.

Ik stak mijn blauwe sereniteitskaars aan, zette mijn 'ohm-cd' op en leunde achterover in mijn draaistoel. Met mijn ogen weer dicht zong ik met de cd mee. Ik tikte tegen mijn derde oog op mijn voorhoofd en probeerde mijn moeders geest over te halen naar me toe te komen door herinneringen aan momenten waarop ze me lief vond, waarop ik haar blij had gemaakt. 'Mam,' zei ik. 'Weet je nog dat ik die zwarte kousen voor je had gekocht toen nog niemand ze droeg, omdat ik dacht dat ze langer mee zouden gaan? En je vond ze prachtig omdat ze sexy waren en trok ze gewoon aan, ook al gaapten de buren je aan en wezen ze je na.'

Ik wachtte. Mijn moeder kwam niet.

Ik dacht aan haar Evening in Paris. Haar lippenstift van Helena Rubinstein. Het moesje dat ze altijd op haar wang tekende.

Ik wachtte een uur op haar. Het leek bijna of ik mezelf ervan had overtuigd dat we een afspraak hadden. Net toen ik het wilde opgeven, voelde ik de hele rechterkant van mijn hoofd en ook mijn schouder tintelen. 'Mam?' zei ik, en ik keek uit mijn ooghoeken naar rechts in de hoop haar te zullen zien. In plaats daarvan zag ik mijn buurvrouw Iris Gruber door haar slaapkamerraam naar me kijken, met haar Duitse herder Baron naast haar, zijn poten op de vensterbank.

Ik herinnerde me mijn moeders advies toen Rory en ik naar Great Neck verhuisden. 'Nu je naar een deftige buurt verhuist,' merkte ze op, 'bedenk dan wel dat als je de mensen zelfs maar vertelt dat je denkt dat je helderziend bent, ze bang zullen zijn dat je weet dat ze hun Dior bij Filene's hebben gekocht, of dat ze spulletjes pikken in goedkope winkels, of dat ze in het zwembad van de countryclub plassen. Ze zullen niets met je te maken willen hebben, dus je kunt maar beter je mond houden.'

Kort nadat we in ons nieuwe huis waren getrokken, hadden Iris en Dick Gruber aangebeld om zich voor te stellen. Ze droegen allebei designerbrillen met gouden montuur en een beige pantalon, en ik zou haast durven zweren dat ze hun haren kleurden met Clairol asbruin, maar ze hadden een vriendelijke glimlach. Iris hield iets langs vast dat afgedekt was met folie. 'Het is mijn speciale koninginnenbrood,' legde ze uit. 'Ik bak het voor alle nieuwe buren.'

'Kom even binnen en neem er samen met ons wat van,' zei Rory.

'O nee, sorry, we gaan nu golfen,' zei ze.

'Bovendien bevat het te veel cholesterol voor ons,' voegde Dick eraan toe.

Toen ze weg waren, aten Rory en ik het brood helemaal op. Ik werd helemaal hyper van de suiker. Daarna schrobde ik de mooie geschulpte plank schoon waarop ze het had gepresenteerd.

De volgende dag belde ik bij Iris aan. 'Dank je wel,' zei ik, en ik gaf haar de plank terug. 'Het was heerlijk.'

Ze pakte de plank aan en streek er met haar hand over. 'Hij is helemaal verpest,' zei ze. 'Wat heb je ermee gedaan?'

'Ik heb hem geboend met Brillo.'

Haar ogen vernauwden zich tot spleetjes. 'Je mag hem alleen maar afspoelen,' zei ze met hoge stem. 'Wist je dat niet?'

De tranen sprongen in mijn ogen. Ik probeerde een manier

te bedenken om weer bij haar in de gratie te komen. Er hing een mezoeza aan de deurstijl. 'Ik ben niet echt een *balehbosteh*,' zei ik. Het was Jiddisch voor een goede huisvrouw.

In plaats van te glimlachen vroeg ze: 'Wat ben je dan?'

'Ik ben helderziende,' flapte ik eruit. Ik wist niet waar het vandaan kwam; ik had me voorgenomen mijn moeders waarschuwing ter harte te nemen.

Iris knipperde een paar keer met haar ogen. 'Wat ben je?'

De lucht tussen ons in knetterde. Ik had het gevoel alsof ik mijn moeder overblufte toen ik met krachtiger stem zei: 'Ik ben helderziende.'

'Ik dacht al dat je dat zei,' antwoordde Iris hoofdschuddend. 'Het laatste waar ik behoefte aan heb is naast een helderziende wonen. Ik hoop dat je dit tegen niemand anders hebt gezegd.' Zonder een antwoord van me af te wachten deed ze de deur dicht.

Ik liep terug naar mijn eigen huis. Je hoeft geen vrienden te zijn met je buren, probeerde ik mezelf gerust te stellen. Misschien zou Iris wel kalmeren als ze er nog eens over nadacht. Misschien zou ze zich zelfs wel komen verontschuldigen. En hoe dan ook, mijn klanten kwamen altijd door de achterdeur. Iris zou hen waarschijnlijk niet eens zien.

Twee dagen later kwam er echter een cliënte binnen met een aura dat flakkerde als een kaars in de wind. Het maakte me nerveus en ik kon me niet concentreren. Ik wachtte even, maar er kwam nog steeds niets. 'Oké, wat is er aan de hand?' vroeg ik uiteindelijk.

'De vrouw van hiernaast stond me te begluren door haar raam,' zei mijn cliënte. 'Ik zocht er eerst niets achter, tot ze naar buiten kwam en me nakeek toen ik je oprit op liep. Het is alsof ik nog steeds haar ogen in mijn rug voel prikken,' voegde ze er huiverend aan toe.

Ik was van streek, maar dacht dat het bij die ene keer zou blijven. Het kwam echter steeds vaker voor. Ik probeerde wat privacy te creëren door de heg tussen onze huizen hoog te laten groeien. Iris gaf echter haar tuinman opdracht de heg radicaal terug te snoeien. Toen we ons daarover beklaagden, deelde Dicks advocaat ons mee dat de heg op de grond van de Grubers stond. Rory en ik zouden een flink stuk van onze oprit moeten opgeven om zelf een heg te kunnen planten. De cliënten die bleven komen, wachtten in de auto tot het moment dat ze een afspraak hadden, omdat ik geen wachtkamer had en ook niemand om ze binnen te laten terwijl ik met een andere klant bezig was. Telkens als Iris iemand buiten op mij zag wachten, belde ze de politie om te zeggen dat er een verdachte persoon in een auto vlak bij haar oprit zat. Toen de politie niet meer op die telefoontjes reageerde, stuurde ze Baron op de auto's van mijn cliënten af. Hoewel hij alleen maar blafte, bleven sommige cliënten toch weg; andere kwamen bevend binnen. Maar hoe ze het ook probeerde, Iris kon ze niet allemaal wegjagen.

Op een dag was ik echter de plantjes in de voortuin aan het verzorgen, toen ik mijn rug voelde tintelen. Ik draaide me om en Iris stond door haar bril met gouden montuur op me neer te kijken, haar handen op haar smalle heupen.

'Ik heb hier genoeg van!' riep ze. 'Wie naar een helderziende gaat, is gek. Jij haalt een gestage stroom idioten de straat in. Ik ga bij alle buren langs met een petitie om je de stad uit te jagen.'

Dit was mijn grootste nachtmerrie. Heel Great Neck zou het weten. Cara was nog niet geboren, dus hoefde ik me er geen zorgen over te maken dat zij zich zou verschuilen. Maar Rory, die toch al niet erg goed lag in de straat omdat hij zijn versleten auto 'tentoonstelde' op de oprit en zelf het gras maaide in plaats van een tuinman in dienst te nemen, zou worden gebrandmerkt met een scharlakenrode H, omdat hij de man van een helderziende was.

'Maar Iris...' zei ik tegen haar verdwijnende rug, en even later hoorde ik haar de deur dichtgooien.

Langzaam kwam ik overeind, veegde het zand van mijn handen en ging binnen op mijn bed liggen om bij te komen. Toen ik mijn ogen sloot, kreeg ik een visioen van Isabel, het telefoonmedium, met haar badjas en roze krulspelden. Plotseling lichtte er een lampje op in mijn hoofd. Ik hoefde mijn cliënten niet aan huis te laten komen... ik kon telefoonmedium worden, net als Isabel. Dat zou al mijn problemen oplossen.

6

'Mam, ik ben thuis,' riep Cara naar boven. 'De Key Club ging niet door.'

De Key Club werd geacht plaatsaanwijzers en bemanning voor de kraampjes tijdens schooluitvoeringen te leveren. 'De leerlingen hebben geen behoefte aan plaatsaanwijzers,' had Cara vorige week geklaagd. 'Ze gaan gewoon zitten waar ze zelf willen. Het enige wat we doen is posters namaken... alsof ze nog nooit van een kleurenkopieermachine hebben gehoord.'

Maar gedreven als altijd gaf Cara zich op voor zo veel mogelijk buitenschoolse activiteiten, in verband met haar aanmelding voor de universiteit. Dus ook voor de Key Club.

De laatste tijd stuitten mijn pogingen om een gesprek met Cara aan te knopen op hardvochtig stilzwijgen. Ik merkte dat ze me naarmate ze ouder werd, steeds meer wegduwde. Ik kon niet zeggen of het gewoon de puberteit was of iets ernstigers. Ik wilde zo veel mogelijk tijd met haar doorbrengen voor ze naar de universiteit ging. Ik wilde niet dat ze ooit zou twijfelen aan mijn liefde voor haar.

Beneden in de gang gooiden Cara en haar beste vriendinnen, Darcy en Courtney, hun rugzakken op de vloer. 'O, mevrouw Kaminsky,' zei Darcy, en ze gooide haar lange blonde haar naar achteren. Ik zag dat ze er weer nieuwe lichte strepen in had en dat ze steeds meer op haar moeder Barbara Traubman ging lijken. In scherp contrast met haar waren de uiteinden van Courtneys bruine haar felrood, en door haar turquoise contactlenzen leek ze wel een buitenaards wezen. Haar moeder had als model in de *Vogue* gestaan. 'Hé,' groette Courtney me. Voor haar zestiende verjaardag had Courtney een neusoperatie gekregen en Darcey liposuctie van haar onderkin. Alleen Cara ging niet elke week naar de manicure en pedicure. Nu droegen de meisjes zwarte T-shirts alsof ze rouwden om hun meisjesjaren.

'Hoe gaat het met de consulten?' vroeg Darcy me. Cara keek me waarschuwend aan en richtte toen haar blik op haar schoenen.

'Prima,' zei ik opgewekt. Al Cara's vriendinnen dachten dat ik 'persoonlijk consultant' was. Toch bracht Cara ze zelden mee naar huis, en ze namen nooit de moeite te vragen wat 'persoonlijk consultant' betekende. 'Mijn moeder praat gewoon graag,' had Cara eens tegen hen gezegd. Ik liet het daarbij.

'Kom,' zei Cara nu. 'Laten we naar de kamer gaan.' Ze leidde hen van me weg zoals ze altijd al gedaan had. Ze wilde niet alleen voorkomen dat zij iets over mij ontdekten, ze wilde ook niet dat ik iets over hen ontdekte.

'De groetjes van mijn moeder,' zei Darcy. Barbara Traubman was logopediste op de scholen in Great Neck. Ze gebruikte haar positie om roddels over leerlingen, onderwijzers en hun gezinnen te verzamelen en te verspreiden. Als Barbara nog steeds niet wist dat ik helderziende was, dan was Cara's geheim veilig.

'Doe haar de groeten maar terug,' zei ik.

Courtney en Darcy glimlachten, maar ik zag hoe zwak hun aura's waren en hoeveel verdriet ze met zich meedroegen. Plotseling zag ik naast Darcy een beeld van een huilende Darcy. 'Ik ben vreselijk dik,' zei die tegen haar spiegelbeeld. De beeltenis knipperde aan en uit, wat inhield dat het dagelijks gebeurde. Ik kreeg nog een beeld door, dat me naar adem deed happen: een toiletontstopper! Darcy gebruikte laxeermiddelen! En boven Courtneys hoofd hing een in tweeën gebroken trouwring. Ze was bang dat haar ouders zouden gaan scheiden. ET noemde Cara dat, echtscheidingstrauma.

Ik kon niets aan hun grote problemen doen, maar ik wilde dat ik de meisjes een beetje kon opvrolijken door hun te vertellen dat ik Courtney tijdens het schoolfeest in juni aan de arm van Justin Portnoy, de kapitein van het rugbyteam, zag lopen. En ik had Darcy dolgraag verteld dat zij tijdens de reünie tot koningin gekozen zou worden. Maar ik wist dat Cara het me nooit zou vergeven als ik dat deed.

'Ik zal wat lekkers voor jullie klaarmaken,' zei ik, en ik trok me terug in de keuken.

Ik haalde de sojapizza uit de vriezer. Ik hoorde Cara lachen in de kamer. Ze had nog steeds dezelfde hikkende lach die ze als baby al had. Zuchtend zette ik de oven aan. Toen werd ik me plotseling bewust van Courtneys aura, die rode punten had, net als haar haren, maar dan van paniek. Arme meid, dat ze met de stress van een naderende scheiding moest leven. Ik hoorde Cara zeggen: 'Courtney, onthou goed dat je Darcy en mij hebt. Je bent niet alleen. We zullen je altijd steunen.'

Zo nu en dan zag ik al de vrouw die Cara zou worden en ik was trots op haar medeleven. Ik probeerde maar niet stil te staan bij het feit dat ze voor míj op het moment helemaal geen medeleven voelde.

Toen Cara zes was had ze me gevraagd: 'Mama, hoe weet je al die dingen over andere mensen als zij die je niet vertellen?'

'Ouderwetse intuïtie,' had ik gezegd, in een poging het te bagatelliseren. 'Dat heeft iedereen.'

'Ik ook?'

'Natuurlijk, schatje.'

Cara streek met de punt van een van haar lange vlechten over haar kin. 'Maar hoe wist je dan dat die mevrouw vanmorgen aan de telefoon oorpijn aan haar rechteroor had?'

Ik aarzelde. Dit was het moment dat ik had verwacht en gevreesd. Ik had nooit gedacht dat het zo snel al zou komen, maar Cara was erg scherpzinnig. Ik raakte in paniek. Wat als ze het gaat lopen rondvertellen? Zal Iris Gruber me dan uit de stad verjagen?

'Ik heb daar mijn manieren voor,' zei ik uiteindelijk, terwijl ik haar sprei opschudde.

'Wat voor manieren dan?' vroeg ze.

Zuchtend ging ik op haar bed zitten. 'Ik zie bijvoorbeeld gekleurde lichten om de mensen heen, die me vertellen hoe ze zich voelen.' Ik pakte haar doos met kleurpotloden en haalde er roze, rood, geel, blauw, groen en violet uit. 'Als je weet waar die kleuren voor staan, zelfs voordat iemand "Hallo, Cara" tegen je zegt, kom je veel over hen te weten, wat ze voelen of zelfs wat ze zouden kunnen doen.'

'En wat betekenen die kleuren dan?' vroeg ze.

'Nou, Bubbie zei bijvoorbeeld dat roze voor liefde staat en blauw voor verdriet.'

'Wat zei Bubbie nog meer, behalve kleurtjes.'

Ik keek naar mijn dochter, die oprecht weetgierig was, en onschuldig. Ik wist dat ik haar de waarheid moest vertellen. 'Bubbie zei dat er altijd schaduwen van mensen voorbijkomen die ooit op aarde hebben geleefd en dat zij je ook dingen vertellen,' zei ik tegen Cara. 'Maar dat moet ons geheimpje blijven.'

'Ons geheim?' zei ze verrukt. 'Alleen van jou en mij?'

'Dat klopt.'

'Ik zal het tegen niemand vertellen,' beloofde ze me, en ze draaide haar lippen op slot en gooide het sleuteltje weg. Ze had die belofte gehouden en tegenwoordig was er geen kans meer dat ze hem zou verbreken.

Ik keek naar de pizza en had het gevoel alsof mijn eigen lichaam verwarmende stralen uitzond. Cara kwam nors de keuken binnen.

Ze opende de oven, snoof en haalde de pizza eruit met een ovenwant.

'Darcy denkt dat ze geen mooi figuur heeft,' zei ik zacht. 'Misschien kun je haar eens een compliment geven.'

Ze kneep haar ogen tot spleetjes. 'Je denkt dat je mijn beste

75

vriendinnen beter kent dan ik,' beet ze me toe. 'Nou, dat is niet zo.'

Haar vernietigende blik leek zo op de blikken die mijn moeder me altijd schonk, dat ik er kippenvel van kreeg. 'Oké,' zei ik. 'Oké.'

Ze rook nog eens aan de pizza. 'Soja?' zei ze. 'Hebben we niet iets normaals?' Ze pakte een sixpack cola light en ging terug naar haar vriendinnen.

Ik doorzocht de kasten, vond een zak chips en wat dipsaus en bracht dat naar de kamer. De meisjes zaten op de vloer, op de kussens van de bank, verdiept in een soap. 'Die man die de zanger speelt is leuk,' zei Courtney. 'Hij lijkt op Ricky Martin.'

'Ik heb gehoord dat Ricky Martin zijn billen heeft laten opvullen,' zei Darcy.

Cara leunde naar rechts en toen naar links, stootte met haar schouders tegen de hunne. 'Hou op,' zei ze lachend. 'Ik wil horen wat hij tegen Selina zegt.'

Ik zette de schaal chips op de salontafel en ging op de leuning van Rory's luie stoel zitten. De meisjes keken even naar me om en wendden zich meteen weer naar de tv. Ik was blij dat ze geen bezwaar leken te hebben tegen mijn aanwezigheid. Ik genoot van hun jeugdige uitbundigheid. De zanger zei tegen Selina: 'Ik heb nooit eerder een meisje als jij ontmoet. Jij bent anders. Anders dan de anderen.' Ik verbeet een gaap, maar de meisjes waren zo in vervoering dat ze hun chips niet eens aanraakten. Er kwam reclame. Een apparaatje veranderde een ui in een roos. Daarna verscheen er een vrouw met een tulband op het scherm. *Olivia's Psychic Hotline.* Ze droeg kralen en valse wimpers en één gouden oorbel. Ze bewoog haar handen boven een kristallen bol en zei met een stem die voortdurend van toonhoogte veranderde: 'Ik ken uw toekomst. Ik zie, ik zie...'

'Laten we even kijken wat er op vijf is,' zei Cara, en ze pakte de afstandsbediening.

'Nee, laat nou staan,' zei Darcy dringend. 'Ik vind die onzin prachtig.'

'Ik ook,' stemde Courtney met haar in. 'Wat een mop! Je weet gewoon dat ze je iets op de mouw gaat spelden.'

'Ze zouden het de *Psycho Hotline* moeten noemen,' zei Darcy. Ik zag Cara's aura vervagen, als een flakkerende kaars.

'We geven accurate informatie met een persoonlijk stempel,' beweerde Olivia. 'Probeer het maar uit. Bel ons voor een gratis vraag.' Er verscheen een 900-nummer onder in het scherm. 'Eén vraag per gezin. En niemand onder de achttien.'

'Laten we haar bellen,' riep Darcy, haar blonde haren uit haar gezicht strijkend.

'Ze zal jouw vraag heus niet beantwoorden,' zei Courtney. 'Je klinkt als een kind van drie.'

Darcy vergat dat ik in de kamer was en stak haar middelvinger op.

Courtney stak Cara de telefoon toe. 'Doe jij het maar. Het is jouw huis.'

Ik wilde hen ervan weerhouden, omwille van Cara, maar ik wist dat Cara alleen maar een nog grotere hekel aan me zou krijgen als ik nu iets zei.

'Ik kan niet bellen,' hijgde Cara, 'ik heb een astma-aanval.'

'Ik wist niet dat je astma had,' zei Courtney. 'Ik zal haar wel bellen. Mijn stem klinkt heel volwassen.' Ze nam de hoorn op en zette de telefoon op de luidspreker zodat ze allemaal mee konden luisteren. Ik deed mijn best onzichtbaar te zijn. Na diverse minuten in de wacht zei een vrouwenstem: 'Hallo, met Sybil.'

'Ik bel voor de gratis vraag,' zei Courtney, en blies toen haar roodgepunte pony uit haar ogen. 'Naar welke universiteit ga ik?'

'Ik zie een grote school,' zei Sybil, 'met veel groen eromheen.'

'Maar hoe heet de school?'

'Laat me eens kijken,' zei Sybil. Het bleef lange tijd stil. 'Je gratis tijd is om. Als je door wilt gaan, kost dat tweeënhalve dollar per minuut.'

'Vergeet het maar!' zei Courtney, en ze hing op.

Darcy gierde het uit van de lach, maar Cara bloosde hevig.

'Wat een zwendel!' zei Courtney.

Ik ademde onbedoeld luid in.

Cara keek over haar schouder. 'Mam, je hoeft echt niet meer op ons te passen, hoor.'

Ik ging naar de keuken en ruimde de vaat op. Een halfuur lang hoorde ik hen nog praten. Toen het stil was in huis, liep ik weer de kamer in.

'Ik kon merken hoe verlegen je met de situatie was,' zei ik tegen Cara.

'Ja, nou, moet je zien wat voor mensen zich voor helderziende uitgeven.'

Ik keek naar haar zijdezachte lange haren, haar hartvormige gezicht. Bubbie zou gezegd hebben dat Cara *schein wi di zibben welten* was, mooi als de zeven werelden. 'O, ik wou dat je Bubbie had gekend,' zei ik. 'Ze was een groot genezeres.'

Cara blies haar adem uit en rolde met haar ogen. 'Mam, laten we niet teruggaan naar de duistere middeleeuwen, oké?'

Die uitspraak bezorgde me de rillingen. 'Duistere middeleeuwen' was iets wat mijn moeder over Bubbie had gezegd. Cara was pas drie toen mijn moeder overleed. Spreekt mijn moeder via haar? Ik was geschokt, maar zei: 'Weet je wel dat grote universiteiten als Princeton en Duke tegenwoordig een faculteit parapsychologie hebben?'

'Ja hoor, alsof Sybil de helderziende op Yale heeft gezeten, en Olivia met de tulband op Radcliffe.'

Cara liep de kamer uit. Het dichtslaan van haar slaapkamerdeur dreunde door het hele huis heen, en ik voelde me zo ontmoedigd dat ik me geen raad wist met mezelf. Toen hoorde ik de telefoon in mijn werkkamer rinkelen. Blij met de afleiding rende ik naar boven en nam op.

'Hallo, met Phyllis Kanner,' zei een vrouw met een gemaakt schorre stem. 'Ik zie uw advertentie nu al jaren staan en ik vind dat het eindelijk tijd wordt om een afspraak met u te maken. Wanneer hebt u tijd?' vroeg ze. Haar energie had een hoog voltage, zoals ik dat bij directeuren voelde. Ik wilde haar het idee geven dat ik het erg druk had. 'Hmm, ik zit de komende twee maanden vol. O, wacht,' zei ik. 'Gisteren heeft er iemand afgebeld. Als u wilt, kan ik het nu doen.'

'En of ik dat wil!'

Terwijl ik haar rekeningnummer noteerde, begon ik haar voor me te zien. 'Hebt u blond, schouderlang haar, naar één kant gekamd met een dunne, sprieterige pony?'

'Ja. Hoe weet u dat?'

'Als ik meteen een beeld doorkrijg, is dat een goed teken. Dan weet ik dat ik u zal kunnen lezen.'

Haar gelaatstrekken werden een voor een duidelijk. Ik zag dat ze contactlenzen indeed. 'U draagt contactlenzen,' zei ik. Toen zag ik Chiclets. 'En u hebt kronen op uw voortanden.'

Ze ademde snel in. 'Hebt u een videotelefoon?'

Ik lachte. 'Nee, want dan zou u mij ook kunnen zien.'

'Wat ziet u nog meer?' vroeg ze verrukt.

'U hebt sproeten op uw neus.'

'Maar die heb ik weggewerkt met make-up.'

'Een helderziende ziet alles,' zei ik gekscherend. Ze lachte niet. Ik kon voelen dat ze zich concentreerde, en haar aura werd intenser, alsof iemand haar wattage had verhoogd.

'Ik zie een vier met een acht ernaast. Bent u achtenveertig?'

'Dat zult u van mij nooit te horen krijgen, evenmin als mijn gewicht.'

Zodra ze 'gewicht' zei, zag ik een spade onder een sterrenhemel. Ze was een nachtelijke eter. Ze was zo gemakkelijk te lezen dat het leek of ze dia's voor me projecteerde. 'Vannacht hebt u de crèmevulling uit een doos Oreos-koekjes gelikt,' meldde ik haar.

'Zoveel details had ik nooit verwacht,' zei ze.

Er verscheen een slappe noedel voor mijn geestesoog, gevolgd door een fles mierikswortelsaus. 'U bent met een veel oudere man getrouwd,' zei ik, 'en hij is erg bitter.' Vervolgens zag ik een lange piekstroombeveiliger met ruimte voor tien stekkers. Ze ging vaak vreemd. 'Ik ben blij dat u zoveel uitlaatkleppen hebt,' zei ik discreet.

'Laten we het niet meer over mijn huwelijk hebben,' snauwde ze. 'Weet u iets over mijn carrière?'

Ik zag flitsen waarin ze aan de telefoon zat te praten. Datzelfde beeld kwam telkens terug. 'U bent voortdurend aan de telefoon. Bent u ook een telefoonmedium?' gekscheerde ik.

'Ik zit inderdaad voortdurend aan de telefoon, maar dat is om new-agetalenten te promoten. Ik kan u ook helpen bekendheid te krijgen. Ik kan zorgen dat uw gezicht in alle bladen komt te staan. Ik kan u op de radio en op de televisie brengen.'

Terwijl ze zwijgend op mijn reactie wachtte, hoorde ik haar zenuwstelsel knetteren als klappertjes in een speelgoedpistool. 'Nee, dank u,' zei ik. 'Dat zou mijn ergste nachtmerrie zijn.'

Ze lachte. 'Schat, de mensen staan voor me in de rij. Ze smeken me voor hen te werken.'

'Ik zal erover nadenken,' loog ik.

Toen vroeg ze me naar drie helderzienden die mijn concurrenten waren. Ik vertelde haar dat ze erg succesvol waren en dat ook zouden blijven. Ik vroeg haar of ze Olivia's Hotline ook vertegenwoordigde.

'Ik zou Olivia's Hotline nooit aannemen!' zei ze. 'Ik vertegenwoordig alleen de werkelijk begaafden. Weet je wel hoezeer je van geluk mag spreken met je gave? Heel erg. Nu terug naar mij. Wat zie je in mijn toekomst?'

'Ik zie dat je nog veel meer succesvolle cliënten krijgt.'

'En daar moet jij er een van worden. Wat moet ik doen om te zorgen dat je met me gaat samenwerken?'

Ik dacht aan Cara, voor schut gezet ten overstaan van haar vriendinnen. 'Ik hecht waarde aan mijn privacy,' zei ik.

'Nou, ik neem aan dat een helderziende niet kan zien wat het beste is voor haar eigen toekomst. Geef me je adres, dan stuur ik je mijn visitekaartje, voor het geval je van gedachten verandert.'

Ik gaf haar mijn postbusnummer.

'O, in hemelsnaam,' zei ze. 'Ik ben geen moordenaar of zo. Mijn cliënten zijn dol op me. Ze vertrouwen me verdorie hun huis, hun kinderen en hun diepste geheimen toe, dus je kunt me gerust vertellen waar je woont.'

Ik voelde dat ik twijfelde. Doe het niet, hield ik mezelf voor, maar ik gaf haar toch mijn adres.

Nadat ze het had opgeschreven zei ze: 'Denk er maar over na. Je hoeft niet nu meteen antwoord te geven. Stel je maar gewoon voor dat je hopen geldt verdient, dan bel je me vanzelf wel. Dat weet ik zeker.'

Ik wilde een einde aan het gesprek maken. Ze had zo'n hijgstem dat ik het gevoel had te worden opgezogen door een gigantisch vacuüm.

Ik was meteen weer van streek over Cara en vroeg me af of ze zich nog herinnerde dat ze toen ze zeven was – zo oud als ik toen Bubbie me begon te onderrichten – had verklaard: 'Ik wil leren hoe je kunt weten wat de mensen denken en wat er met hen zal gebeuren. Ik wil een speciale kamer en als ik groot ben, dan wil ik dat mensen me opbellen om me om advies te vragen.'

Ik had moeizaam geslikt. Cara was niet met de helm geboren, dat geboortevlies op haar hoofd, wat volgens Isabel een teken was dat er weer een helderziende op aarde was gekomen. En Cara had donkerbruine ogen. Hoewel Isabel het nooit expliciet had gezegd, hadden Bubbie en ik allebei heel lichtblauwe, bijna doorschijnende ogen, die ik altijd als een teken van onze gave had beschouwd. Toen ik geen stervormige lijn in Cara's handpalm kon ontdekken, ging de lichte steek van verdriet omdat ze mijn gave waarschijnlijk niet had, vergezeld van een soort opluchting.

'Cara, ik ben zo blij dat jij normaal bent,' had ik gezegd. 'Je bent prima zoals je nu bent. Je hebt geluk gehad. Als mensen erachter komen dat ik helderziend ben, praten ze nergens anders meer over. Het maakt het heel moeilijk om vriendinnen te hebben.'

Ze had geknikt alsof ze het begreep. Toen ik de volgende dag echter thuiskwam, zat ze een new-agecatalogus door te bladeren die aan mij was geadresseerd. *Tools of the Psychic* heette het blad.

Ze keek met van opwinding stralende ogen naar me op. 'Ik wil een Magische Achtbal,' had ze gezegd, 'en een stel van die waarzeggerskaarten, en een ouijabord, en een boek waarin staat hoe je iemand de hand moet lezen.'

Het schokte me dat ze er kennelijk al zo diep over had nagedacht. Ik wist dat die spelletjes en trucjes niet zouden helpen, maar ze was zo hoopvol, zo opgewonden, dat ik haar dat niet kon vertellen. 'Nou,' zei ik peinzend, 'als je die dingen zo graag wilt, spaar je zakgeld dan maar, dan bestel ik ze wel voor je.'

'Oké,' zei ze, 'maar ik wil geen…' – ze telde op haar vingers – 'zevenendertig weken wachten. Laat me maar wat klusjes doen.'

Ik had haar eerder zo vastberaden gezien. Toen ze vier was en haar eerste barbie wilde – een pop die ik niet goedkeurde – had ze niet alleen twee weken lang haar sokken opgeraapt en haar speelgoed opgeruimd, maar ook alle meubels in de woonkamer waar ze bij kon afgestoft en zelfs geprobeerd de hele tuin te harken. Ik vermoedde dat ze zichzelf nu te pletter zou werken om het geld voor de 'paranormale' spulletjes bij elkaar te krijgen. 'Ik zal ze wel bestellen, dan betaal je me maar terug zodra je kunt,' zuchtte ik.

Bevreesd bestelde ik de spullen uit de catalogus.

Als haar vriendinnen kwamen spelen, stouwde ze alles achter in de kast. Verder was ze er altijd mee bezig, maar ze vroeg mij nooit om hulp.

Op een middag zat ze aan haar bureau met haar handen op de aanwijzer van het ouijabord. 'Word ik uitgenodigd voor Andrea's verjaardag?' hoorde ik haar vragen. Toen stuurde ze de aanwijzer naar de JA.

'Ja!' juichte ze. Andrea had haar al verteld dat ze een uitnodiging zou krijgen.

Daarna richtte ze haar aandacht op de tarotkaarten. De aanwijzingen in het boek waren erg ingewikkeld en ik kon zien dat ze van streek raakte.

'Weet je,' opperde ik zacht, 'je kunt ook gewoon drie kaarten trekken om te zien wat de dag zal brengen.'

De eerste kaart die ze trok toonde een terneergeslagen gestalte die van acht bekers op de grond wegliep. Vervlogen hoop, dacht ik. Te oordelen naar Cara's grimas wist ze wat de kaart betekende. 'Ik pak wel een andere kaart,' zei ze. Het was de Toren – bliksem, vuur, rook, mensen die uit ramen sprongen. Haar handen beefden.

'Laten we de kaarten nu maar wegleggen,' zei ik.

'Ik begin gewoon opnieuw,' zei ze vastbesloten. 'Mijn vraag is: wat krijg ik van mama en papa voor mijn verjaardag?'

In plaats van willekeurig kaarten te trekken, koos ze de drie kaarten uit die ze wilde hebben, vals spelend zoals mijn moeder met patience had gedaan.

'Dit is het rad van fortuin, dus we gaan met de auto ergens heen,' zei Cara. 'En die ligt naast de ster, dus dat betekent dat we naar een show op Broadway gaan. En hier ligt de zon. The sun will come out, tomorrow,' zong ze. 'Dat wil zeggen dat we naar *Annie* gaan.'

Mijn benen trilden. De dag ervoor had ik de kaartjes voor *Annie* telefonisch besteld terwijl zij op school zat. Dat kon ze onmogelijk weten. Ik belde Rory. 'O, hemel. Ik had het mis. Cara is wel helderziend.' Met een verstikte stem vertelde ik hem over de tarotkaarten.

'Mim, ze bleef me gisteravond maar aan mijn hoofd zeuren over haar verjaardagscadeau en daarom heb ik haar verteld dat het op *fanny* rijmde. Cara maakt gewoon een beetje lol.' Hij lachte. 'Laat haar maar.'

Toen ze bijna negen was, stopte Cara met vragen naar wat ze al wist, en raakte ze gefrustreerd omdat geen van haar voorspellingen uitkwam.

'Leer me een helderziende te zijn,' smeekte ze.

Aan de ene kant dacht ik niet dat mijn onderricht een beter resultaat zou opleveren. Aan de andere kant was ik bang dat als het wel iets opleverde, de gave haar leven zou gaan beheersen, zoals dat bij mij het geval was. Cara gaf het echter niet op; ze praatte nergens anders meer over.

Wat voor toekomst wachtte haar als ze er wel in zou slagen

net als ik te worden? Op de middelbare school was ik vernederd tijdens een les improvisatietoneel. Ik zei tegen Alex, een
tegenspeler op wie mijn personage geacht werd verliefd te zijn:
'Ik ben blij dat Colleen je gisteravond gedumpt heeft. Nu weet
je hoe ik me voel.'

Zijn mond viel open en zijn hele gezicht werd rood. 'Hé.
Hoe weet jij dat nou?'

Ik was minstens zo verbaasd als de anderen... ik had gewoon
geïmproviseerd. Nog een paar van zulke incidenten en niemand wilde mij meer als tegenspeler. Ze begonnen me Voodoo Girl te noemen en ik stopte met toneel.

Mijn gave weerhield me er zelfs van goede punten te halen.
Ik zat op mijn bed *Death Comes to the Archbishop* te lezen voor
Engelse les, toen Bubbie aan me verscheen. 'Lees liever *Sjolem
Aleichem*,' zei ze, dus deed ik dat. Mijn leraar Engels liet mijn
moeder en mij naar school komen. 'Miriam is pienter,' zei hij,
'maar ze volgt het ritme van haar eigen trommel.'

Mijn moeder keek me kwaad aan. 'Ik zou het geld moeten
optrommelen om zelf naar de universiteit te gaan, in plaats van
jou erheen te sturen,' beet ze me toe.

Op een regenachtige middag gaf ik toe aan Cara. Ik stak in
de keuken een kaars aan en zette er een stoel voor waar ze op
moest gaan zitten, zoals Bubbie dat ooit voor mij had gedaan.
'Kijk naar de gloed rondom de vlam,' zei ik. 'We trainen ons-
zelf om aura's te zien.' Er was geen houden meer aan. Ik zag
Cara naar de vlam staren, waarvan het licht op haar gezicht viel
als bij een schilderij van Georges de La Tour. 'Kijk nu hierheen,' zei ik, mijn vinger naar een plek net boven me en rechts
van mijn hoofd brengend. 'Je zult dan algauw het licht om mij
heen gaan zien.'

Cara concentreerde zich heel goed. Ze staarde naar mijn
vinger en bevochtigde haar lippen, maar uiteindelijk barstte ze
in tranen uit. 'Ik zie het niet,' snikte ze.

Ik aaide haar over haar hoofd, probeerde een oplossing te bedenken. 'Ik weet het,' zei ik opgewekt. 'Bubbie leerde me dat
het soms gemakkelijker is om dingen te laten verdwijnen dan

om ze te laten verschijnen. Op een keer hield ze de plank waarop we samen altijd koekjesdeeg uitrolden voor me omhoog en zei dat ik ernaar moest staren en het Jiddische woord voor water moest zingen: *wasser, wasser, wasser*. Ze zei dat de plank zou gaan rimpelen als water en dat ik hem na een poosje helemaal niet meer zou zien. Ik zei zo vaak "wasser" dat mijn keel er helemaal droog van werd, maar uiteindelijk begon de plank te rimpelen en verdwenen eerst de randen en daarna de hele plank. Misschien moeten we daarmee beginnen.'

'Ja, laten we dat doen,' zei Cara, de hoop duidelijk doorklinkend in haar stem.

Ik pakte mijn snijplank en hield hem voor Cara omhoog. 'Staar ernaar en zeg: wasser, wasser, wasser.'

Maar Cara, die niet was opgegroeid met Jiddisch, zei: '*Vasser, vasser, vasser.*' Ze staarde wel tien minuten naar de plank en klonk inmiddels hees. Uiteindelijk wendde ze zich tot mij; de tranen stroomden over haar wangen en haar onderlip trilde. 'Ik zie geen rimpels,' zei ze huilend.

'Bubbie zei dat het allemaal oefening en geduld vergt,' zei ik tegen haar. 'We zullen vaker oefenen.'

Cara vroeg echter nooit meer om mijn hulp. Een maand lang moest ik mijn snijplank uit haar slaapkamer halen als ik hem nodig had, wat mijn enige aanwijzing was dat ze oefende.

Uiteindelijk gooide Cara op een middag de snijplank in de keuken op het aanrecht. 'Ik kan dat stomme ding niet laten verdwijnen!' Ze beefde van boosheid.

'Hou er dan mee op,' zei ik. 'Het is een dwaze, idiote truc die niets betekent. Wie kan het nou wat schelen of de snijplank in water verandert of niet. Wordt de wereld daar beter van?' Ik zag dat het haar milder stemde, dat ze me wilde geloven. Er hing een wolk boven haar hartchakra en ik zou er alles voor over hebben gehad om die te verdrijven.

Twee jaar lang sprak Cara niet meer over lessen in helderziendheid, maar toen ze elf was, zag ze een folder op een advertentiebord in de supermarkt hangen:

Opnieuw zette ze er haar zinnen op het te leren. Ik zag die intense vastberadenheid terugkeren in haar blik. Ik vroeg me af wat voor kwaad het kon als ze ging. Ik geloofde niet echt dat de lessen iemand een gave zouden schenken, maar misschien zou Cara zich er beter door voelen.

Twee dagen lang liep Cara door het huis te neuriën. Mijn snijplank verdween weer naar haar slaapkamer en ik hoorde haar tevreden zingen: 'Vasser, vasser, vasser.' De telefoon ging. 'Dat is papa, nietwaar?' Ik had het hart niet om haar te vertellen dat het de man van de stomerij was, die vroeg wanneer Rory zijn pak kwam ophalen.

Terwijl we voor de eerste les door Lynbrook reden, merkte ik op dat de huizen in de straat waar de lerares woonde bijna identiek waren. Het hare onderscheidde zich door het zodiakvaandel dat aan een vlaggenmast wapperde. Ze deed de deur open in een dashiki en met een heel lange oorbel in.

'Ik ben Star,' zei ze. We schudden elkaar de hand. 'Schrijft u de cheque alstublieft uit op naam van Sandra Kornbluth.'

Ze ging ons voor, de trap af naar een ingerichte kelder. Ik ging op een oude bank zitten. De kelderwanden hadden een lambrisering van knoestig grenenhout. Ik had het gevoel dat duizend ogen naar me staarden. Er waren naast Cara nog zeven kinderen, maar allemaal veel jonger. De stoeltjes leken uit een kleuterschool afkomstig. Ik zat met alle andere moeders op de lange imitatieleren bank.

Cara had zich opgetut voor de les. Haar haar was gevlochten en om haar hoofd gewikkeld en ze droeg plateauschoenen en lipgloss. Ze zette haar stoeltje iets bij de anderen vandaan. Ik dacht dat ze zich misschien zou schamen om in een klas te zitten met zulke kleintjes. Ze was echter vastberaden.

'We gaan muziek gebruiken om een heel ontspannen toestand te bereiken die onze geest zal openen,' zei Star met een zangerige stem. Ze haalde een stemfluitje uit haar zak en speelde een do. 'Nu wil ik dat jullie allemaal "do" met me zingen,' zei ze.

Cara ging er helemaal voor. Ze hief haar hoofd en zong luid: 'Do, do, do.'

Een jongetje met sproeten riep hard 'po!' en de rest van de kleintjes begon te giechelen.

'Nou, ik geloof dat het zo wel genoeg is geweest,' zei Star. 'Nu wil ik dat jullie je ogen dichtdoen en aan de kleur van je slaapkamer thuis denken.' Haar stem werd hypnotiserend. 'Denk nu aan je bed. Zie jezelf in bed kruipen. Voel je hoofd op het zachte kussen. Als je knuffelbeesten hebt, stel je dan voor dat je die vasthoudt terwijl je in slaap valt.'

De andere kinderen voelden zich ongemakkelijk, maar Cara keek me aan, stak haar duim op en kneep haar ogen vervolgens stijf dicht.

'Doe je ogen nu langzaam open,' zei Star. Ze gaf elk van de kinderen een setje kaarten in primaire kleuren en liet hun toen een kleine rode bal zien. 'Ik heb een rode bal zoals deze in een van de mokken op die plank gestopt,' zei ze wijzend. 'Nu wil ik dat jullie je ogen sluiten, aan de rode bal denken en je afvragen in welke mok die zit... de rode, de blauwe, de groene of de gele. Je zou heel snel het antwoord moeten weten. Zodra je in gedachten de kleur van de mok ziet, doe je je ogen open en leg je dezelfde kleur kaart boven op je stapel, en laat het aan niemand anders zien.'

'Huh?' vroeg een klein meisje.

Star demonstreerde nog drie keer wat ze bedoelde voor de kinderen het allemaal snapten. 'Sluit nu weer jullie ogen,' zei ze. 'Stel je de rode bal voor. Stel je voor dat ik de bal in een van de mokken stop. Zie de kleur van de mok voor je.'

Blauw, dacht ik, en ik probeerde het naar Cara door te seinen.

Een jongetje met een vetkuif begon te geeuwen. 'Ik wil naar huis,' jammerde hij.

Zijn moeder schudde haar hoofd. Star ging onverstoorbaar door. 'Oké, doe je ogen open en pak de kaart met dezelfde kleur als de mok.' Ze wachtte even en zei toen: 'Hou je kaart omhoog.' De meeste kinderen staken de blauwe kaart omhoog, Cara de groene.

Star pakte de groene mok en hield hem ondersteboven. Er viel niets uit. Ze hield de blauwe mok ondersteboven. De rode bal stuiterde over de grond en een jongetje rende erachteraan om hem te pakken.

'Maak je er niet te druk om,' zei Star tegen Cara. 'Het was pas je eerste poging.'

Die persoonlijke aandacht maakte het alleen maar erger. Cara's wangen kleurden vlammend rood.

In de auto op weg naar huis zei ze: 'Wacht de volgende keer maar buiten op me. Ik denk dat je me nerveus maakt.'

Na de tweede les renden de andere kinderen naar hun moeders en riepen 'Ik ben helderziend', maar Cara keek nog steeds grimmig.

Star sloeg haar arm om Cara heen. 'Soms is er sprake van een roeping,' zei Star op haar meest neerbuigende toon, 'en niet iedereen wordt geroepen, maar ik weet zeker dat jij andere talenten hebt.'

'Niet iedereen heeft de roeping,' zei ik zo beleefd mogelijk, 'maar het is mij duidelijk dat u beter naar de dokter kunt gaan met die maagzweer.'

Star greep naar de halslijn van haar dashiki. 'Pardon?' zei ze.

Met opgeheven hoofd zei ik: 'Ik weet wat ik weet.' Onderweg naar huis was ik trots op mezelf omdat ik tegen haar in verzet was gekomen, totdat ik Cara in elkaar gezakt en met neerhangend hoofd naast me zag zitten.

'Laat je door haar niet van streek maken,' zei ik. 'Ze is gewoon een huisvrouw in een dashiki.'

'Waarom heb je dat dan niet meteen gezegd?' vroeg Cara.

Ik wist niet wat ik moest zeggen. Ik had gedacht dat ze dat zelf wel zou inzien of gewoon genoeg zou krijgen van de lessen.

'Dus je wist niet meteen dat Star niet goed was?' vroeg Cara.

Ik zei niets. Ik zag dat Cara zich herstelde. 'Misschien raden helderzienden alleen maar,' zei ze.

Ik keek haar aan, zag de hoop opflakkeren rond haar hoofd. Ik had er alles voor over om haar lijden te besparen. Ik legde mijn hand op haar schouder en zei: 'Misschien heb je gelijk.'

Thuisgekomen liep ze naar de bijkeuken en pakte een grote vuilniszak, die ze mee naar boven nam. Ik hoorde haar laden opentrekken en hard dichtduwen. Toen ik de zak een uur later met de rest van het vuilnis op de stoep zette, rolde de Magische Achtbal eruit. Ik las de woorden die naar boven waren komen drijven. BESLIST NIET stond er.

'Ik vind mijn eigen talent heus wel,' verkondigde Cara die avond tijdens het eten. 'Iets echts. Ik geloof alleen in wat telbaar is en bewezen kan worden, wat iedereen kan zien.'

'Dat is heel verstandig, schatje,' zei ik.

'Grote meid,' stemde Rory met me in, en hij woelde een keer door haar haren.

Vanaf dat moment voelde Cara alleen nog maar minachting voor paranormaal begaafden. Ze luisterde niet meer naar mijn verhalen over Bubbie en als ik haar iets vertelde wat ik door mijn gave te weten was gekomen, zei ze met haar neus in de lucht: 'Wie zegt dat?'

Dat was ook de periode dat ze heel hard ging studeren, dat ze extra vakken ging volgen en zich bij elke club en elk team aansloot.

'Ik moet naar een top-universiteit als ik iets belangrijks met mijn leven wil doen,' zei ze steeds. Ze had al tijdens haar eerste jaar op de middelbare school de universiteitengids van Peterson's aangevraagd en er paragrafen in gemarkeerd. Ze had zelf de brochures van Ivy League-universiteiten aangevraagd en hun vaantjes verzameld. Ze had haar zinnen op Cornell gezet.

'Ze hebben massa's cursussen waaruit je kunt kiezen,' had ze gezegd, 'en ik zou bovendien veel kunnen skiën.' Toen ze in het tweede jaar zat, schreef ze een brief aan de directeur van Cornell waarin ze om een informatief gesprek vroeg. Dat kreeg ze. Ze zat altijd te studeren, zelfs aan de eettafel. Ze zou waarschijnlijk wel op een goede universiteit worden toegelaten, maar ze zong niet meer onder de douche. Ze brulde niet meer de songteksten mee uit de boekjes in de cd-doosjes. In plaats van voor haar eigen plezier te zingen, stond ze erop dat ik haar meenam naar een instituut in Syosset om haar zangtalent te laten beoordelen. Ze droedelde niet langer in haar schriften, op servetjes of op de rug van haar hand, als er niets anders was. Ze probeerde nu uren achtereen reproducties van oude meesters na te tekenen en dat liep op tranen uit. Haar prullenbak zat altijd vol. Ze zat in het basketbal-, hockey- en lacrosseteam, maar was gedeprimeerd als ze op de bank moest zitten. Ik zag nu al vage sporen van Rory's zorgenrimpels in haar jonge voorhoofd.

Een paar avonden geleden was ik bezig met een sessie met een cliënte, Rebecca, die me had proberen over te halen haar ex-vriend te stalken met mijn gave. 'Hoe heet zijn nieuwe vriendin?' wilde ze weten.

Ik kreeg een visioen van een strand en toen een grote in het zand geschreven letter Y. Sandy, dacht ik, maar dat zou ik Rebecca niet vertellen. Ze had al alle vrouwelijke collega's van haar ex-vriend opgebeld en hen ervan beschuldigd hem te hebben ingepikt. 'Over die informatie beschik ik niet,' zei ik.

'Ik ben ook helderziend,' zei ze ziedend. 'Ik weet dat je haar naam kent. Nou, als je me haar naam dan niet wilt geven, vertel me dan in elk geval dit: ligt Todd haar nu te naaien?'

Op dat moment hoorde ik gerinkel op de trap naar mijn werkkamer. Cara droeg het enkelbandje met belletjes eraan dat ze op de zomermarkt had gekocht. Ik maakte me zorgen dat ze binnen zou komen en verstarde daardoor. Bij deze sessie lag alles heel gevoelig. Todd had een straatverbod voor Rebecca aangevraagd en gekregen nadat ze via zijn brandtrap naar boven was geklommen om hem te bespioneren. Ik moest Rebecca ervan zien te overtuigen dat ze Todd moest vergeten, en dat kon in haar geval maar op één manier. Toen voelde ik Cara's hand op de deurklink. 'Nu niet,' riep ik naar haar.

'Bedoel je dat Todd nu niet met die vrouw ligt te naaien, maar dat straks wel gaat doen?' vroeg Rebecca met stokkende adem.

Ik flapte eruit wat ik voorzichtig had moeten aankaarten: 'Rebecca, je moet naar een psychiater. Die kan je medicijnen geven waardoor je Todd uit je hoofd kunt zetten.'

'Dus je probeert me te vertellen dat ik krankzinnig ben?' had Rebecca gekrijst, en vervolgens had ze opgehangen.

Ik zat even stomverbaasd voor me uit te kijken. Het was bijna kwart voor tien. Ik had zonder avondeten doorgewerkt. Ik voelde dat Cara nog steeds aan de deur stond en deed open. 'Cara, ik heb al die tijd zitten werken, het spijt me,' zei ik. 'Wat wilde je me vertellen?'

'Niets,' zei ze scherp, en ze verdween weer rinkelend naar beneden.

Ik probeerde Rebecca te bellen, maar ze nam niet op. Zuchtend ging ik naar beneden, waar Cara in de kamer Franse werkwoorden zat te vervoegen. *Je fais, tu fais, il fait, nous faisons, vous faites, ils font.'*

Ze had waarschijnlijk gewild dat ik haar hielp met studeren, maar nu had ze me buitengesloten.

Een uur later, om elf uur, kwam Rory thuis van zijn werk. Ik liep naar hem toe voor mijn welkomstzoen.

Je serais, tu serais, il serait, nous serions, vous seriez, ils seraient,' dreunde Cara op.

'Hoi, Cara,' riep hij haar toe. 'Hoe was je dag?'

'Zie je niet dat ik zit te leren?' zei ze boos. *Je sois, tu sois, il soit, nous soyons, vous soyez, ils soient.'*

Hij liep naar haar toe. 'Misschien werk je te hard,' zei hij.

Ze stopte een boekenlegger tussen haar boek met Franse werkwoorden en zei: 'Dat moet jij nodig zeggen. Jij bent altijd aan het werk en mam zit altijd in haar werkkamer met de deur dicht. Ik heb eigenlijk amper ouders.'

Dat voelde als een klap in mijn gezicht en Rory had tranen in zijn ogen.

'Cara, we komen er wel uit,' zei Rory. 'We kunnen nog genoeg tijd samen doorbrengen. We staan nu alleen een beetje onder druk.'

'Nú?' zei Cara, en doordat ze de kamer uit stormde, had zij het laatste woord.

7

Cara kwam niet meer naar mijn werkkamer, en ik begon haar onderbrekingen te missen. Telkens als ik de vloer hoorde kraken, ging ik verwachtingsvol rechter zitten, maar dan veranderden de passen van richting en zakte ik weer in elkaar. Ze vroeg me niet langer om haar 's ochtends naar school te brengen, maar rende met nog natte haren de deur uit om de bus te halen. Ze liet briefjes voor me achter in plaats van me te vertellen waar ze na schooltijd heen ging en hoe laat ze terug zou zijn van de bibliotheek, een sporttraining of een vriendin.

'Schatje,' had ik die ochtend gezegd, 'hoe lang gaat dit duren?'

'Er is niets aan de hand,' zei ze, en liep toen met neergeslagen ogen langs me heen.

Nu, om middernacht, lag ik slapeloos in mijn bed en probeerde te bedenken hoe ik tot haar zou kunnen doordringen. Ik bedacht net dat ik onze fietsen achter op mijn Honda kon binden en met haar naar Flushing Meadow Park kon rijden om daar over het oude terrein van de Wereldtentoonstelling te fietsen, toen ik iets hoorde in haar kamer. Ik hoefde niet helderziend te zijn om te weten dat ze haar kleren op het bed en de vloer uitspreidde en piekerde over wat ze de volgende dag zou aantrekken. Ze had een kalender in code gemaakt van al haar kleren, die ze elke dag afstreepte zodat ze niet te vaak hetzelfde zou dragen. Ze was erg methodisch, net als mijn moeder, maar bij Cara speelde ook de groepsdwang een rol. Al haar vriendinnen hadden rijke ouders. Ze hadden niet alleen tassen van Christian Dior op hun rug hangen, maar droegen ook spijkerbroeken van Chloë of Dolce & Gabbana, en volgden talloze privélessen. Darcy, die al zwom en turnde sinds ze net kon lopen, zou tot atlete van het jaar worden gekozen – wat geen verrassing was. En Courtney, die toen ze tweeënhalf was een kleine viool en vioollessen had gekregen, speelde nu fluit. Haar moeder reed drie keer per week met haar naar Manhattan voor lessen bij een leraar die in het Philharmonic Orchestra speelde. Ze volgden allemaal extra lessen, presteerden allemaal bovenmatig.

Elke vakantie bleef Cara noodgedwongen in Great Neck, terwijl haar vriendinnen, die Europa allang kenden, door de derde wereld trokken en sherpa's huurden om hun uit twaalf gelijke koffers bestaande bagage de bergen van Nepal door te sjouwen. Soms zat ze reisbrochures door te bladeren die haar vriendinnen hadden achtergelaten 'voor het geval ze van gedachte veranderde'. Eén keer trof ik haar slapend achter haar computer aan, met op haar beeldscherm DE ALLURE VAN PARIJS.

'We wonen in New York, een van de meest fantastische plaatsen ter wereld,' zei ik wel eens. 'Laten we naar Central Park of de MoMa gaan.' Dan schudde ze alleen maar haar hoofd. 'We kunnen wat gaan eten bij het Hard Rock Cafe,' voegde ik eraan toe, maar ze hing maar voor de televisie of keek verlangend naar exotische plaatsen in Rory's stapel *National Geographics*.

Cara, Rory en ik hadden vroeger zoveel plezier gehad voor zo weinig geld. We waren hele weekenden bezig reusachtige puzzels te maken op de keukentafel en aten vervolgens wekenlang aan een gammel tafeltje, tot we het over ons hart konden verkrijgen de puzzel weer op te ruimen. Op zomeravonden wandelden we door Kings Point Park en luisterden we naar het koor van krekels en vogels. Misschien zou Cara zich weer beter voelen als Rory meer tijd voor ons had, dacht ik. Maar gezien onze economische situatie, zou Rory eerder nog meer tijd in zijn zaak doorbrengen dan minder en ik wilde dat ze zich nu beter zou voelen. Ik stond op en liep naar haar slaapkamerdeur.

Een streep licht vanonder haar deur verlichtte de donkere overloop. 'Cara,' zei ik zacht.

Ze deed de deur open. Ze zag er moe uit en leek van streek,
zoals ze daar stond met haar haarborstel in de hand, omringd
door haar kleren op het bed en op de vloer. Ze had donkere
wallen onder haar ogen en haar huid was grauw. 'Gaat het wel
goed met je, schatje?'

Ze haalde haar schouders op en wendde haar blik af. 'Ja
hoor. Ik heb alleen een klit in mijn haar.'

Ik keek naar mijn dochter en zag wel dat zijzelf veel meer in
de knoop zat dan haar haren. 'Laat mij het eens proberen,' zei
ik. 'Ik krijg die klit er wel uit.'

Ze aarzelde even, liet zich toen op de stoel voor haar kap-
spiegel zakken en gaf mij de borstel.

Voorzichtig trok ik aan de klit en haalde hem streng voor
streng uit elkaar. Haar glanzende bruine haar was dik, maar de
borstel gleed er van de kruin tot halverwege haar rug gemakkelijk door. Ik haalde de borstel er telkens weer doorheen en
haar haren liefkoosden mijn hand evengoed als mijn hand haar
haren liefkoosde. Haar schouders ontspanden en ze slaakte een
diepe zucht. Ik voelde golven van kalmte door haar heen gaan.
Ik zag Rory's zandkleur en mijn rood terug in haar haren. 'Je
zat vroeger op een telefoonboek wanneer je oma je haren borstelde,' zei ik, de tranen wegknipperend die in mijn ogen op-
welden.

'Daar herinner ik me wel iets van,' zei Cara. Via de spiegel
keek ze me aan. 'Het spijt me, mam. Ik geloof niet in wat je
doet, maar ik weet dat je nooit mensen zou belazeren zoals die
Olivia op de televisie.'

Ik ging door met borstelen.

Ik viel die nacht gemakkelijk in slaap. Toen ik om zeven uur
's ochtends mijn ogen opendeed, maakte Rory's lege helft van
het bed me bezorgd. Hij ging tegenwoordig al om halfvijf
naar Mirror. De drogisterij ging pas om negen uur open, maar
hij had die extra uren nodig om de administratie te doen. Ik

zuchtte. Misschien zou hij deze maand eindelijk de betalingen van de zorgverzekeringen ontvangen, maar in gedachten zag ik binnenstebuiten gekeerde zakken, een van mijn symbolen voor schulden, en ik wist dat we daar niet van af zouden komen, ongeacht hoeveel uren hij ook bezig was met zijn pogingen te krijgen waar hij recht op had.

Onze olm kreunde. De boomchirurg had uitgelegd dat de boom een woekerende knobbel in zijn vork had die door het schuren dat geluid veroorzaakte. Het zou tweehonderdvijftig dollar kosten om die knobbel te verwijderen. Ik kon me er niet toe zetten uit bed te stappen. Toen merkte ik een vlek op in de hoek van het plafond. De vlek was niervormig, en vers. Het dak lekte; een ramp, gezien onze gepleisterde gevel. Dure reparaties deden zich altijd voor wanneer je geen geld had. En ik wist dat werklui hun prijzen met een derde verhoogden als ze de grens tussen Little Neck en Great Neck overstaken. Ik moest terug naar mijn werkkamer.

Cara was in de badkamer en nam een van haar lange douches die schimmel op de tegels veroorzaakten en het behang van de muren stoomden. Ik klopte op de deur. 'Je lunch staat in de koelkast,' riep ik.

'Ik heb mijn aanmeldingsformulier voor Cornell op mijn dressoir gelegd,' riep ze. 'Zet even je handtekening onder de mijne.'

'Het is pas november. Is het niet wat vroeg om je aan te melden?'

'Dr. Zannikos wil ze alvast klaar hebben liggen in het kantoor van de decaan,' zei ze.

Zonder te weten waarom voelde ik me vaag onbehaaglijk en ik wilde eigenlijk wachten tot ze uit de douche kwam, maar toen ik bedacht hoeveel de studie aan Cornell zou kosten, liep ik meteen door naar mijn werkkamer. Ik had zo hard geld nodig dat ik naar mijn telefoon ging zitten staren en mijn handen tegen elkaar wreef. 'Breng me een winnaar,' zei ik alsof ik bij de paardenrennen zat.

Binnen enkele minuten werd mijn wens vervuld. De telefoon ging. 'Hallo, mijn naam is Kim. Ik wil graag nu meteen een sessie.' Ze zond krachtige vibraties uit. Haar stem was honingzoet. Ik wist meteen al veel over haar. Het eerste wat ik zag was haar haar. Het was zwart en hing tot op haar middel. Ze was welgevormd en had amandelvormige ogen. Er kwamen heel snel allerlei beelden op me af. Ik maakte aantekeningen – mannen, trouwringen. 'Ik zie heel veel mannen om je heen,' zei ik. 'Ze hebben allemaal belangstelling voor je. Sommigen van die mannen zijn getrouwd,' waarschuwde ik haar.

'Dat zijn de meesten,' legde ze uit. 'Ik geef erotische massages.'

Toen zag ik de massagesalon. Naakte mannen die op tafels lagen. Ik zag een man met genitaliën als een teentje knoflook. Een andere had een gerimpelde walvisbuik met grote bossen haar. Dit waren de mannen die ze moest bevredigen. De zaak heette de Happy Ending. Kim droeg witte handschoenen. Ik zag lampen om haar heen. Acteertalent.

'Je zou actrice kunnen worden,' zei ik.

'Echt waar?'

'Natuurlijk,' zei ik. Ik dacht aan het plezier dat ze moest veinzen voor die dikke mannen. 'Je bent in feite nu al een actrice,' zei ik.

In het verloop van de sessie ontdekte ik dat ze lange uren maakte om een man te onderhouden die beweerde dat hij het hele land door vloog om zichzelf te promoten als sportagent. Ik zag een kaart van de Verenigde Staten met in elke staat een vrouw die zijn naam riep, sommigen van hen met een baby in hun armen. 'Er zijn andere vrouwen,' zei ik, maar Kim geloofde me niet.

'Hij zegt dat hij nooit eerder iemand heeft ontmoet als ik,' zei ze.

Ik zuchtte. Ik had dat zinnetje al zo vaak gehoord dat ik me afvroeg of er een school voor duistere kunsten was waar overspelige mannen dat leerden. 'Je vertrouwt hem al niet helemaal, anders zou je mij niet bellen,' zei ik. 'Ik ben een soort paranormale privédetective.'

'Ik vertrouw Dennis mijn leven toe,' zei ze. 'Hij zal altijd bij me blijven. Hij maakt me zo heet.'

Ik kromp ineen. Bubbie had gezegd dat ons werk heilig was. Denk aan Kim als de brandende struik, hield ik mezelf voor. Maar dat werkte niet. Het was zo frustrerend om die zelfvernietiging aan te horen, dat ik in mijn afsprakenboek ging zitten kijken terwijl zij doorging met hem op te hemelen. Ik had die week al dertien sessies gedaan en het was pas woensdag: 13 x $ 95 = $ 1235. Er stonden nog zes sessies geboekt voor de rest van de week en er was altijd kans dat er nog wat bij zouden komen. Als het zo doorging kon ik ruim drieduizend dollar per week verdienen.

'Dennis wil dat al zijn vrienden me persoonlijk leren kennen,' zei Kim. 'Hij brengt ze mee naar het appartement voor gratis massages.'

Ik telde mijn advertentiekosten bij elkaar op: 395 dollar per maand voor een kwart bladzijde in *Soaring Spirit*, 215 dollar per maand voor een kleine advertentie in *Light Years*, en de man die mijn nieuwe website had ontworpen voor 250 dollar had me nog eens 200 dollar in rekening gebracht voor het aanbrengen van links naar mij op andere sites. In totaal 1060 dollar voor deze maand. Al met al zou ik toch nog een klein fortuin binnenhalen. Toen herinnerde ik me echter dat ik net als vorige maand de vijfduizend dollar hypotheekaflossing voor Mirror zou moeten betalen tot Rory zijn geld kreeg van Medicaid. Ik maakte weer een rekensommetje en raakte ontstemd. Mijn inkomsten waren nauwelijks voldoende om Rory's onkosten te betalen.

In augustus, toen alle psychiaters met vakantie waren, had ik in een week tijd zesduizend dollar verdiend. Maar toen had Rory besloten een cursus te volgen voor het aanbrengen van braces en breukbanden en andere hulpstukken voor de mobiliteit. 'Bedenk eens hoe dat de zaken zal stimuleren,' had hij opgewonden gezegd. Dergelijke artikelen konden niet worden geretourneerd, dus was hij blijven zitten met drie gemotoriseerde rolstoelen, die hij nog steeds aan het afbetalen was. Ik was net als Kim: ik onderhield een man die niet betrouwbaar was.

'Dennis zegt dat hij geen mannen in mijn appartement wil als hij er niet is,' zei Kim.

Ik dacht aan Anita die Fred steunde bij het schrijven van die afschuwelijke roman, en voelde weer een golf van sympathie jegens haar. Zij en Fred hadden in elk geval al die familieleden aan hun fotowand, die hen hielpen met hun ruime harten, volle zakken en open handen. Mijn vader sloop altijd naar de gang om een briefje van twintig in mijn zak te stoppen als Rory en ik bij hen waren, en mijn moeder gaf ons een runderschotel met ui of een schaal 'tomatenverrassing' mee. De verrassing was dat er eiersalade in de tomaten zat. De man met de zeis had ons echter alle steun van familie ontnomen. Met tranen in mijn ogen keerde ik terug naar mijn berekeningen. De koelkast waarin Rory medicijnen bewaarde, was kapot gegaan. Reparatie 128 dollar. De medicijnen die erin zaten waren bedorven: 500 dollar of meer.

'Dennis is zelfs jaloers op mijn bejaarde conciërge,' zei Kim.

Ik stopte met mijn berekeningen en concentreerde me op haar. Ik merkte dat haar aura veranderde wanneer ze over Dennis praatte. 'Telkens als je Dennis noemt,' vertelde ik haar, 'wordt je aura kleiner. Je energie stroomt uit je weg en naar hem toe. Je moet je macht terugpakken. Hoor eens, sluit nu je ogen en zing het woord 'macht' met me mee.'

'Huh?' zei ze.

'Macht, macht, macht,' zong ik, en even later deed ze mee. Ik moest zelf ook mijn macht terugwinnen. 'Je aura wordt reusachtig,' zei ik. Het was alsof iemand purperen neonverf om haar heen had gespoten. 'Je wordt weer de sterke vrouw die je hoort te zijn,' zei ik. 'Hou dit zingen elke dag minstens een paar minuten vol en je bent klaar om auditie te doen.'

'De enige rol die ik wil spelen is die van Dennis' vrouw.'

Het purper dat haar omringde verbleekte meteen. 'Zodra je zijn naam noemde vloog je kracht weg.'

'Dennis ís mijn kracht,' zei ze beslist.

Ze was als een trein die op een betonnen muur af reed en ik leek de rem niet te kunnen vinden. Ze geloofde me niet.

Ik zag een blauwe toga en baret. 'Heb jij een graad gehaald?' vroeg ik.

'Ja.'

Ik was geschokt. 'Waarom doet iemand met een universitaire graad het werk dat jij doet?'

'Heb jij gestudeerd?' vroeg ze me.

'Ja.'

'Waarom ben je dan een telefoonmedium?'

Mijn moeder zou geglunderd hebben.

Toen ik de telefoon had neergelegd volgde ik mijn eigen advies op. 'Macht, macht, macht,' zong ik. De laatste keer dat ik me machtig had gevoeld, was dat heerlijke moment in de derde klas bij juffrouw McNamee, toen haar dode moeder aan me verscheen, juist op het moment dat zij me een tik wilde geven met haar aanwijsstok omdat ik zat te dagdromen tijdens de les over de regenval in Brazilië. Toen ik hardop herhaalde wat haar moeder had gezegd – 'Josie, ik had je nooit moeten dwingen je baby weg te laten halen' – keerde juffrouw McNamee de klas haar rug toe en schokten haar schouders. Ik wist dat ze huilde en het werd stil in de klas. Ik was dronken van mijn eigen macht. Jo Ellen Wastler, die altijd massa's chocolade had, bood me twee stukjes van haar Nestlé Crunch aan. 'Als je dat ophebt, mag je mijn O'Henry hebben,' zei ze. Iedereen wilde vriendschap met me sluiten.

Die middag stond mijn moeder bij de schoolpoort op me te wachten. Ze zag eruit als een plaatje uit een modetijdschrift in een prachtige gele jurk die ze op haar Singer had gemaakt. Ze wilde dat ik elke dag mooie jurken droeg zoals zij, maar ik vond het vreselijk om elk uur de linten op mijn rug opnieuw te strikken.

'Mammie!' riep ik, wild zwaaiend.

Terwijl ze een kus naar me toe blies, liep juffrouw McNamee op haar toe. Mijn moeders wenkbrauwen gingen omhoog. Ik zag hen met elkaar praten en zag juffrouw McNamee vervolgens met een vertrokken gezicht weglopen.

'Mammie!' riep ik weer, en ik liep naar mijn moeder toe.

Voor het schoolplein pakte mijn moeder me bij mijn pols en trok me het hele eind langs Rockaway Beach Boulevard naar huis. Haar hakken tikten. Zodra we thuis waren sloeg ze me zonder iets te zeggen in mijn gezicht. 'Je moet leren je mond te houden,' zei ze.

Zelfs nu gloeide mijn gezicht nog van schaamte als ik eraan dacht. Ik stond op en besloot het voor de rest van de ochtend voor gezien te houden.

Meestal als ik naar buiten stapte, vlogen mijn zorgen van me weg als een zwerm spreeuwen, maar al kleurden de bladeren goudgeel en rook de lucht naar paddenstoelen en dennennaalden, vandaag bleef mijn last op mijn schouders liggen. Ik dacht aan de klanten die ik deze week had gehad. De dokter die dacht dat buitenaardse wezens een implantaat in zijn oor hadden gestopt, een kerel die dacht dat hij werd belaagd door de dode papegaai van zijn schoonmoeder, een man die al elf jaar geen seks had gehad, een vrouw die geloofde dat ze seks had gehad met een demon. Ik werd zo'n helderziende als in een sensatieblaadje, en ongeacht hoeveel ik ermee verdiende, mijn winst werd opgeslokt door Rory's verliezen.

De hemel was net zo bewolkt als mijn stemming. Door Welwyn Road lopend probeerde ik me voor te stellen dat alle atomen in mijn lichaam helderder werden. Mijn wattage leek te laag.

Bij het postkantoor aangekomen trok ik de zware deur open. De binnenmuren waren donker gelambriseerd, bekrast en gevlekt. Er lagen geen pennen meer op de balies en de gebroken kettinkjes deden me aan verloren zielen denken. De mistroostigheid had me in haar greep.

Ik opende mijn postbus. De meesten van mijn klanten betaalden met een creditcard, maar sommigen stuurden liever een postwissel. Cheques accepteerde ik niet meer, omdat die niet altijd gedekt waren. Ik verwachtte drie postwissels, maar er zat maar één envelop in mijn postbus. Beter dan niets, dacht ik, en ik maakte de envelop open. Er zat een brief in, een foto en een geadresseerde retourenvelop, maar geen postwissel. Ik keek naar de foto. Het was een close-up van een reusachtige zwangere buik met een uitstekende navel.

> *Beste Miriam,*
> *Je hebt me anderhalf jaar geleden de toekomst voorspeld en zei toen dat ik een baby zou krijgen. Ik ben boven de veertig en zwanger. Ik moet weten of het kindje gezond zal zijn. Stuur me alsjeblieft meteen antwoord.*
>
> *Liefs,*
> *Rayanne*

Een paranormale echografie? Ik schreef achter op een formuliertje voor aangetekende brieven:

> *Beste Rayanne,*
> *Ik wens je het allerbeste. Ga voor deze informatie alsjeblieft naar je dokter.*
>
> *Met genegenheid,*
> *Miriam*

Ik plakte er een postzegel op, gooide de envelop in de bus voor overige bestemmingen en keek toen naar de mensen die in de rij stonden om pakjes te versturen. Hun aura's vermengden zich niet. Ze hadden scherp afgebakende grenzen om zich heen, als ligplaatsen op een kerkhof. Eenzaam, dacht ik. Ik moest toegeven dat ikzelf, ondanks alle geesten die me omringden, een man en een dochter, én al mijn cliënten, ook eenzaam was. Het leven was eenzaam met een man die volledig in beslag werd genomen door zijn werk, een dochter vol schaamte en cliënten als lichaamloze geesten aan de telefoon. Het was eenzaam zonder mijn ouders en die van Rory. Great Neck was eenzaam met zijn huizen als kastelen, gemanicuurde gazons en honden die Baron heetten.

Terwijl ik over Welwyn Road liep, kwam ik een jonge blonde vrouw tegen op hoge pumps van Manolo Blahnik en met een tas van Fendi in haar hand. Ondanks onze verschillen – mijn haar had z'n natuurlijke kleur, mijn tas had ik ooit voor twintig dollar op een zomermarkt gekocht en ik droeg Birkenstocks met sokken – glimlachte ik haar heel bewust toe, zodat de wereld voor ons allebei iets minder eenzaam zou zijn. Ze keek me minachtend aan.

Iets verderop stond een vrouwelijke parkeerwachter bonnen uit te schrijven. Er waren nog diverse parkeerplaatsen vrij, maar de Mercedessen, Lincoln Navigators en Porsches stonden niettemin dubbel geparkeerd.

Op de volgende straathoek kwam een andere blonde vrouw bij Paradise Salon naar buiten gerend, haar handen in de lucht alsof ze zojuist beroofd was. 'Help!' riep ze tegen me. Ik liep snel naar haar toe. Toen stak ze me een kwartje toe in haar uitgestrekte handpalm. Even voelde ik me beledigd. 'Zou u dit in mijn parkeermeter willen stoppen?' vroeg ze gejaagd. 'Mijn nagels zijn net gedaan.' Haar nagels waren lang en rood en krulden om. Ik stopte het kwartje in de meter. 'Dank u,' zei ze bars.

Ik zou blij moeten zijn dat er nog iemand tegen me praat in deze stad, dacht ik. In Rockaway hadden vrouwen in hun schort en mannen in hemdsmouwen buiten gezeten op hun stoepje, een tuinstoel of een krat, en geroepen naar de voorbijgangers. Ik had in Rockaway willen blijven, maar Rory had gezegd: 'We hebben ons hele leven al in Queens gewoond. Het wordt tijd om naar de North Shore te verhuizen.' Toen we dat weekend over de Long Islandsnelweg reden om naar huizen te gaan kijken, riep ik bij de eerste afrit voorbij Queens al: 'Stop! Ik wil niet te ver weg van waar Bubbie woonde. Ik hoor niet thuis tussen deftige mensen. Breng me niet nog verder weg.'

Ik liep naar huis over het bruggetje dat een deel van de gemeente Thomaston scheidde van de rest. Ik was zo alleen dat als de auto's op Grace Avenue er niet waren geweest, ik gedacht zou hebben dat ik de enige mens op aarde was.

Toen ik klein was, had Bubbie me als enige het gevoel gegeven dat ik erbij hoorde. Ik was achtenhalf toen ze stierf en stond naast het grote bed waar ze met haar haren los in lag. Zelfs met de Castileshampoo was haar haar uiteindelijk toch geel geworden. Ook haar gezicht was geel, en haar wangen waren vreselijk ingevallen. Mijn vader stond aan de andere kant van haar bed te wankelen; zijn lippen bewogen zoals wanneer hij bad en de tranen stroomden over zijn wangen.

'Bubbie heeft K,' fluisterde mijn moeder. 'Ze heeft een tumor in haar baarmoeder.' Het klonk als een rijmpje. Het klonk helemaal niet alsof het pijn deed. 'Hier zit die,' zei mijn moeder, terwijl ze haar hand op haar onderbuik legde. Ik herinnerde me de dag dat Bubbie me had geleerd iemands lichaamsenergie te lezen en hoe warm mijn hand was geworden toen die over Bubbies buik ging. 'Bubbie gaat dood,' zei mijn moeder zacht.

'Bubbie, je kunt er iets tegen doen,' huilde ik. 'Gebruik een van je middeltjes. Ik zal je brengen wat je nodig hebt. Blaadjes of bast of zeewier. Wat dan ook. Alsjeblieft!'

Bubbie hief haar broodmagere handen alsof ze wilde zeggen: wat kan ik eraan doen?

Ik was wanhopig. Ik herinnerde me dat ze een piepende man een zakje knoflookteentjes had gegeven dat hij om zijn nek moest hangen, en eucalyptusbladeren om mee te stomen. Ik holde de keuken in en vond ze. Toen herinnerde ik me dat Bubbie tegen een vrouw had gezegd dat sennablaadjes alles konden genezen. Ik pakte een handvol uit een bus waar SENNA op stond en holde terug naar Bubbies kamer. Ze kon haar hoofd niet optillen, dus zette ik het zakje knoflookteentjes op haar keel en hield de eucalyptusbladeren bij haar neus. Bubbie haalde nauwelijks adem. Ik had geen tijd om water te koken, dus strooide ik de senna over haar bed uit. 'Ga niet dood, Bubbie,' smeekte ik haar. Ik boog me over haar heen en fluisterde: 'Je moet me nog al je geneesmiddelen leren gebruiken. Je hebt beloofd dat ik je officiële assistent mocht worden. Ik wil voor altijd bij je blijven. Laat me niet alleen. Ik ben je nesjommele,' huilde ik. 'Ik moet alles nog van je leren.'

Bubbie raakte mijn arm aan. Haar hand was ijskoud. Haar lippen bewogen. Ze sprak nog zachter dan een fluistering. Ik bracht mijn oor naar haar mond. 'Vertrouw,' was alles wat ik hoorde.

'Vertrouw wie?' riep ik. 'Vertrouw wat?'

Maar ze zweeg, en ik voelde niet langer haar adem tegen mijn oor.

Nu was ik degene die geen adem haalde. Mijn benen leken wel van hout. Ik stond op de stoep, mijn ogen troebel door tranen. Alle ramen aan de overkant van de straat leken leeg, alsof daar nooit iemand had gewoond. Een verpleegster die een oude man in een rolstoel voortduwde, keek dwars door me heen.

Ik herinnerde me dat ik me thuis ook zo onzichtbaar had gevoeld nadat Bubbie was gestorven. Een jaar later kon mijn vader nog opeens zuchten: 'Mama!' En dan begon hij te huilen als een baby.

'Bubbie had een hysterectomie kunnen laten uitvoeren, zoals andere vrouwen,' schreeuwde mijn moeder een keer tegen hem. 'Maar nee, ze moest zelf voor dokter spelen en zichzelf die idiote kruiden, wonderolie en mosterdkompressen voorschrijven.'

Mijn vader sloeg met zijn vuist op tafel en de borden sprongen verschrikt op. 'Dorothy, heb een beetje respect,' bulderde hij. 'Mama wist dingen die de dokters nooit zullen weten. Ze moet geweten hebben dat ze haar voor niets open zouden snijden. Ze moet hebben geweten dat haar tijd gekomen was. Ze was zesentachtig. Laat mama alsjeblieft in vrede rusten.'

'Je kiest nog steeds haar kant in plaats van de mijne,' beet mijn moeder hem toe.

Ze merkten niet eens dat ik ook in de kamer was, en meeluisterde. Behalve Bubbie had er niemand aan mijn kant gestaan. Ik liep naar buiten, ons terras op de eerste verdieping op, en klom over de reling. Daar stond ik op een smal strookje, hangend aan mijn armen achter me, vooroverleunend als een van die houten figuren op de boeg van een schip. Ik keek neer op Eightieth Street en zei de wereld gedag. Ik zei Herby gedag, de volwassen man die nog bij zijn moeder woonde. Zijn papegaai zat op zijn schouder. Ik zei de kattenman gedag die bij Fogel's Fish Market de vis van schubben ontdeed, en de miljoenen katten die hem achternaliepen. Ik zei Joel gedag, die zijn magere poliobeentjes voortzwierde door op de zilverkleurige krukken te leunen die als armbanden om zijn armen vastzaten. Ik kon de gedachte niet verdragen om alleen op de wereld te zijn met Bubbies gave. Ik bedacht hoe gemakkelijk het zou zijn om de reling los te laten en naar beneden te wervelen als de zaadjes van de esdoorn. Toen hoorde ik een fluistering.

'Och, nesjommele, och.'

Het was Bubbies stem. Ik klampte me bevend en zwetend aan de reling vast, ademde de vlagen zoute lucht in en klom toen terug. Eenmaal weer met beide benen veilig op het terras, keek ik naar de hemel, wachtend, luisterend. Ik rook de lavendeltalk die Bubbie altijd gebruikte. Het was alsof Bubbie in de lucht om me heen aanwezig was. Ik voelde haar liefde in de warmte die terugkeerde in mijn huid, in de glans van de gepunte bladeren van de hulst.

'U gaat me toch zeker niet vertellen dat u die parkeerplaats voor iemand bezet houdt, of wel?' snauwde een man me toe vanuit zijn zwarte Mercedes, daarmee mijn gemijmer verstorend.

Ik knipperde met mijn ogen naar hem, verbaasd dat hij me zag staan. 'Nee, hoor,' zei ik, en liep toen verder.

Terug op Grace Court passeerde ik de huizen van onlangs gescheiden stellen: de Changs, de Millsteins, de De Salvo's, en ik vermoedde dat de Corrigans er weldra ook bij zouden horen. Een paar maanden geleden had Rory me verteld dat hij Kirk Corrigan op de Long Island-snelweg had zien rijden in zijn Ferrari, met zijn arm om een andere vrouw heen geslagen. We waren jaren geleden naar een feestelijk etentje bij de Corrigans geweest. Kort daarna kwam ik Hattie tegen in de rij voor de kassa bij Waldbaum. Terwijl ze met haar vingers door haar naar buiten geföhnde haren kamde, zei ze: 'Ik was vergeten te vragen bij welke club je bent aangesloten.'

Ik dacht dat ze me vroeg wat mijn interesses waren. Ik was geen lid van een club, maar mijn moeder had, toen ze als meisje in Elmira woonde, ooit een blauw lintje gewonnen van de 4H-club voor het grootbrengen van een perfect konijn. 'De 4H-club,' zei ik.

Hattie lachte. 'Jammer dat je zo stil was tijdens mijn feestje,' zei ze. 'Je bent een giller.'

Ik dacht dat ze me aardig begon te vinden en mijn glimlach werd oprecht.

'En je man was ook al zo verlegen dat ik nauwelijks kennis met hem heb kunnen maken,' voegde ze eraan toe. 'Wat doet hij?'

'Rory is de eigenaar van apotheek Mirror,' zei ik trots.

'Daar heb ik nooit van gehoord. Waar staat die?'

'Springfield Boulevard in Queens.'

'Geen wonder dat ik hem niet ken,' zei ze met haar neus in de lucht. 'Ik kom nooit in Queens.' Ze zwaaide. 'Ik moet weg. Druk, druk, druk.'

Wat zou ze gedaan hebben als ze geweten had dat ik helderziende was?

Zelfs mijn vader had me aangeraden het stil te houden. 'Als in Rusland iemand erachter komt dat een jood twee kippen heeft, heeft de jood vervolgens niet eens meer een ei. Ze nemen zelfs het kippenhok mee.' Ik bedacht dat mijn bezittingen wel veilig waren in Great Neck. Alleen mijn trots lag voor het grijpen.

Toen schaamde ik me voor het kleine genoegen dat ik had gevoeld bij de gedachte dat Hattie zou gaan scheiden. Als ik zout bij me had gehad, zou ik er wat van over mijn schouder hebben gegooid. Een echtscheiding kon iedereen overkomen. Great Neck had een echtscheidingspercentage van zestig. Het was niet zo dat stellen in Great Neck minder gelukkig waren dan elders op Long Island. Het kwam gewoon doordat Great Neckers het zich konden veroorloven te gaan scheiden en toch in stijl te blijven leven. En wie gescheiden was, probeerde hierheen te verhuizen om bij zijn of haar soortgenoten in de buurt te zijn. Het was een soort Tweede Kansclub. Ik hoopte dat ik daar nooit bij zou horen.

Later die middag zat ik lekker in de warmte die door het grote raam de woonkamer binnenkwam *The Autobiography of a Yogi* te lezen, toen ik getintel op mijn achterhoofd en in mijn nek voelde. Er staat een geest achter me, dacht ik. 'Wie is daar?' vroeg ik. Er kwam geen antwoord. Langzaam draaide ik me om en keek naar buiten. Iris Gruber en Baron stonden naar me te kijken vanaf het lapje gras dat aan de stoep voor mijn huis grensde. Ik was woedend. Waarom loopt ze me altijd te bespioneren? En nu leert ze het haar hond ook al. Ik stond op en keek hen recht aan. Ze gaven geen krimp. Ik begon me geïntimideerd te voelen en kon hen niet blijven aankijken, dus trok ik de gordijnen dicht.

Toen ik een uur later de deur opendeed voor Cara, keek ik of ik Iris en Baron nog ergens zag.

'Waar kijk je naar?' vroeg Cara.

'Ik kijk of Iris Gruber en Baron nog voor ons huis staan.'

'Mam, wat maakt het nou uit?' zei Cara terwijl ze binnenkwam. 'Iris heeft altijd een poepschepje bij zich.'

Ik wilde haar niet vertellen dat Iris me bespioneerde. Net als mijn moeder zou Cara het me alleen maar kwalijk nemen dat ik dat soort aandacht naar me toe trok doordat ik helderziend was. 'Je hebt gelijk,' zei ik, en toen viel het me op dat ze een corduroy jack droeg dat niet van haar was. Het was een dure jas – een Donna Karan – maar de kraag en de ellebogen waren wat versleten. 'Waar is je spijkerjack?' vroeg ik.

'Dat heb ik in mijn kastje laten liggen.'

Ik keek recht in haar ogen en zag Darcy die Cara's jack droeg. Het kon niet missen. Ik herkende de C die Cara met een kledingstift op de revers had getekend. Ik zag dat Darcy zichzelf bewonderde in de spiegel. Ze streek over de mouwen. Ik wist dat ze het jack niet terug zou geven. 'Darcy heeft je jack aan,' zei ik.

'Hou op met me te bespioneren!' riep Cara, maar ze likte nerveus haar lippen.

'Cara, iemand die spioneert bekijkt mensen met kwade bedoelingen, maar ik ben je moeder. Ik wil alleen maar het beste voor je.'

'Pf,' zei ze.

Toen zag ik dat haar gezicht rood was. 'Voel je je wel goed?' vroeg ik.

'Ik heb hoofdpijn en mijn keel is rauw.'

Ik vermoedde dat ze ziek zou worden, omdat ze er de vorige avond toen ik haar haren borstelde zo afgemat uit had gezien. Ik drukte mijn lippen tegen haar voorhoofd. 'O, je hebt koorts.'

'Ik heb geen tijd om ziek te worden,' zei ze. 'Ik heb morgen een tentamen Frans en binnenkort een mondeling over Socrates. Als je bij ons in de klas zelfs maar een dag mist, moet je na schooltijd naar bijles om het in te halen.'

Ik voelde in haar hals. 'Je klieren zijn ook gezwollen. Ga naar boven en trek je pyjama aan. Ik pak de Iodex.' Dat was de zwarte zalf die Bubbie altijd op gezwollen klieren smeerde en dan afdekte met een warme flanellen doek.

'O, nee,' riep Cara. 'Ik haat Bubbies middeltjes.'

'Ga naar boven en trek je pyjama aan,' beval ik.

Toen ze naar boven was, ging ik de keuken in en verwarmde een kopje appelazijn in de magnetron, perste er een teentje knoflook in uit en nam het met de Iodex en de flanellen doek mee naar boven.

Ze zat rechtop in bed. Ik gaf haar de appelazijn met uitgeperste knoflook. Ze nam een klein slokje, trok een vies gezicht, stak haar tong uit en schudde haar hoofd. 'Daar drink ik dus echt niets meer van!'

'De appelazijn doodt ziektekiemen en de knoflook opent je bijholten,' zei ik, maar ze zette het kopje resoluut op haar nachtkastje en kneep haar lippen op elkaar.

Ik gaf haar de Iodex. Haar bovenlip krulde om van walging. De angst om lessen te missen zou niet voldoende zijn om haar medewerking te krijgen. 'Smeer het op je klieren of je bent zaterdag te ziek om naar Darcy's feestje te gaan.'

'O, ik ben niet van plan een limousine naar de stad en een voorstelling van de *Lion King* mis te lopen,' zei ze, en ze ging meteen in de weer met de Iodex. Ze wikkelde de flanellen doek om haar hals en ik speldde hem vast. Daarna ging ze weer liggen, bibberend onder haar dekbed.

'Je zou blij moeten zijn dat je moeder helderziend is. Kijk eens hoe goed ik op je kan passen en je kan beschermen. Als je ooit in moeilijkheden bent, hoef je alleen maar "Ohm" te zingen, dan hoor ik je en kom ik meteen naar je toe.'

'Ik haat dat woord. Dat zou ik nooit zeggen.'

'Zeg dan maar "Och!" Dat zei Bubbie altijd als ze problemen had.' Ik gaf haar de rest van de appelazijn met knoflook.

'Och!' zei Cara, met haar ogen rollend. 'Och!'

8

Enkele dagen later dwong ik mezelf bij de telefoon te blijven zitten, ook als ik geen afspraken had. Ik meende dat een mogelijke klant eerder een sessie zou boeken als hij mij aan de lijn kreeg dan wanneer hij door de voicemail werd begroet. De telefoon ging. Thuisblijven was lonend, dacht ik.

'Kunt u mijn regenjas vinden?' vroeg een man. 'Het is een beige, van London Fog, maat tweeënveertig.'

'Nee, daar ben ik niet de juiste helderziende voor,' legde ik teleurgesteld uit. 'Er zijn wel helderzienden die gespecialiseerd zijn in het vinden van verloren zaken, maar ik doe dat niet.'

'Kunt u me dan misschien een telefoonnummer geven?' vroeg hij.

'Momentje,' zei ik. Ik had net een advertentie gezien van een helderziende zoeker op de achterpagina van *The Celestial Times*. Ik keek op mijn bureau en in mijn prullenbak. 'Sorry,' zei ik. 'Ik kan het nummer niet vinden.'

'U bent inderdaad de verkeerde soort helderziende voor me,' zei hij toen, en hij hing op zonder een bedankje.

De telefoon ging weer. Voor ik hallo kon zeggen, vroeg een vrouw aarzelend: 'Bent u de helderziende?'

'Ja.'

'Ik wil zeker weten dat u al uw informatie van het licht van Christus krijgt,' zei ze ernstig.

'*Wo den?*' vroeg ik, wat joods was voor 'Waar anders?'

'Is Woden een andere naam voor Jezus?' vroeg ze.

'Nee, ik ben joods,' legde ik uit, en ze hing op. Ik legde mijn hoofd in mijn handen.

De telefoon ging opnieuw. 'H-hallo,' zei een vrouw angstig. Ik wist wie het was. Orthodoxe Arlene. Ze had al duizenden keren gebeld voor een sessie, maar kon zich er nooit toe brengen er echt mee door te gaan. Hoewel het Oude Testament vol stond met profeten en dromers als Jozef en Jesaja, had de rabbi van Arlene zijn congregatie verboden met waarzeggers te praten, vooral met tovenaars die de toekomst voorspelden door met de doden te communiceren.

'Arlene,' zei ik, 'maak nou maar geen afspraak. Je moet niets doen waar je nog meer door gestrest raakt.' Of ik, dacht ik.

'Goed dan,' zei ze kwaad, maar ik wist dat ze over een paar maanden weer zou bellen. Dat deed ze altijd.

Ik had mijn werk nooit met een rabbi besproken, maar Bubbie had me verteld wat zij en Bedya en de andere baboesjka's in haar sjtetl geloofden. 'Je bent misschien te klein om het te begrijpen,' had Bubbie gezegd, 'maar als het lichaam sterft, splitst de ziel zich in drie delen. Een deel gaat naar de hemel. Het tweede blijft gedurende een week rondhangen en bezoekt degene van wie hij hield en soms ook mensen die hij haatte, en vliegt dan ook naar de hemel om herenigd te worden met het deel dat meteen naar boven is gegaan. Het derde deel van de ziel, de *ruach*, kan naar boven vliegen en terugkomen wanneer het maar wil.'

Ruachs waren het enige deel van de ziel waarmee ik ooit contact kon leggen. Ik vroeg me af of er één heilige plek in de hemel was waar alle eerste en tweede delen zich verzamelden. Een grote sjoel in de hemel, misschien, waar met Jom Kippoer geen geld hoefde te worden ingezameld. Het zou waarschijnlijk een niet-dogmatische sjoel zijn, zoals Temple Isaia aan Stoner Avenue, die op zondag een Koreaanse kerk was. Als dat zo was, had ik die christelijke vrouw misschien kunnen vertellen dat mijn informatie van de Kerk van Alle Zielen kwam.

Ik ademde diep in en rook de geur van lavendel. 'Bubbie?' zei ik.

'*Wer den?*' antwoordde ze, en ik wist meteen dat ze de hele tijd had meegeluisterd. Ik voelde mijn wangen branden. Ik keek om me heen. 'Bubbie, waar ben je?' Toen zag ik een waas rechts van me. Alsof de autoverwarming over een beslagen voorruit blies, zo kwam Bubbies gezicht langzaam tevoorschijn. 'Je zou tegen iedereen *"Gai kuken affen jam"'* moeten zeggen.'

'Ik kan niet zeggen dat ze in zee moeten gaan poepen, Bubbie. Je zei dat ik dit werk nooit voor het geld mocht doen, maar Rory en ik hebben geld nodig. Je begrijpt het niet. Jij had weinig onkosten. In Rusland woonde je in een huis met een strodak, verbouwde je je eigen voedsel en molk je je eigen koeien. Toen je hier kwam, woonde je boven de winkel van je zoon. De dingen zijn nu anders.'

'Een *sjanda!*' zei ze, en haar gezicht verdween weer achter de mist.

Een zonde, dacht ik. Wiens zonde? Van de onbeschofte mensen die me belden. Mijn zonde omdat ik geld nodig had? Was het tarief dat ik moest rekenen om het hoofd boven water te houden een sjanda? Of, erger nog, was het een sjanda dat ik tegen mijn Bubbie, die altijd over me waakte, had gezegd dat ze mijn leven niet begreep? De mist begon te verdwijnen. 'O, Bubbie, het spijt me,' zei ik. 'Kom terug.' Maar als ze weg was, bleef ze weg.

Ik zat naar de plek te staren waar ik haar had gezien. Ik herinnerde me de eerbied die Bubbies klanten, zelfs wanneer ze alleen maar kwamen informeren, haar hadden betoond. Soms bogen ze bijna voor haar als ze haar kamer binnenkwamen.

Toen de telefoon weer ging, moest ik mezelf dwingen om op te nemen. Het was Cara, die vanuit een telefooncel op school belde. 'We moeten om halfvier een wedstrijd spelen,' zei ze. 'Kom je kijken? De coach zegt dat hij me gaat opstellen.' Vorig jaar had ze het hele seizoen op de bank gezeten.

'Fantastisch!' zei ik. Ze had me de laatste tijd zo vaak afgewezen, dat ik het heerlijk vond om te worden gevraagd. 'Natuurlijk zal ik er zijn. Op de voorste rij.'

'Ik moet gaan, naar wiskunde. Tot straks,' zei ze opgewekt.

Toen ik bij school aankwam, gebaarde een bewaker me de auto aan de zijkant van de school te parkeren. Een zwaargebouwde vrouw met bruin gepermanent haar kwam het gebouw uit en zwaaide naar me voor ze zich naar het andere parkeerterrein haastte. Het duurde even voor ik me realiseerde dat het Nancy Curson was, die de presentielijsten bijhield. Haar dochter had bij Cara in de kaboutergroep van de padvindsters gezeten, die in mijn souterrain bijeenkwam nadat hun clubhuis in Baker Hill was afgebroken. Dat was negen jaar geleden. Sinds Cara was opgegroeid en mij ontgroeid, was de dunne draad die me met de gemeenschap had verbonden, geknapt.

De bel ging. Leerlingen stroomden roepend en duwend naar buiten. De leerlingen uit de onderbouw liepen naar de bussen. De meesten van de ouderejaars hadden een auto op het lagergelegen parkeerterrein staan. Mercedessen, Porsches, zelfs een DeLorian, die openging als een zilveren vogel die een vleugel ophief. Cara mocht al blij zijn dat we fatsoenlijke schoenen voor haar konden kopen.

Ik had nog een kwartier voor de wedstrijd begon en besloot een stukje te wandelen. Ik stapte uit de auto en opende mijn parasol. Het was een wenk voor Bubbie, die altijd zei dat een vrouw er niet uit hoorde te zien als een zongedroogde krent. Ik had nooit gedacht dat ik hetzelfde zou doen, maar toen ik sessies ging houden voor de kost, werd ik niet alleen paranormaal gevoeliger, maar begon ook mijn huid zelfs van zonnebrandcrème al te branden en te vervellen. Toen Cara klein was, wilde ze per se een paraplu van Holly Hobbie, die ze altijd opstak als ze met me ging wandelen. Ze zag er zo leuk uit, dat voorbijgangers soms vroegen of ze een foto van ons mochten maken. Maar wanneer ik nu mijn parasol opstak zei Cara: 'Mam, kun je niet aan de overkant van de straat gaan lopen?'

'Het regent niet, hoor,' riep een jongen, en reed toen weg.

Ik negeerde hem en liep over de lagergelegen parkeerplaats naar het wandelpad. Ik liep snel en zwaaide met mijn vrije arm voor de lichaamsbeweging. Voor me zag ik vage letters in de lucht. *'Gai, gai.'* Ga, ga. Dat had mijn vader altijd gezegd om me tot spoed aan te sporen.

Waarom deed hij dat nu? Ik herinnerde me de dag, een dinsdag, toen Cara een jaar oud was en ik haar bij mijn moeder had achtergelaten omdat ik naar de stad moest. Rijdend op Cross Island, was ik zomaar naar mijn vaders slagerij gegaan. Ik parkeerde de auto. Het was eng. Ik kon het raam van het appartement boven de winkel zien waar Bubbie had gewoond. Ik verwachtte bijna haar naar me te zien kijken. Ik liep de winkel binnen. Er stond niemand achter de toonbank. Ik dacht dat mijn vader ofwel iets uit de vriezer was gaan halen, of in de achterkamer een runderflank aan stukken aan het hakken was met een hakmes. Ik verlangde ernaar hem te zien. Ik had zin om een handvol zaagsel in mijn zak te stoppen, zoals ik als kind had gedaan.

'Pap?' riep ik. 'Papa?'

In de achterkamer lag mijn vader op de vloer, op zijn rug in het zaagsel. Er zat bloed op zijn schort. Even dacht ik dat hij was neergeschoten.

'Papa, papa!' riep ik. Ik viel op mijn knieën en kuste zijn voorhoofd. Het was koud.

Waarom had Bubbie of een andere geest me niet hierheen gestuurd voordat de hartaanval hem fataal was geworden? dacht ik nu. Was ik gedoemd dergelijke berichten te laat door te krijgen? Ik kneep zo hard in de greep van mijn parasol dat mijn vingers pijn deden.

Ik keek op mijn horloge. Het was bijna tijd voor de wedstrijd. Ik legde mijn parasol terug in de auto, liep de sporthal in en ging op de voorste rij van de tribune zitten. De andere ouders leken elkaar allemaal te kennen – ze leken een heel eigen team. Toen zwaaide Courtney, die het basketbal had opgegeven om te gaan schermen, naar me vanaf de bovenste rij van de tribune, en Darcy's moeder glimlachte naar me, waardoor ik me ook een lid van het team voelde.

Het was tijd om te tossen. Darcy stond op haar tenen tegenover een tegenstandster. Cara's voorhoofd was gerimpeld. Het puntje van haar tong stak uit haar mondhoek. De scheidsrechter gooide de bal op. Darcy sprong omhoog en slaagde erin de bal naar Cara te tikken. Cara dribbelde ermee over het veld. Het geluid van hun sportschoenen op de houten vloer denderde door de zaal. Ik voelde de vibraties. Een van de moeders ging staan en riep: '*Go! Go! Go!*' Toen drukte een meisje in een oranje short haar elleboog in Cara's maag en graaide de bal weg. Cara sloeg dubbel en de scheidsrechter blies op zijn fluitje.

'O,' riep ik onwillekeurig uit.

'Vals spel!' schreeuwde hij.

Cara kreeg de bal terug. Ze hield hem voor haar gezicht en haar lippen bewogen alsof ze een gebed prevelde. Ze begon te zweten, en ik ook.

Ik voelde een tinteling in mijn rechterarm. Toen zag ik vanuit een ooghoek mijn vader naast me op de bank zitten. Hij had zijn schort aan en wees naar zijn neus. Hij probeerde me iets duidelijk te maken. Wat is er dan, papa? vroeg ik hem in gedachten. Hij wees naar het veld. Ik keek recht voor me uit en kreeg een snel toekomstbeeld, als een video die snel vooruitspoelt. Nummer zeven van het andere team gooide de bal in het gezicht van de nummer drie van ons team. Nummer drie schreeuwde het uit en sloeg haar handen voor haar neus. Bloed droop langs haar polsen en op de voorkant van haar shirt. Ik vroeg me af wat ik moest doen. Ik wilde mezelf niet blootgeven en Cara in verlegenheid brengen, maar als ik niets deed, zou nummer drie ernstig gewond raken. Ik verstarde een ogenblik en rende toen het veld op. De coach blies op zijn fluitje. De meisjes staakten hun spel en keken naar mij. Cara leek wel een standbeeld. Alle kleur trok uit haar aura weg.

'De neus van nummer drie,' riep ik.

De meisjes stootten elkaar aan en giechelden. Cara sloeg haar handen voor haar gezicht. De coach kwam naar me toe. 'Mevrouw Kaminsky,' zei hij.

'Er gaat iets gebeuren,' legde ik hem uit. Het giechelen en fluisteren van de meisjes zwol aan als een golf. 'Cara's moeder,' hoorde ik. 'Dat is Cara's moeder.' 'Cara,' fluisterden ze tegen haar, maar ze gaf geen antwoord.

De coach pakte me bij mijn arm. 'Mevrouw, gaat u nou maar gewoon zitten,' zei hij vriendelijk, maar hij had een ijzeren greep. Ik kon niet hulpeloos blijven toezien terwijl dat meisje gewond raakte. Ik keek op. Iedereen op de tribune keek nu naar mij. Darcy's moeder keek ook naar me. Ik keek in Cara's richting, die de enige persoon in de hele sporthal was wier ogen niet op mij gericht waren, die in plaats daarvan naar de vloer keek alsof ze naar een hol zocht waar ze in weg kon kruipen. Ik liep de zaal uit om tot bedaren te komen. De wedstrijd begon weer. Ik hoorde lawaai en commotie, maar ik kon niet terug naar binnen om ernaar te kijken. Nu niet meer. Ik ging naar buiten en stapte in mijn Honda. Ik begreep het leven niet meer. De zon brandde op mijn dak en ik had het gevoel in een stoomcabine te zijn opgesloten. Ik was zo van streek dat ik er niet aan dacht een raampje open te draaien.

Hoe moest ik wat er zojuist was gebeurd tegenover Cara verklaren? Zou ze geloven dat mijn vader erbij was geweest? Ik kon er ook niets aan doen dat ik net de aanwijzer op een ouijabord was. Het verbaasde me niet toen er een ambulance met gillende sirene mijn kant uit kwam. Ik zag de ambulance stoppen bij de ingang van de sporthal, zag ze het meisje naar buiten brengen terwijl het bloed uit haar neus gutste. Ik was bang dat iemand zich zou herinneren dat ik dat had voorspeld. Misschien zouden ze te verrast zijn door al dat bloed en het vergeten. Mijn kaken deden pijn van het op elkaar klemmen.

Anderhalf uur later stapte Cara in de auto. Ik zei niets, wachtte tot zij zou beginnen te praten.

'Alicia Gordon is inderdaad gewond geraakt aan haar neus,' zei ze. 'Iedereen stond naar me te staren.'

'Bij je volgende wedstrijd zal ik mijn mond houden, wat er ook gebeurt, dat beloof ik je.'

'Nee, kom maar helemaal niet meer kijken,' zei ze zacht.

Ik probeerde het haar uit te leggen. 'Mijn vader waarschuwde me dat er een ongeluk zou gebeuren.' Ik keek haar aan. 'Het is moeilijk om moeder én helderziende te zijn. Je kent me. Ik sloeg weer eens een flater.'

'Dat deed je zeker,' zei ze met felle ogen. 'Iedereen had het over wat je had gedaan. Brenda Johnson – nummer vijf in mijn team – zei: "Is je moeder zo'n witte heks?" En wat erger is, toen de ambulance weg was, zetten Darcy en Courtney me klem. "Wat mankeert je moeder?" zei Courtney. "Ze joeg me de stuipen op het lijf." En nog erger, Darcy vroeg letterlijk: "Ze is toch zeker niet helderziend of zo?"'

Ik kneep zo hard in het stuur dat mijn vingers er pijn van deden. 'Wat heb je tegen hen gezegd?'

'Ik heb gezegd dat het de overgang was,' zei Cara.

Ik moest bijna lachen, maar toen zag ik haar betraande wangen en kon ik alleen nog maar zeggen: 'Het spijt me vreselijk, Cara.' De stilte vulde de auto echter als hete stoom en bemoeilijkte het ademhalen. Ik zette de radio op Cara's favoriete zender en stelde voor te stoppen voor yoghurtijs. Alles om de lucht te klaren en te zorgen dat ze zich beter zou voelen; maar ze wendde haar gezicht van me af.

Toen we thuis waren vroeg ik of ze wat wilde eten. Ze schudde haar hoofd en liep langzaam naar boven. Ik hoorde haar deur met een klikje dichtgaan, wat veel meer pijn deed dan wanneer ze hem dichtgeslagen zou hebben. Met bonkend hart belde ik Rory.

'Apotheek Mirror,' zei hij. Op de achtergrond riep iemand: 'In Rusland heb je geen recept nodig voor penicilline.'

'Maar hier wel, meneer Benslovik,' zei Rory.

'Dan ga ik naar Brighton Beach en koop daar penicilline op straat,' zei hij.

'Rory,' probeerde ik.

'O, sorry, Mim. Hoor eens, ik kon vanochtend mijn mobiele telefoon niet vinden, wil jij eens voor me kijken?'

'Oké, maar ik moet je wat vertellen.'

'Wat dan?'

Ik vertelde hem zo snel mogelijk over de basketbalwedstrijd.

'O, shit, mijn computer is gecrasht,' zei hij, alsof hij geen woord van mijn relaas had gehoord. 'Ik moet aan de slag. Ik bel je wel terug, Mim.'

Ik legde de hoorn op de haak en deed mijn best niet te gaan huilen. Ik probeerde me de tijd te herinneren dat ik niet zo vreselijk om geld verlegen zat en dat mijn sessies me opbeurden, maar dat lukte me niet.

Het huis leek opeens te groot om zijn mobieltje te kunnen vinden. Normaal zou ik zijn nummer bellen en luisteren waar het gerinkel vandaan kwam, maar toen we gisteravond samen in bed lagen had ik hem gevraagd zijn telefoon uit te zetten. Ik zocht overal in de slaapkamer, maar kon hem niet vinden. Ik sloot mijn ogen, stelde me een blauwdruk van het huis voor en wachtte tot er een kamer zou oplichten, maar er gebeurde niets. Ik had die man met de verloren regenjas de waarheid verteld. Ik was niet goed in het vinden van verloren voorwerpen door middel van mijn gave. Ik deed een stap naar voren en stootte met mijn teen tegen iets wat half onder het bed lag. Het was Rory's mobieltje. Ik zette hem aan en hij begon te piepen. Hij had een bericht. Misschien was het dringend. Ik luisterde de voicemail af. 'Eerste bericht, maandag acht uur vijfenveertig,' zei de robotachtige stem.

'Baas, met Fred. Ik was vanmiddag vergeten te zeggen dat de oude mevrouw Scarletti beweert dat ik haar bestelling niet heb gebracht, maar dat is wel zo. Ze is het gewoon vergeten.'

Ik was blij dat Rory dit niet gehoord had. Hij zou zich er druk over hebben gemaakt en het zou onze tijd samen hebben verpest. Waarom kon Fred die dingen niet gewoon overdag regelen? Mevrouw Scarletti zou Rory er inmiddels al wel van langs hebben gegeven. Ik legde de telefoon neer en besloot dat ik me beter met mijn eigen zaken kon bezighouden.

Toen ik op de overloop liep, hoorde ik de telefoon in mijn werkkamer gaan. Ik rende naar boven en nam op, maar hoorde alleen maar gehijg, wat ik eerst aanzag voor het mijne. 'Hallo? Hallo?' zei ik, maar het gehijg werd alleen luider. Een flauwe streek. Ik sloot mijn ogen en probeerde een beeld te krijgen van de grapjas aan de andere kant van de lijn. 'Je hebt bruin

haar, een bril met dikke glazen en een litteken op je bovenlip,'
zei ik. Zijn ademhaling stokte. 'En je woont in het souterrain
van je moeders huis in Ozone Park.' Hij hapte naar adem en
hing op.

Terwijl ik de papieren op mijn bureau recht legde, voelde ik
een beroering in de lucht. Ik zag iets oplichten bij het raam,
vaag als de schets van een kunstenaar. Opeens zag ik heel duidelijk mijn vader. Hij zat aan onze oude witte keukentafel. Hij
likte aan zijn duim en telde het geestengeld van een dikke stapel bankbiljetten, alsof hij zich voorbereidde op zijn dagelijkse
bankstorting. Terwijl hij telde verdween het geld echter.

Ik werd bang. 'Papa,' zei ik, 'wat betekent dat?' maar toen
verdween hij ook.

De volgende avond zat Rory tegenover me aan de eettafel heen
en weer te schuiven op zijn stoel als een kind dat moet nablij-
ven op school. Ik had erop gestaan dat hij vroeg naar huis kwam
om gezamenlijk te kunnen eten, maar was helemaal vergeten dat
Cara naar een concert voor All County Chorus moest in Amity-
ville. 'In elk geval kunnen jij en ik samen zijn,' zei ik zwakjes.

Ik kon Rory horen denken. *Dan zul je zien dat Medicaid een
onverwachte controle uitvoert. Ik moet alles op orde zien te krijgen. Ik
moet een afspraak maken met mijn accountant. Ik moet drie avonden
lang doorwerken om zelfs maar een beetje verder te komen.*

Ik pakte zijn hand vast. 'Je vond het heerlijk om apotheker
te zijn, weet je nog?'

'Ja.'

'Klanten brachten je Iers sodabrood, baklava, flessen sake en
weckflessen boerenkool.'

Hij knikte. 'Nu kan ik nauwelijks ademhalen, zo druk heb
ik het. Ik vind het al vervelend als een klant hallo zegt. Ik probeer ze te ontwijken, zodat ik mijn administratie kan doen. Als
ze me over hun problemen vertellen, heb ik zelfs geen medelijden meer met hen. En ze zijn zo verdraaid agressief tegenwoordig. Ik durf zelfs de eenvoudigste eerste hulp niet meer te
geven. Ze dreigen zo met een rechtszaak. Je zou ze eens tekeer

120

moeten horen gaan over het feit dat ik weiger te frauderen. Ze willen dat ik hun zorgverzekeraar een rekening stuur voor een antibioticum en ze in plaats daarvan een kruid als echinacea gratis meegeef.'

'Wat heeft al dat gejaag op geld eigenlijk voor zin als we toch altijd rood staan?' zei ik. 'Laten we het huis en de zaak verkopen zodra Cara is afgestudeerd. We kunnen op het platteland gaan wonen en ons eigen voedsel verbouwen. Jij zou voor een apotheek in een klein dorp kunnen werken, op redelijke tijden, en ik kan weer in een tearoom gaan werken, zonder al die advertentiekosten te hoeven betalen.'

Rory liet mijn hand los en duwde zijn bord weg. 'Dat kan niet,' zei hij. 'Ik heb het verzekeringsgeld van mijn ouders gebruikt als aanbetaling voor de zaak, en dankzij de zaak hebben we dit huis gekocht. Dat geld staat voor het bloed van mijn ouders.'

Ik voelde een tinteling in mijn nek en schouders. Ik concentreerde me op wat Rory zei, maar opeens zag ik een wazig licht boven zijn schouder. Het licht vormde zich tot twee gestalten die geleidelijk duidelijker werden. Ik rook stomerij-chemicaliën. Het waren Rory's ouders. Zijn vader hield een draadhangertje in zijn hand, zijn moeder een klein strijkijzer, zoals ze voor boorden gebruikten. Het was alsof ze nog steeds hun zaak runden. Mijn hart ging sneller slaan. 'Rory, je ouders zijn hier. Ze staan achter je.'

Hij wilde zich omdraaien.

'Kijk ze niet recht aan, want dan verdwijnen ze,' waarschuwde ik hem.

Hij hield zijn blik op mij gericht. Zijn gezicht was een mengeling van verlangen, verbazing en uitputting. Zijn ouders fluisterden tegen elkaar. 'Waar heb ik voor geleden?' zei zijn moeder. 'Onze jongen werkt net zo hard als wij.'

'Maar het is het waard,' zei Rory's vader. 'Zijn eigen zaak, en kijk, een groot huis op Long Island.'

'Maar ze zijn arm,' zei zijn moeder. 'Kijk eens naar het gezicht van mijn jongen. Hij maakt zich constant zorgen.'

121

'Wij werkten veel harder dan hij en wat hadden we? *Bubkes*. Zij hebben tenminste nog wat moois.'

'Je hebt gelijk,' zei Rory's moeder tegen haar man. Rory had me verteld dat zijn moeder het uiteindelijk altijd met zijn vader eens was.

'Ik denk dat je ouders willen dat je de zaak en het huis opgeeft omdat je veel te hard werkt,' loog ik.

'Dat zou mijn vader nooit zeggen,' zei Rory, en hij keek me lelijk aan. 'Volgens mij probeer je gewoon je zin te krijgen.'

Ik voelde dat mijn gezicht rood werd. Rory stond op, ging achter zijn stoel staan en zwaaide met zijn armen om zich heen als om te bewijzen dat er niets was. Hij stak zijn armen dwars door hen heen. Hun beeltenissen begonnen zich te vermengen als het beslag voor luchtige cake. Ik hield mijn adem in. Ik was bang dat hij in een zoutpilaar zou veranderen, maar hij werd alleen maar bozer.

'Ik laat een hele stapel werk liggen om naar huis te komen en bij mijn gezin te zijn, en wat krijg ik? Een seance. Heb ik daarom gevraagd?'

'Nee,' zei ik zacht. Hij had nooit gewild dat ik dit voor hem deed. Maar ik had het niet bewust geprobeerd. Het was gewoon gebeurd.

We zaten zwijgend bij elkaar. Ik herinnerde me hoe schuldig ik me had gevoeld wanneer ik 's avonds mijn vaders blote voeten op de poef zag liggen. Zijn eeltknobbels, eksterogen en gezwollen enkels van het lange staan waren de prijs die hij betaalde voor ons levensonderhoud. Pas nadat ik Rory had ontmoet had ik iets van het schuldgevoel kunnen loslaten en meer van het leven kunnen genieten. Dat gold voor ons allebei. Als huwelijksreis zou ik tevreden zijn geweest met een rit naar Niagara Falls, maar in plaats daarvan vlogen we naar Jamaica. We snorkelden hand in hand en gleden langs de kleine, regenboogkleurige vissen die tussen de roze getinte koraalriffen door zwommen. Het eerste zeepaardje dat ik van dichtbij zag, zo klein en perfect, het kopje hoog geheven alsof het zijn eigen jockey was, verbaasde me zoals de liefde dat ook deed. Ik draaide me verliefd om naar Rory en we keken elkaar aan door onze maskers.

We beklommen ook de rotsen om onder de watervallen te gaan staan. 'Dit is te mooi om waar te zijn,' had Rory gezegd. Hij zag er verbaasd uit, alsof hij zijn geluk niet vertrouwde. 'Het is echt waar,' zei ik tegen hem. 'Ieder moment ervan.' Achter het gordijn van water kusten we elkaar. Toen we weer het zonlicht in liepen, wees Rory naar de wilde parkieten in de lucht. We keken naar hun lichtblauwe, felgroene, citroengele en witte vleugels. 'Het lijkt wel een schilderij,' zei Rory.

De avonden brachten we door in kleine donkere bars, waar de calypsomuziek zo hard stond dat je de beat via de vloer door je heen voelde gaan. Rory zong zacht in mijn oor: 'Back to back, belly to belly. We won't stop till the cemetery.'

Maar we waren wel gestopt. Onze levens waren zo beperkt geworden als een bal die met een touw aan een paal vastzit, terwijl onze buren Ollie's Airport Service belden om weer ergens heen te vliegen, terwijl ze nog maar net hun koffers hadden uitgepakt van hun vorige vakantie.

'Het spijt me dat ik je ouders erbij haalde,' zei ik, ook al waren zij degenen die naar me toe gekomen waren. 'Maar hoe kunnen we elkaar nou echt na staan als ik met mijn gave dingen voor je zie en je daar niet over mag vertellen?'

'Dat is ons tot nu toe ook gelukt, niet dan?'

Ik kreeg een visioen van een nachtelijke hemel en een oceaan die zilver kleurde door een laaghangende maan. Romantiek, dacht ik, en toen verschenen er twee scheepjes, maar die voeren bij elkaar vandaan.

9

Ik was zo uitgeput door mijn gepieker over het gebrek aan intimiteit in ons huwelijk, dat ik mijn ochtendmeditatie in bed moest beginnen in plaats van in mijn werkkamer. 'Ohm, ohm,' zong ik, en mijn deken golfde op mijn ademhaling. 'Ohm.' Cara's cd-speler begon te dreunen.

'Schat, zet hem wat zachter,' riep ik, maar het ding stond zo hard dat ze me niet hoorde. Ik wilde me al uit bed gaan slepen, toen ik me herinnerde dat ik pas had gelezen dat paranormale vermogens konden worden versterkt door tegelijkertijd naar twee dingen uit verschillende richtingen te luisteren. Het was de moeite van het proberen waard. Ik moest ook het gefluister van geesten kunnen horen terwijl ik naar een cliënt luisterde. Ik draaide me om en zette Rory's wekkerradio aan. Het nieuws begon net.

'Ratten in New York City,' zei de verslaggever. '*Walking God like a dog,*' jammerde de zanger. Ik deed mijn best naar allebei tegelijk te luisteren. '*What ya say?*' 'Giuliani?' '*Funk blast embezzlement from union Lewinsky, yo, yo.*' Het lukte me niet. Ik kreeg er hoofdpijn van, dus zette ik het nieuws af en klopte bij Cara aan.

Ze deed open in haar gestreepte pyjama, de telefoonhoorn tussen haar hoofd en haar schouder geklemd. 'Hé, Darcy,' zei ze, 'ja, ik weet het.'

'Hoe kun je tegelijkertijd naar die harde rapmuziek en naar Darcy luisteren?' vroeg ik.

'Gewoon,' zei ze.

Als dat artikel gelijk had, dacht ik, dan zou er een hele generatie helderzienden moeten zijn. Ik was blij dat ik niet nog meer tijd aan de oefening had verspild. 'Zet de muziek wat zachter, schat,' zei ik tegen Cara.

'Oké, mam,' zei ze, en meteen erachteraan: 'Hou je me voor de gek, Darcy?'

Ik kleedde me aan en ging naar mijn werkkamer, waar ik genoot van de stilte. Toen ging de telefoon.

'Ik heb net uw advertentie in *Soaring Spirit* gelezen,' riep een vrouw. 'Ik snap jullie helderzienden niet. Weten jullie niet dat je een regel moet opnemen waarin staat: alleen voor amusement? Dat is bij wet verplicht.'

'Nee, dat wist ik niet,' zei ik. 'Bedankt dat u het me verteld hebt.'

'Ik bel de politie,' zei ze. 'Jullie horen allemaal in de gevangenis thuis.'

De telefoon ging weer. Omdat ik niet lekker in mijn vel zat, twijfelde ik even of ik wel op zou nemen, maar toen dacht ik: sommige mensen worden door een hogere macht geroepen om mij te bellen. Die mensen kan ik niet teleurstellen. 'Hallo,' zei ik.

Het was een man die een sessie wilde in ruil voor een voetmassage. 'Ik ben masseur,' zei hij, 'en als u wilt, lak ik daarna nog uw teennagels.'

Ik hing op, pakte mijn jas en mijn parasol en ging naar buiten. Aan de overkant van de straat strooide Hattie Corrigans tuinman kalk uit over haar gazon. Op de stoep stonden bundels oude kranten en plastic zakken met lege blikjes. Ik keek naar het huis van de Grubers en zag een rond heksenteken van rode tulpen. Aan de kant van hun huis die aan het onze grensde hing een blauwe achtpuntige ster. Was Iris bang dat ik een vloek over haar zou uitspreken, of probeerde zij dat bij mij te doen? Iris wist zoals de meeste mensen waarschijnlijk niet dat dergelijke heksentekens een gelukwens waren, maar ik voelde toch een rilling over mijn rug lopen. 'Poe, poe, poe,' zei ik, zoals mijn bubbe me had geleerd om het kwaad af te weren.

Ik liep door en bereikte het houten bord waarop in sierlijk schrift THOMASTON, INC. 1931 stond. Het bord werd omringd door kleurige herfstbloemen. De enige die de winter zouden doorstaan waren de lage groenekoolplanten met hun zachtpaarse harten. Ik voelde me ontheemd, zoals Bubbie zich gevoeld moest hebben toen ze pas in Amerika was. 'Je loopt en je loopt, en je ziet nergens koeien,' had ze eens tegen me gezegd. In de verte klonk het gebulder van bladblazers als een grensoorlog.

Ik liep helemaal naar Northern Boulevard. Ik kocht een bagel met gebakken ei en ketchup bij een zaakje in de buurt van het nieuwe medisch centrum, stak toen East Shore Road over en ging op weg naar het park in Manhasset. Ik wist niet hoe het heette. Cara noemde het vroeger Duck Doody Park. Die naam was nog steeds toepasselijk. Enigszins duizelig liep ik over het pad langs de treurwilgen die weerspiegeld werden in de vijver. De eenden en ganzen trokken V-vormige sporen in het vieze water. Ik keek naar de hartvorm van twee zwanen die hun snavels tegen elkaar hielden.

Ik dacht aan de tijd dat Rory en ik zo waren geweest. Nu zat hij vast in apotheek Mirror, een nooit eindigende stapel betalingsformulieren in te vullen, en ik sloot me op in mijn werkkamer om een taak te verrichten die behoorlijk ondankbaar begon te worden. Toen ik het restant van mijn bagel met ei naar de eenden gooide, kwamen ze allemaal gakkend en sissend en met geopende snavels op me af.

'Meer eten heb ik niet,' zei ik, maar ze kwam dichterbij, achtervolgden me, beten naar me en joegen me het park uit. Ik stelde me voor dat de bewoners van Great Neck dat wel mooi zouden vinden.

Ik haastte me naar huis. In de woonkamer voelde ik iets als een spinnenweb langs mijn wang strijken. Ik sprong achteruit en zag een nevelig waas dat zich langzaam tot een geest vormde: een oude Chinese man met een bruine vlek op zijn rechterwang, als een blad. Hij droeg een blauwzijden gewaad en een mutsje dat op een keppeltje leek. Ik wilde geen geesten van

126

andermans familie in mijn huis; ze moesten zich maar beperken tot mijn werkkamer.

'Kst!' riep ik, maar de geest bleef maar naar mijn werkkamer wijzen. Ik liep naar boven en meteen ging de telefoon. Het was Kim, de erotische masseuse.

'Ik probeer je de hele morgen al te bellen,' zei ze geërgerd.

'O, daarom was de geest van een van je voorouders in mijn woonkamer. Een oude man in een blauw gewaad met een vlek op zijn rechterwang.'

'Iek!' riep ze. 'Dat is mijn grootvader. Wat zei hij?'

In een oogwenk verscheen hij in mijn werkkamer, naast de rieten stoel. Hij begon tegen me te praten in het Chinees. Het klonk als 'O, boy, oy.' Ik haalde mijn schouders naar hem op om aan te geven dat ik hem niet begreep.

Hij knikte en opende toen zijn gewaad. Eronder was hij naakt en haarloos. Zijn huid was als smeltend kaarsvet, met uitzondering van zijn kleine rode penis. Pal voor mijn neus pakte hij hem vast.

Ik wendde me af. Hij sprong weer voor mijn ogen, zijn gewaad weer gesloten, en wees naar de telefoon.

Het is een toneelstukje, dacht ik. Hij liet me weten dat hij wist hoe zijn kleindochter de kost verdiende. 'Je grootvader wil niet dat je in de massagesalon werkt,' zei ik tegen Kim.

'Wat zegt hij over Dennis en mij?' vroeg ze.

Haar grootvader haalde de zijkant van zijn handpalm langs zijn keel.

'Doorgaan met Dennis zou even erg zijn als je keel doorsnijden,' zei ik.

'Maar gisteravond heb ik de kaarten gelegd,' zei Kim. 'Ik had de tien bekers voor mij en Dennis. Een gelukkig huwelijk, zeker weten.'

Haar grootvader schudde zijn hoofd.

'Kim,' zei ik, 'zelfs als je mij niet vertrouwt, geloof dan in elk geval je grootvader wanneer hij zegt dat er voor jou geen huwelijk zal komen met deze man.'

'Een andere helderziende vertelde me dat Dennis en ik in

een vorig leven samen waren geweest. Ik was zijn zus en ik vermoordde hem. Daarom doet hij me nu pijn.'

Ik sloeg met mijn hand tegen mijn voorhoofd. Het was een veelvoorkomende vergissing om een vorig leven te gebruiken als excuus om dit leven te verpesten. 'Je moet je van die kerel ontdoen.' Haar grootvader knikte. 'Je grootvader is het met me eens.'

'Het is mijn karma om van Dennis te houden,' hield ze vol. 'Je pikt misschien niet de juiste vibraties van Dennis op. Vertel me hoe Dennis eruitziet, dan zal ik je geloven.'

Ik kreeg een beeld door van een man met donker golvend haar en blauwe ogen, maar was bang dat ik mezelf in diskrediet zou brengen als ik het mis had en dat Kim dan helemaal geen hulp zou krijgen. 'Vertel me zijn achternaam,' zei ik. 'Dan weet ik het zeker.'

'Hou je me voor de gek? Als ik dat doe ga je hem opzoeken en probeer je hem voor jezelf in te palmen.'

Ik keek naar haar grootvader en haalde mijn schouders op. Ik hoopte dat hij de beschrijving van Dennis zou bevestigen. Soms droegen geesten fotoalbums bij zich, of 'gezocht'-posters, of soms ontwikkelden ze plotseling strookjes pasfoto's zoals je die in een fotohokje kreeg. Kims grootvader zag er echter moe uit. Hij ging in de stoel zitten. Plotseling spreidde hij zijn handpalmen terwijl hij zijn vingertoppen bijeenhield. Hij wilde me weer iets duidelijk maken.

Ik raadde ernaar. 'Er zijn problemen in je familie,' zei ik tegen Kim.

'Mijn vader belde gisteren vanuit Beijing en bekende dat hij iets met een andere vrouw heeft.'

Ik zag een hele reeks vrouwen rondom haar vader. Ze waren topless. Hij gaat naar hetzelfde soort gelegenheden als waar Kim werkt, dacht ik bij mezelf. Voor mijn gevoel was het bijna incest. 'Waarom spreekt hij nu over scheiden?' vroeg ik zo diplomatiek mogelijk.

'Hij zegt dat hij verliefd is geworden. Ik begrijp hem, want ik hou van Dennis.'

'Herinner je je de woorden van macht nog?' vroeg ik. 'Wil je dat nog eens met me proberen?'

'Nee, ik wil dat je me over Dennis vertelt.'

'Je vader is de oorzaak van het probleem,' zei ik.

'Ik haat mijn vader. Ik wil alleen maar over liefde praten.'

'Liefde en haat zijn dezelfde energie,' vertelde ik haar. Haar haat voor haar vader was wat haar naar Dennis toe duwde.

'Probeer me niet in de war te brengen,' zei Kim.

Ik was bang dat haar grootvader teleurgesteld zou zijn en vroeg me af hoe Kims toekomst eruit zou zien. Ik probeerde te zien of ze van Dennis los zou komen, of ze auditie zou doen en een rol zou krijgen, maar het was allemaal nog te pril. Het kostte tijd voor de dingen op een dieper niveau veranderden.

'Het spijt me,' zei ik zonder geluid tegen haar grootvader.

Toen hoorde ik twee Chinese lettergrepen. Ik herhaalde ze. 'Ping, ping.'

Kim hapte naar adem. 'Zo noemde mijn grootvader me altijd. Als kind werd ik Ciu Ping genoemd. Ik hield van mijn grootvader.' Ze begon te huilen. 'Ik heb me afgewend van alles wat hij me geleerd heeft, en kijk eens wat er is gebeurd. Het spijt me zo.'

Onze tijd was om, maar ik zou een cliënt nooit in een dergelijke gemoedstoestand laten gaan. 'Het is al goed,' zei ik. 'Er zijn altijd manieren om het weer goed te maken.'

'Wat wil mijn grootvader dat ik doe?' vroeg ze verlangend.

Als Kim de band met de geest van haar liefhebbende grootvader herstelde, zou ze zich herinneren wat ware liefde was. Dat zou haar redding kunnen zijn. Ik keek scherp naar zijn geest, wachtte op instructies.

Haar grootvader begon zijn lippen te bewegen en zacht maar ritmisch met zijn hoofd te knikken. Er verscheen een beeld van een pagode boven zijn hoofd. 'Hij wil dat je weer naar de tempel gaat,' zei ik. 'Hij wil dat je bidt en zingt.' Toen leek het wel of haar grootvader een dia op het scherm van mijn geest projecteerde. Ik vertelde Kim wat ik zag. 'Hij wil dat je een altaar

129

voor hem maakt in je woonkamer. En hij wil dat je wierook aansteekt.'

'Zeg maar dat ik dat zal doen,' zei ze. Maar haar grootvader was al vervaagd.

Ik beëindigde het gesprek met Kim voorzichtig, hing op en liep naar beneden, naar de keuken. Koken was de beste manier om geesten uit te bannen. Ik pakte een kilo rauw gehakt uit de koeling en deed het in een schaal met een ei, broodkruimels, kruiden en een klein scheutje water. Ik raspte rauwe uien tot ik stond te huilen, maar toen ik met mijn natte handen de gehaktballen stond te draaien, moest ik aan seks denken. Orthodoxe joden deden op vrijdagavond niet aan seks, maar Rory en ik waren hervormd. Veel van mijn gehuwde cliënten waren vlak na de wittebroodsweken helemaal gestopt met seks. Ik had geluk gehad. Rory en ik deden het nog steeds, maar we waren de laatste tijd altijd zo gehaast. Toen Cara nog klein was gaven Rory en ik elkaar in de weekenden, nadat we haar naar bed hadden gebracht, altijd eerst een massage. We bedreven langzaam, bijna meditatief, de liefde, zoals we dat van een videoband hadden geleerd. Na afloop gingen we samen douchen en zeepten we elkaar in. Hij waste dan altijd mijn haren. We waren dronken van de liefde. 'Te mooi om waar te zijn,' mompelde hij altijd. Op maandagochtenden, wanneer hij naar zijn werk was vertrokken, trok ik altijd het laken aan zijn kant van het bed los, bracht het naar mijn gezicht en ademde zijn geur in. Ik kon hem niet laten gaan. Nu hij zo hard werkte, was hij altijd moe, en Cara zat ofwel tot 's avonds laat te studeren, of ze ging uit en we moesten haar ophalen.

Ik zuchtte. De telefoon ging. Het was Rory, het was alsof mijn gedachten hem naar me toe hadden geroepen. 'Ik hou van je,' zei ik.

'Ik ook van jou. Wat eten we vanavond?'

'Gehaktballen,' zei ik.

'Voor *sjabbes?*' vroeg hij.

'Gehaktballen en challe,' zei ik.

Toen Cara uit school thuiskwam, herkende ik haar nauwelijks. Ze had een rode ster op haar wang getekend, en haar haren waren in wel honderd vlechtjes met kralen erin gevlochten. Ze ademde in, ging rechter staan en glimlachte naar me. De ster kwam daardoor dichter bij haar oog. Ze schudde zachtjes met haar hoofd, zodat de kraaltjes in haar haren tegen elkaar tikten. Ontspan je, hield ik mezelf voor. Ze heeft de leeftijd voor zulke bevliegingen. Ik herinnerde me dat ik witte lippenstift had gebruikt en zilverkleurige glitter in mijn haren had gestrooid. 'Je ziet er leuk uit,' zei ik.

Toen ze Darcy's oude jack uittrok viel mijn mond echter open. Eronder droeg ze een strak roodkanten bloesje. Je kon haar beha erdoorheen zien. 'En waar heb je dat bloesje vandaan?'

Ze speelde trots met de knopen. 'De bazar van Saint Paul's. Is het niet prachtig?'

'Verkopen ze dergelijke dingen in een kerk?'

'Mam, het is voor het goede doel.'

Misschien had ik het mis, dacht ik. Een hoop tieners liepen er zo bij. Shabby chic noemden ze het. Veel volwassen vrouwen kleedden zich ook zo. Misschien was het niet zo erg. Ik wilde niet overal ruzie over maken met Cara. Ik wist het even niet meer en had een second opinion nodig. Ik had Bubbie nodig, maar was ze nog steeds boos op me, omdat ik te veel waarde hechtte aan geld? Bubbie, riep ik haar in stilte.

Toen rook ik lavendel en hoorde ik Bubbie fluisteren: '*Wai*, gekleed als een *koerwe*, en nog wel voor het goede doel. Dat een meisje uit onze familie zo naar school gaat!'

Ik keek Cara aan. 'Je had dit toch niet aan naar school, is het wel?' vroeg ik.

Cara keek me niet aan. 'Ja.'

'Och!' zei Bubbie, en haar geur vervloog.

Het was voor mij ook allemaal te veel. 'Je bent zo naar school geweest en de decaan heeft me niet gebeld?'

Ze haalde haar schouders op. 'Waarvoor?'

'Ik wil niet dat je zo ooit nog naar school gaat!'

Cara rolde met haar ogen, maar deed het jack weer aan en trok het stevig om zich heen. Ze keek naar me op. 'Ter informatie, ik heb de hele dag het jack aangehouden.'

'Nou, hou het dan vanavond ook maar aan,' zei ik. 'Het is sjabbes, en je vader komt thuis eten.'

Rory was voor zonsondergang thuis. De eettafel was gedekt met mijn moeders geborduurde tafelkleed en Bubbies koperen kandelaars. Cara had nog steeds de dunne vlechtjes in haar haren en de ster op haar wang, maar ze had het rode bloesje uitgedaan en een blauwe trui uit mijn kast aangetrokken. Ik legde een katoenen servet op mijn hoofd en stak de kaarsen aan. Terwijl ik er met mijn handen overheen zwaaide en het gebed opzei, voelde ik Bubbies aanwezigheid en zag ik haar handen boven de mijne, en ik hoopte dat als ik ooit overleden was, Cara mijn handen boven de hare zou voelen als ze de kaarsen aanstak.

Toen Cara zes was en we in Maine waren, miste ze het aansteken van de sjabbeskaarsen zo dat we ergens twee rode kaarsen in groene glazen kandelaars moesten kopen om ze in ons motel aan te steken. Ik herinnerde me hoe zoet en zuiver haar stem klonk toen ze de *haftore* zong bij de *bima* tijdens haar bat mitswa. We gingen vroeger elke vrijdag naar de tempel, maar Rory was tegenwoordig altijd zo moe dat zijn gesnurk de dienst verstoorde en daarom vierden we het thuis. Rory zei de *baroecha* bij de challe, gaf ons ieder een stuk en zei toen het gebed bij de wijn. Hij legde zijn hand op Cara's kruin en zegende haar. Toen kuste hij de ster op haar wang.

Terwijl ik de gehaktballen serveerde met *kasha varnisjkes* in plaats van spaghetti, dacht ik: dit is precies wat Cara nodig heeft,– een rustige spirituele avond thuis. Cara's voorhoofd was echter gefronst en ze zat maar wat in haar eten te prikken.

'Een stuiver voor je gedachten,' zei Rory tegen haar.

'Courtneys ouders volgen relatietherapie,' zuchtte Cara.

Ik legde mijn vork neer. Ik wist wel beter dan de gebroken trouwring ter sprake te brengen die ik boven Courtneys hoofd had gezien. Op bijna elke straathoek in Great Neck zaten relatietherapeuten. En echtscheidingsadvocaten. 'Ik weet niet of het me spijt dat te horen of dat ik er blij om ben,' zei ik. 'Lisa Cohens en Suzie Lincolns ouders gaan ook al naar een relatietherapeut. Maar Darcy's moeder zei dat Suzanne Berks moeder elk moment uit haar huwelijk kan stappen.' Cara speelde met haar servet.

'Dat krijg ik nou als ik mijn dochter een stuiver voor haar gedachten aanbied tijdens sjabbes,' zei Rory.

'Raj Patel, wiens punten goed genoeg zijn voor Harvard, zal waarschijnlijk moeten gaan werken voor een studie aan een staatsschool,' vervolgde Cara. 'De ouders van Raj zijn veel rijker dan die van Courtney, maar ze gaan uit elkaar en trouwen opnieuw en willen geen van beiden zijn opleiding betalen.' Ze begon sneller te spreken en haar stem werd schril. 'Hij moet misschien wel bij zijn getrouwde zus in San Diego gaan wonen en dan met de bus naar school. Zelfs al studeren we zo hard als we kunnen, dan nog hebben we helemaal geen zekerheid. Ouders kunnen zomaar besluiten te gaan scheiden en je aan je lot overlaten. Je bent beter af als wees. Dan weet je tenminste waar je aan toe bent en zorgt de staat voor je.'

Rory legde zijn handpalmen op tafel. Ik dacht dat hij zou opstaan, maar hij bleef zitten. 'Kunnen we het niet een keer over iets positiefs hebben?' vroeg hij. 'Is het te veel gevraagd om samen een gezellige avond te hebben?'

'Nou, zeg,' zei ze pruilend.

Ik wist hoe ernstig dit was, hoe erg kinderen konden lijden onder de scheiding van hun ouders, en dat de nadelige effecten daarvan zelfs nog doorwerkten als ze al volwassen waren. Ik pakte doelbewust Rory's hand vast en gaf er een kneepje in. Cara zag het. Haar hele lichaam ontspande zich en algauw speelde er een glimlach om haar lippen.

'Afgelopen woensdag,' zei Cara, 'hadden we een toets over *Misdaad en straf* en Larry Somes had van tevoren met pen aantekeningen gemaakt op zijn handpalm. Hij was al snel klaar en was bang dat iemand het zou zien, dus ging hij zo met zijn hand tegen zijn gezicht zitten.' Ze zette haar elleboog op de tafel en steunde met haar hoofd op haar hand. 'Hij zweette en toen de bel ging en hij zijn hand liet zakken, stonden de antwoorden in spiegelschrift op zijn gezicht. Hij had zichzelf verraden, net als Raskolnikov. Hij was er gloeiend bij!'

We begonnen allemaal te lachen. Cara's gezicht klaarde op. Ze vertelde ons nog meer grappige verhalen over school en Rory vertelde er een paar over zijn klanten. Ik luisterde met plezier. Bovendien genoot ik ervan Rory als vader te zien. Als hij niet overwerkt of oververmoeid was, had hij daar echt slag van. Voor het eerst in maanden voelde mijn hart vol aan.

Ons sjabbesetentje met Cara verliep zo goed dat ze meer samen wilde doen. Op zondag rond de middag vroeg ze ons haar te komen halen bij Darcy, waar ze was blijven slapen, zodat we gedrieën naar Nathan's konden gaan voor hotdogs en daarna naar de bioscoop.

Meestal probeerde ik Darcy's moeder Barbara te ontlopen, maar toen we bij hun huis arriveerden, stond Barbara op de oprit. Haar blonde, gepermanente haar hing tot op de kraag van haar korte leren jasje. 'O, nee,' zei ik tegen Rory. 'Dat betekent dat we hier minstens een uur staan.'

We begonnen een gesprek. Ik probeerde me te concentreren op wat Rory en Barbara zeiden, maar ik voelde een tinteling op mijn rug, een verstoring van het veld achter me. Even later hoorde ik een lawaai alsof de hel met daverend gebrul zijn poorten opende. 'Wat is dat?' riep ik, en toen ik me omdraaide zag ik een jongen op een motor de straat door racen. Hij droeg een vreselijk strakke spijkerbroek, een zwartleren jasje vol met kettingen, en een leren halsband vol stalen sierspijkers. Zijn hoofd was kaalgeschoren, met uitzondering van een geel knotje bovenop. Toen hij de bocht nam, hing hij met zijn motor zo plat boven de weg dat hij bijna weggleed. We hapten alle drie naar adem alsof we naar een griezelfilm zaten te kijken.

Toen hij uit het zicht verdwenen was en het geluid was weggestorven, zei Barbara: 'Dat was Lance Stark. Gewoonlijk heeft hij een of ander sletje achterop als hij hier door de straat komt rijden, elke keer een ander. Hij woont op Kings Point met zijn moeder, Pepper. Onder ons gezegd,' zei ze, en ze ging zachter praten, 'ze hebben geld als water en zij is alcoholiste.'

Ze liet haar opmerkingen altijd voorafgaan door dat 'onder ons gezegd', als om te rechtvaardigen dat ze iets vertrouwelijks doorvertelde.

'Hij lijkt me te oud voor de middelbare school,' zei Rory.

'Hij is minstens één keer blijven zitten,' fluisterde Barbara, 'en dat is geen wonder ook. Hij kan niet met zijn hoofd bij zijn schoolwerk blijven. Vorig semester is hij van Buckner Academy getrapt. Zelfs op de kleuterschool stond hij er al om bekend dat hij meisjes de gangkast in trok.'

Rory schudde zijn hoofd. 'Die knul heeft echt problemen.'

'Daar heb je gelijk in,' zei Barbara ernstig, maar haar ogen sprankelden. Cara had mij ervan beschuldigd haar te bespioneren, maar ik zag een heel duidelijk beeld van Barbara die door een deur sloop met het opschrift LEERLINGGEGEVENS. Ik zag haar met diezelfde sprankelende ogen de dossiers van leerlingen doorlezen. Ze likte langs haar lippen, genoot van elk smerig geheim dat ze op haar beschaafde manier kon doorvertellen. Mijn maag draaide zich om. Misschien was Darcy wel laxeermiddelen gaan gebruiken omdat ze zo genoeg had van Barbara's geroddel. Ik durfde te wedden dat Barbara het zo druk had met de kinderen van andere mensen, dat ze niet eens wist wat haar eigen dochter deed. Ik keek op mijn horloge in de hoop dat ze zou denken dat we haast hadden, maar ze ging gewoon door.

'Lance zal waarschijnlijk ook wel van onze school getrapt worden,' zei Barbara. 'Vorige maand was hij tijdelijk geschorst omdat hij zijn tatoeage had laten zien in de klas. Een pijl op zijn buik die naar beneden wijst. En ik heb gehoord dat vorig jaar een meisje uit de onderbouw, Chrissie Slovak, heeft geprobeerd zelfmoord te plegen vanwege hem.'

Op dat moment kwam Cara naar buiten. Ze staarde met open mond in de richting van de motorrijder. Ik zag in een flits haar hele lichaam vervagen, alsof het werd uitgegumd. 'Cara!' riep ik.

Ze kwam uit haar trance. 'Hoi,' zei ze tegen me. Ze omhelsde Darcy, bedankte Barbara en stapte in de auto alsof er niets bijzonders was gebeurd.

10

Vanaf het moment dat ik Cara naar beneden hoorde komen voor het ontbijt, had ik een vreemd gevoel, alsof ik iets niet wist wat ik wel zou moeten weten.

'Morgen,' zei ze slaperig. Ze droeg een grote blauwe hoofddoek laag over haar voorhoofd, een zwarte coltrui en een strakke spijkerbroek.

Ik wilde eigenlijk zeggen dat ik precies haar string kon zien zitten, maar slikte die opmerking toch maar in. 'Ik heb havermoutpap voor ons gemaakt,' zei ik.

Ze trok haar neus op. 'Dat vind ik al jaren niet meer lekker.'

'Wil je koffie?' vroeg ik.

Ze knapte wat op, alsof ik eindelijk de goede toon te pakken had en haar als een volwassene behandelde. 'Ja, lekker. Dank je.'

Ik schonk een kop voor haar in en ze nam een paar slokjes. 'Er is zoveel gebeurd dat ik het je gisteren niet allemaal kon vertellen,' zei ze, gehaast sprekend. 'Maandagmorgen werden we door de politie uit school geëvacueerd. Het stonk er zo dat ze dachten dat er iemand vermoord was. Uiteindelijk bleek dat Beth Prensky de kip die ze voor biologie had moeten ontleden, het hele weekend in haar kluisje had laten zitten.' Cara hield haar neus dicht en zwaaide zich met haar andere hand lucht toe. Ze ging nog tien minuten door met vertellen wat iedereen had gezegd en gedaan. Ik was zo blij met haar opgewekte gezelschap dat ik me nauwelijks durfde te verroeren.

'Mam, ik ga tegenwoordig lunchen in de cafetaria van het

kantoorgebouw op de hoek van Lakeville en Northern,' flapte ze er uiteindelijk uit. 'Ik weet dat je niet graag hebt dat ik het schoolterrein verlaat, maar niemand kan de hele dag op school blijven. Je kunt niet eens fatsoenlijk naar het toilet. Er hangt zoveel sigarettenrook dat je bijna een gasmasker nodig hebt om adem te kunnen halen. En weet je wat ik nog het smerigst vind?'

Ik schudde mijn hoofd.

'Kinderen frommelen toiletpapier op, maken het nat en gooien het dan tegen het plafond. Daar blijft het aan hangen en dan druppelt de viezigheid naar beneden.'

Ze stelde haar hart weer voor me open. Ik boog me naar haar toe.

De telefoon ging en ze sprong overeind om op te nemen. 'Dat is voor mij,' zei ze. 'O, hoi, Darcy,' voegde ze daar luid aan toe. Al pratend liep ze de keuken uit, deed de deur dicht en rekte het telefoonsnoer uit tot halverwege de trap. Ik deed mijn best niet mee te luisteren, maar hoorde haar 'Lance' fluisteren. Mijn koffie smaakte plotseling alsof ik er zure melk in had gedaan. Het kon niet de Lance van de motor zijn, dacht ik. Die ging met een heel ander soort mensen om.

Toen ze weer aan tafel ging zitten, vroeg ik: 'Ken jij die Lance Stark?'

Haar ogen stonden dromerig. Haar hand aarzelde en ze morste wat koffie. 'Iedereen kent hem,' zei ze, maar ze weigerde me aan te kijken.

Ik boog naar voren, nieuwsgierig naar meer. In plaats van haar relaas af te maken, richtte ze echter haar aandacht op de warenhuisadvertenties in *Newsday*. 'Waarom zit je me aan te staren?' vroeg ze.

'O, sorry. Ik wist niet dat ik dat deed.'

'Nou, het is wel zo.' Ze pakte haar rugzak op. 'Courtney zet ons na het koor af bij Darcy. Ik ben om halfzeven thuis.'

'Oké,' zei ik, maar ik voelde me niet op mijn gemak. Het klonk als een leugen.

In mijn moeders kaartenbak met favoriete recepten zocht ik

'Muffins, havermout' op en ik maakte drie baksels om het verspilde ontbijt te redden.

Daarna ging ik in mijn werkkamer op wacht zitten bij de telefoon.

'U spreekt met Vincent Guardelli,' zei een man met een stem vol gruis. 'Hebt u tijd?'

Mijn zenuwen waren te gespannen om nu meteen een sessie te houden met een nieuwe klant. 'U moet van tevoren een afspraak maken,' zei ik.

'Je weet nooit wat er de volgende minuut kan gebeuren. Het is nu of nooit.'

Weer dacht ik aan onze schulden. 'Goed dan,' zei ik. Ik vertelde hem wat een sessie kostte.

'*No problemo*,' zei hij. Dit soort klanten moet ik vaker hebben, dacht ik terwijl ik zijn naam en creditcardnummer noteerde. Maar ik zag helemaal niets. Vincent Guardelli, herhaalde ik in gedachten. Het klonk bekend, als iemand die ik zou moeten kennen, een beroemd persoon. Soms belden bekende mensen onder een andere naam. Ze hadden zelfs creditcards op een verzonnen naam. Ik ademde diep in. Ik voelde mijn hartslag vertragen. In gedachten zag ik Vincent. Een stevig gebouwde kerel van achter in de vijftig met dik zwart haar, op zijn manier best knap. Ik herinnerde me een artikel in het tijdschrift *People* dat ik in de wachtkamer van de tandarts had gelezen. Vincent Guardelli was de bekende stand-upcomedian, Vince Guardel. Vincent Edward Guardel. Ik had hem op televisie gezien.

'Bent u daar nog?' vroeg hij.

'Ja, ik moet even warmdraaien.' Wat had er ook al weer in dat artikel gestaan? Vince Guardel was vijf keer getrouwd geweest. Telkens met een jongere vrouw. En hij was goed bevriend geweest met Sinatra. Nu had ik iets om mee te beginnen. Ik begon zacht te zingen. 'Strangers in the night. Two lonely people, we were strangers in the night.'

'Huh?' zei hij.

'Was u niet bevriend met Frank Sinatra?' vroeg ik.

'Neu. Van die kerel heb ik nooit iets moeten hebben.'

Hij wilde niet toegeven dat hij Sinatra kende. Ik vertelde hem over zijn vijf jonge echtgenotes.

'Ik heb maar één oude ex-vrouw.'

Ik wist niet wat ik moest zeggen.

Toen hoorde ik hem zuchten. 'Vince voelt zich rot,' zei hij.

Even raakte ik nog meer in de war. Toen realiseerde ik me dat hij over zichzelf in de derde persoon sprak. Zijn stem had me echter een handvat gegeven. Ik zat weer op het juiste spoor. Er verscheen een vrouw voor me. 'Ik zie een vrouw. Ze is in de dertig. Blond, knap.'

'Dat is de griet die me kapotmaakt.'

Ik zag een injectienaald, een teststrookje, en een fles whisky. Hij was diabeet, at te veel en hield van een borrel. 'Zij maakt u niet kapot. U let niet goed op uw gezondheid.'

'Nee, Vince ergert zich kapot. Dat is dodelijker dan een Magnum.'

Zodra hij het wapen noemde, werd ik bang. Vince was niet Vince Guardel de komiek. Hij was een gangster. Ik kreeg een visioen van een man op de bodem van de East River met een cementblok aan zijn voeten.

'Vandaag heb ik voor die griet een diamanten tennisarmband, een jas van lynxbont en een Rolex gekocht. Ik zeg er niets over. Dan begint ze, wat heb je voor me meegebracht? En zelf gaat ze over de rooie als ik haar elke avond wil zien. Zegt dat ze haar eigen leven heeft. Feministische flauwekul.'

Ik draaide het snoer van de telefoon strak om mijn vinger.

'Gisteravond,' ging hij door, 'wilde ik haar zien, en toen beweerde ze dat ze al plannen had met een vriendin. Dus wat denkt u nou? Is ze op de lesbische toer met die zogenaamde vriendin van haar?'

Ik begreep dat als een vrouw niet precies deed wat hij wilde, ze in zijn ogen ofwel een kreng, ofwel lesbisch was. 'Nee,' zei ik. Ik was eigenlijk kwaad op hem, maar zei op kalme toon: 'Ze had al een afspraak en kwam die na.'

'Vindt u het goed als ik een sigaar opsteek?' vroeg hij, alsof we naast elkaar in de auto zaten.

'Ga uw gang,' antwoordde ik.

Hij zweeg even terwijl hij daarmee bezig was. 'Ik heb het hele weekend alleen gezeten. Dat is niet eerlijk, hoe je het ook wendt of keert. Niet eerlijk. Ik stuur haar vijfduizend ballen per maand voor haar flat, ik koop mooie kleren voor haar kinderen, ga lekker met haar uit eten. Ze denkt dat ze iemand is omdat ze gestudeerd heeft.'

Hij snakte naar een gevecht en als ik mijn kaarten niet goed speelde, zou dat met mij zijn. Ik zweeg en liet hem uitrazen. Ik voelde me als een geisha tegenover een ruwe kerel.

'Mijn vorige meisje kon niet genoeg van me krijgen,' zei hij.

Ik zag haar handen in zijn zakken. Het was haar alleen om Vince' geld te doen geweest.

'Stel nou dat ik met u uit zou gaan,' zei hij, 'zou u dan het hele weekend met me door willen brengen?'

'Ik ben getrouwd.'

'Nou en?'

'Ik hou werk en privé graag gescheiden.'

Hij lachte. 'Hoe oud bent u?'

'Zesenzeventig,' loog ik.

'U bent geen zesenzeventig. Ik geef u hooguit vijfendertig.'

'Laten we ons op u concentreren,' zei ik vastberaden.

'Ja, terug naar mij. Vorige week wilde ze me dus wel zien. Ik neem die griet mee naar het Plaza voor het hele weekend. Ik huur een extra kamer voor haar twee dochtertjes. Ik doe alles wat ik kan om een leuke vent te zijn. Ik neem haar mee uit, en dan trekt zij een lange broek en sokken aan. Ik zeg tegen haar "Dat kun je niet aantrekken. Dat heb ík aan. Trek maar een jurk en een panty aan", en dan wordt ze kwaad! Ze zegt dat ik te overheersend ben. Overheersend! Ik wil gewoon uit met een griet, niet met een kerel.'

Terwijl hij doorraasde herinnerde ik me mijn moeder, die haar nylonkousen aandeed en de naden rechttrok. Ze had me verteld dat ze in de Tweede Wereldoorlog, toen nylonkousen bijna niet te krijgen waren, met een oogpotlood een naad op de achterkant van haar blote benen tekende. Ze liep elke dag op hoge hakken. Als het regende droeg ze daar dunne rubberlaarsjes overheen en in de winter waren de laarsjes afgezet met lamsbont. 'Vrouwen dragen tegenwoordig lange broeken,' zei ik tegen Vince. 'Misschien is deze vrouw te jong voor je. Misschien moet je iemand zoeken die wat ouder is.'

'Vince met een ouwe dragonder? Vergeet het maar! Na alles wat ik voor haar gedaan heb, zegt ze dat ze me helemaal niet meer wil zien als ik haar zo push. Wie denkt ze wel dat ze is?'

'Een vriendin,' zei ik. 'Een vriendin mag van gedachten veranderen.'

Hij zuchtte weer. 'Als we uit elkaar gaan, kan ik haar dochtertje dan nog een cadeautje sturen? Het ene meisje, de oudste, is een klein krengetje, maar het kleintje noemt me oom Vince.'

'Als u niet meer met haar moeder omgaat, zou het niet juist zijn het kind een cadeau te sturen,' zei ik. 'En zeker niet het ene kind wel en het andere niet.'

'Dan stuur ik niemand wat.' Ik hoorde hem aan zijn sigaar trekken. 'Het is fijn om met u te praten,' zei hij. 'Ik ben eigenaar van het beste steakhouse van New York. U hebt er vast wel van gehoord. Guardelli's, op de hoek van Fifty-third en Madison.'

'Natuurlijk ken ik Guardelli's,' loog ik.

'Waarom komt u niet een keer langs?' zei hij. 'Vraag naar mij. Ik serveer een maaltijd zoals u nog nooit hebt gehad. De beste wijn.'

'Ik hou werk en privé graag gescheiden,' herhaalde ik.

Deze keer lachte hij niet. 'Hoor eens, ik weet hoe ik een vrouw moet behandelen. Ze brengt een weekend met me door en ik stuur haar naar Elizabeth Arden. Ik bel de bedrijfsleidster daar en zeg: "U spreekt met Vince Guardelli. Ik stuur een vriendin naar u toe. Zorg dat ze van top tot teen alles krijgt wat u te bieden hebt."'

Dat klonk niet slecht. Ik had nauwelijks tijd om mijn benen te scheren.

'En weet u wat het enige is wat ik daarvoor terug wil?' vroeg hij. 'Een beetje liefde. Dat is alles.'

'U pakt het verkeerd aan. U geeft de vrouw het gevoel dat u haar koopt.'

'Moet ik dan de betaling van haar huur stoppen?'

Ik dacht aan de vrouw, op straat met haar twee dochtertjes. 'Nog niet,' adviseerde ik.

'U praat met een dubbele tong,' zei hij. 'U praat al net als de rest. Net als zij. Ze wil een gratis boterham en ze wil haar vrijheid.'

Ik begon voor de veiligheid van de vrouw te vrezen. Wat zou er gebeuren als ze hem dwarsboomde? Zou ze uit de weg geruimd worden? 'Ik zie haar op de lange termijn niet in uw leven,' zei ik nerveus.

'Kom vandaag bij Guardelli's lunchen. Ik stuur een auto om u op te halen.'

'Nee, dank u,' zei ik.

'Ja, dat was ik vergeten. U doet het niet met klanten.'

'Onze tijd is om,' zei ik kortaf.

Ik huiverde en stak mijn tong uit toen ik de telefoon had neergelegd. Ik ging naar de badkamer en nam een warme douche. Ik wed dat Bubbie niet met klanten te maken had die haar wilden versieren, zei ik bij mezelf terwijl het water op mijn huid spatte.

Het water werd opeens veel te heet en ik draaide snel de kraan dicht. Toen ik uit de douchecabine stapte, stond Bubbie voor de spiegel haar lippen te stiften. 'Dus jij denkt dat er geen mannen in jouw bubbe geïnteresseerd waren?' Ze depte haar lippen met een tissue. 'Ik had een haardijzer in de kamer liggen voor het geval er eentje rare ideeën kreeg. Ik heb Moitel de messenslijper er ooit helemaal mee de trap af gejaagd.'

'Dat heb je me nooit verteld,' zei ik.

'Je was een kind. Ik heb je wel meer niet verteld. Herinner je je het huwelijk tussen Lydia en Sy dat ik gered heb? Sy kwam een week later naar me toe en zei dat hij verliefd op me was. En er is nog meer. Veel meer,' plaagde ze vergenoegd terwijl ze vervaagde. Haar gezicht met de roze glimlach bleef nog even in de spiegel zichtbaar.

Cara zei niets toen ze thuiskwam, maar ik voelde iets van haar opwinding, alsof ze probeerde iets voor zich te houden.

'Hoe was je dag, schatje?' vroeg ik terwijl ik de salade en kipfilet op tafel zette.

Plotseling trok ze haar hoofddoek af. Ze had haar bruine haar pikzwart geverfd. 'Je hebt je haar geverfd!' zei ik, en ik stopte met eten.

'Het was zo saai,' zei ze, naar een pluk van haar haren kijkend die ze in haar hand hield, alsof ze zelf nog niet goed kon geloven wat ze had gedaan.

Het leek wel een zwarte bezem. 'Je haar was niet saai. Het was prachtig.'

'In jouw ogen misschien. Maar…'

Ze werd omhuld door een aura, zo warm als de kleur van haar haar was geweest. Toen ademde ze in en zei: 'Mijn vriendje vindt het zo mooi.'

Mijn rug begon te tintelen. Ik hoopte dat haar vriendje niet Lance Stark was. 'Wie is de gelukkige?'

Ze stak haar kin naar voren. 'Lance Stark,' zei ze uitdagend.

Ik ademde zo snel in, dat het leek of ik naar lucht hapte.

'Wist je het niet?' vroeg Cara, en ik schudde mijn hoofd. 'Wist je het niet via je gave?'

'Ik wist het niet,' zei ik zacht, en toen krulden haar mondhoeken omhoog in een glimlach.

Ik had het moeten weten vanaf het moment dat hij op zijn motor voorbijkwam en ik zag hoe ze hem nakeek, maar ik neem aan dat ik het niet wilde geloven. Ik kreeg plotseling een beeld door van de gang op haar school. Het fonteintje, de telefooncel. Ik zag Lance door de gang slenteren. Er rende een meisje op hem af, dat zich helemaal om hem heen wikkelde. Godzijdank was het niet Cara. Het meisje pakte zijn hand en legde die op haar bil. Ik liet mijn vork vallen. 'Ik begrijp niet waarom je je problemen op de hals wilt halen.'

'Ik heb hem niet opgezocht, mam. Lance kwam naar mij toe en hij is geen probleem. Ik had mijn geschiedenisschrift in de cafetaria laten liggen en hij is me komen zoeken om het me terug te geven.'

Ze straalde. Ik moest oppassen met wat ik zei. Eén verkeerd woord en ze zou zich helemaal voor me afsluiten, maar ik was zo nerveus dat ik eruit flapte: 'Zijn tatoeage spreekt boekdelen. Hij is veel te snel voor je.'

'De mensen zeggen van alles over hem,' zei Cara. 'Kinderen doen wel meer met hun lichaam, maar dat zegt niets over wie ze werkelijk zijn.'

Ik dacht aan de vreselijke dingen die Barbara Traubman Rory en mij over Lance had verteld. 'Wist je dat hij een ander meisje zo heeft gekwetst dat ze heeft geprobeerd zelfmoord te plegen?'

'Dat is niet waar, mam. Hij had helemaal niets met Chrissie. Dat was een gerucht. Lance krijgt altijd overal de schuld van.'

Ik zag een klein wervelend licht rechts naast Cara. Het leek of mijn ogen ronddraaiden om het te volgen. Het licht werd groter en kwam tot stilstand. Ik voelde een geest. 'Die jongen is een waardeloze nietsnut,' zei de stem van mijn vader, waarna het licht verdween.

'Dus je gaat met Lance uit?' vroeg ik in een poging nonchalant te klinken.

'Je hoeft niet met iemand uit te gaan om verliefd te zijn. Dat doet niemand meer. Daar gaat het in de liefde niet om.' Ze bestudeerde haar glitternagellak.

'Waar ken je hem dan van?' vroeg ik. 'Volgt hij dezelfde lessen als jij?'

'Iedereen kent Lance. Weet je, mam? Hij zei dat hij nog nooit iemand heeft ontmoet als ik. Jij kent hem niet echt, en andere mensen ook niet. Niet zoals ik hem ken. Je zou hem moeten zien als hij bij mij is. Hij is zo beleefd. Telkens als de bel na de les gaat, staat hij bij de deur van de klas op me te wachten. Hij draagt mijn rugzak, houdt deuren voor me open. Als iemand tegen me aan loopt, houdt hij ze tegen en laat ze sorry zeggen. Hij vecht zijn punten niet aan, probeert niet een hoger cijfer te krijgen zoals de jongens in mijn klas. Hij praat helemaal nooit over school. Dat is zo verfrissend. En mam, hij heeft zijn motor naar me genoemd: Cara Mia.'

Mamma mia, dacht ik.

'Hij schrijft zelfs een gedicht over me,' voegde ze eraan toe.

'Dat zijn dingen die hij voor zichzelf doet,' zei ik.

'Je weet niet hoe knap hij is. Hij bedenkt rapsongs over een-
zaamheid, zo uit zijn blote hoofd. En hij zegt dat ik hem in-
spireer. Dat ik talent heb voor de liefde.'

Cara's ogen lichtten op wanneer ze over hem sprak, maar ik
had het gevoel te worden opgeslokt door een vreselijke duisternis.

'Je moest eens weten hoe moeilijk hij het thuis heeft,' zei
ze. 'Zijn ouders zijn gescheiden. Hij wil niet bij zijn moeder wonen, en zijn vader woont in het appartement van een
vriendin, waar geen ruimte is voor Lance. Lance' oma woont
in Great Neck, maar ze is te oud en begrijpt hem niet. Ik ben
de enige met wie hij echt kan praten. Hij vertelt me alles, en
ik vertel hem ook alles. Hoe dan ook, het is míjn leven, mam.'
Haar kin kwam weer naar voren.

Ik wist uit de ervaring die ik had met cliëntes die ik roman-
ces uit het hoofd had proberen te praten, dat het ze alleen maar
defensiever maakte, loyaler tegenover die verdraaide kerels en
bozer op mij. Ik had daar cliënten door verloren en ik was niet
van plan mijn dochter te verliezen. 'Ja, het is jouw leven,' stemde ik dus met haar in.

Ze hield haar hoofd schuin, alsof het haar verbaasde dat ik
niet tegen haar in ging. Ze begon zich te ontspannen op haar
stoel, maar kneep toen haar lippen op elkaar en fronste haar
voorhoofd. 'Hoor eens, mam, je gaat toch niet doen alsof je me
kunt bespioneren, wel?'

Ze had haar woorden met zorg gekozen. 'Doen alsof' impli-
ceerde dat mijn gave niet echt was en met 'bespioneren' probeerde ze me een schuldgevoel te bezorgen. Bubbie had me
verteld dat boosheid een blinddoek en oordoppen was. Ik had
Cara verteld hoe ik echt over Lance dacht. Ik was niet bang
voor een confrontatie, maar een woordenwisseling over mijn
gave zou alleen maar een rookgordijn over deze kwestie gooi-
en. Ik hoopte dat wat ik over Lance had gezegd, een zaadje van

twijfel in haar hoofd zou planten. Ik probeerde mezelf gerust te stellen, dwong mijn lippen tot een glimlach en zei kalm: 'Natuurlijk kun je erop rekenen dat ik je privacy zal respecteren.'

'Oké, goed,' zei ze, en de zorgenrimpel verdween van haar voorhoofd. 'En zeg alsjeblieft niets tegen pap.'

'Prima,' zei ik. 'Het blijft onder ons... meidenpraat.'

Ze stond op, liep de keuken uit en de trap op. Toen leunde ze achterover, zodat ze me door de deuropening kon zien. 'Mam,' zei ze glimlachend en zuchtend, 'je gaat toch altijd in trance? Nou, ik weet nu ook hoe dat is.'

11

Ik maakte me niet alleen zorgen om Cara, ik voelde me ook genoodzaakt mijn paranormale gaven te gebruiken om Rory te helpen met zijn zaak, ook al was hij daar net zo op tegen als Cara. Als ik dingen ontdekte die hem konden helpen, kon ik hem een hint geven, vragen stellen die iets uitlokten. 'Soms moet je de dingen via een omweg doen,' zei Bubbie vroeger.

Ik zat in bed met mijn aantekenblok tegen mijn knieën een tekening te maken van de voorkant van Mirror. Ik probeerde hem zo gedetailleerd mogelijk te krijgen en liet zelfs een stukje van de O weg die op het bord zwart was geworden, maar kreeg geen paranormale aanwijzingen. Ik sloeg het blad om en begon een plattegrond te tekenen. Toen die klaar was, zag ik dat ik precies in het midden een donker gat had getekend. Ik staarde ernaar en vroeg me af wat het kon betekenen.

'Wat ben je aan het doen?' vroeg Rory toen hij naar bed kwam.

'O, ik zit maar wat te krabbelen,' zei ik, en klapte snel het blok dicht en stopte het schuldbewust onder de dekens.

Rory geeuwde. Het klonk alsof de ophaalbrug van een kasteel aan knarsende scharnieren werd neergelaten. Toen ging het licht uit en vielen we allebei in slaap.

In een droom hoorde ik een klap en zag ik een rode flits, mijn symbool voor een schot. Ik werd bevend wakker. Dit was een waarschuwing. Rory was al vier keer overvallen. Een keer was hij bijna vermoord omdat hij zo weinig geld in kas had. Ik bedacht dat het zwarte gat dat ik in de plattegrond van de zaak had getekend, een kogelgat moest zijn!

De telefoon ging. Nog voor ik opnam wist ik dat het Rory's beveiligingsdienst was. 'Met ADT Alarm,' zei een man. 'Het alarm in uw winkel is drie minuten geleden afgegaan.' Ik vond het vreselijk om Rory te moeten wekken, maar niemand mocht een apotheek binnengaan zonder een apotheker met vergunning.

Ik pakte Rory bij zijn schouder en vertelde het hem. Hij trok kreunend zijn broek en shirt aan.

Ik pakte hem bij zijn arm. 'Ga er niet alleen op af,' zei ik. 'Bel de politie.'

Hij trok zich los. 'De politie rekent een boete voor meer dan drie keer vals alarm per jaar, en ik heb er dit jaar al drie gehad. Daarom laat ik de beveiligingsdienst rechtstreeks naar mij bellen als de zaak gesloten is. Bovendien duurt het twee keer zo lang als ik op de politie moet wachten.'

'Alsjeblieft,' zei ik, 'ik weet zeker dat er iemand binnen is. Ik zie beweging.' Ik klampte me aan zijn arm vast. 'Beloof het me, anders laat ik je niet los.'

'Goed dan,' zei hij toen hij vertrok.

Terug onder de dekens gekropen, bleef ik liggen draaien. Ik probeerde te zien wat er aan de hand was, maar ik deed te hard mijn best en kreeg niets door. Ik stond op en begon door het huis te ijsberen. Ik hing de schilderijtjes aan de muur recht en ruimde de rommel op de salontafel op. Er lagen drie veldgidsen voor vogelobservatie waar Rory al jaren niets mee had gedaan. In zijn stoel lag een verfrommelde plaatselijke *Pennysaver*. Ik zag dat hij een advertentie had omcirkeld van de tennisvereniging. Hij had ook al geen tijd meer om te tennissen, en bovendien had hij een tenniselleboog . Als hij nou eens geen tijd meer kreeg om de dingen te doen die hij steeds maar uitstelde? Het was allemaal zo triest. Ik liet zijn spullen liggen waar ze lagen en ging terug naar bed, waar ik naar het plafond staarde en bleef wensen dat hij veilig thuis zou komen.

Anderhalf uur later hoorde ik Rory's auto. Nog voor ik hem

zag, voelde ik een hete golf. Ik wist dat hij woedend was en ging rechtop in bed zitten. Hij kwam met bloeddoorlopen ogen naar boven.

'Nou, in plaats van zelf te gaan kijken, heb ik de politie gebeld, zoals jij wilde,' zei hij luid. 'Ze gingen met getrokken wapens de zaak binnen en wat vonden ze? Een muis die de alarmkabel had doorgeknaagd. Ze gaven me een boete van vijfhonderd dollar en vroegen of ik wilde dat ze de muis arresteerden.'

Ik voelde me beroerd en sloeg mijn armen stevig om mijn nachthemd heen. Mijn 'kogelgat' was een muizenholletje geweest.

'Het is al zo laat,' zei Rory, 'dat ik net zo goed daar had kunnen blijven in plaats van naar huis te rijden. Miriam, je bent een goede helderziende, maar je kunt niets voor mijn zaak doen. Zie het maar als de scheiding van Kerk en Staat. Zie het als mijn constitutionele recht in dit huwelijk om niet door jou in de gaten te worden gehouden bij Mirror.'

'Ja, ik begrijp het,' kon ik met moeite uitbrengen.

Rory kroop in bed, met zijn rug naar me toe. Ik kon zien hoe kwaad hij was, en erger nog, ik kon het voelen, als koude golven die tegen de kade klotsten. Ik trok de dekens over mijn hoofd in een poging me voor mezelf te verbergen.

Hij was al weg toen ik wakker werd. Ik voelde het huis om me heen bewegen, als een levend wezen. Ik probeerde me op Rory te richten, maar kon me niet concentreren. Is hij nog steeds boos op me? Wat is hij nu aan het doen? Uiteindelijk belde ik hem op, maar hij had het druk. 'Ik bel je straks wel,' zei hij. 'O, en breng de auto even weg voor een controlebeurt. Ik ben om tien uur thuis. Pas goed op jezelf.'

Ik hing op. Hij had niet gezegd dat hij van me hield.

De hele middag klunsde ik door mijn sessies heen. Toen ik een stuk pastei ging opwarmen, zag ik mijn vaders bruine vilthoed weerspiegeld in het raampje van de magnetron. Ik wilde me naar hem omdraaien, maar bleef heel stil staan, zodat ik geen moment van zijn aanwezigheid zou verspillen.

'Zeg tegen mijn kleindochter dat ik haar een prins zal sturen als ze die *oiswurf* laat schieten.'

'Dank je, papa,' zei ik, maar hij was al weg.

Mijn hart klopte in mijn keel. Kim mocht dan goedvinden dat ik een boodschap van haar grootvader overbracht, maar dat gold niet voor Cara. Het is nog niet zo erg, hield ik mezelf voor. Mijn vader weet in elk geval nog steeds wat er in ons leven speelt.

Cara's schrift dat ze gebruikte voor Frans lag open op de stoel. Mevrouw Bernschwager controleerde de schriften elke woensdag. Vandaag was het woensdag en er was niets op de openliggende bladzijden geschreven, er stonden alleen hartjes met een pijl erdoorheen. Ik dacht aan Lance en de pijl die omlaag wees. Ik sloeg de bladzijde om. 'Ik hou van L', had Cara geschreven. Hoe kon ze haar schrift vergeten? Ze maakte zich altijd te druk om school, had altijd zo hard gestudeerd dat ik er zelfs automatisch ook wat van opgestoken had. Nu was ik al blij als ik íets oppikte, en als dat gebeurde ging het nog over Lance ook. De troost van mijn vaders aanwezigheid had me weer verlaten als de lucht uit een leeglopende ballon.

Cara kwam zo laat thuis dat ze het avondeten misliep. Ik had me erop voorbereid met haar over haar recente onverantwoordelijke gedrag te praten. 'De basketbalcoach hield ons na de training nog heel lang daar,' legde ze met afgewende blik uit.

De gedachte dat ze misschien loog was zo pijnlijk, dat ik verder geen vragen meer kon stellen.

De volgende ochtend had ze een briefje op mijn deur gehangen:

We hebben een basketbalwedstrijd in Manhasset. Daarna ga ik bij Darcy eten. Ben om half acht thuis.

Cara

Ik trok het briefje van de deur en er kwam wat verf met het plakband mee. Ze had geen toestemming gevraagd om bij Darcy te blijven eten en ze had niet eens 'Beste mam' of 'Liefs, Cara' geschreven. Dit is net zo erg als dat Rory niet 'Ik hou van je' tegen me zegt door de telefoon. Ik wist dat ik overgevoelig reageerde, maar dat waren onze rituelen.

In de badkamer spatte ik koud water in mijn gezicht alsof ik door de schok weer kalm zou kunnen worden. Beter, dacht ik. Mijn moeder zei altijd: 'Als je glimlacht lijkt de wereld een stuk lichter, ook al heb je geen zin om te glimlachen.' Ik glimlachte naar mezelf in de spiegel, maar het enige wat ik zag was dat het medicijnkastje loskwam van de muur. Alles in ons huis stond op instorten.

Werken, dacht ik. Ik kan werken. Ik deed vier sessies: een vrouw die wilde weten waarom haar man erop stond dat hun Ierse setter tussen hen in sliep; een man die wilde dat ik de jurk beschreef die zijn zus zou dragen naar een feestje, zodat hij dezelfde aan kon trekken; een vrouw van negenentachtig die vroeg of ze in haar volgende leven met Mel Gibson zou slapen; en een meisje van Cara's leeftijd dat wilde weten of ze lang genoeg met haar vriendje samen zou blijven om het de moeite waard te maken om zijn naam op haar rechterbil te laten tatoeeren. Ik was te gedeprimeerd om eten klaar te maken. In plaats daarvan reed ik naar Gino's om een pizza te halen. Toen ik met de doos naar buiten kwam en naar de parkeerplaats liep, zag ik Cara's basketbalcoach, meneer Cuddy. Ik wist dat hij misschien nog steeds boos was omdat ik het spel had onderbroken, maar ik kon hem toch mijn excuses aanbieden, of niet soms? Dan kon hij me daarna vertellen hoe goed Cara was geworden. Ik voelde mijn trots al groeien. Ik zette de pizzadoos op het dak van mijn auto. 'Coach,' riep ik. Hij kwam naar me toe, zijn haar met gel achterovergestreken, zijn handen in zijn broekzakken, het zilveren fluitje heen en weer zwaaiend aan het kettinkje om zijn hals. 'Het spijt me dat ik die eerste wedstrijd onderbroken heb.'

'En het spijt mij dat Cara uit het team gestapt is,' zei hij.

Ik knipperde met mijn ogen. 'Wat?'

'Ze is gestopt.'

'Ik dacht dat ze nu aan het spelen was,' zei ik tegen hem.

'Ze is twee weken geleden gestopt.'

Ik voelde mezelf verstarren.

'Gaat het wel?' vroeg meneer Cuddy.

'Migraine,' zei ik verontschuldigend, mijn hoofd afwendend alsof hij mijn schaamte van mijn gezicht zou kunnen lezen. Ik haastte me om in de auto te stappen en leek niet meer kalm te kunnen worden. Cara was niet aan huis gebonden zoals ik was geweest door mijn vaders strikte avondklok. Ik praatte niet tegen haar zoals mijn moeder tegen mij had gepraat. Mijn moeder wuifde mijn excuses altijd weg met een snelle beweging van haar pols en zei dan: 'Ik ken het verhaal al van begin tot eind.' Alsof zij degene was die helderziend was. Moet Cara tegen mij liegen om haar eigen identiteit te vinden? Probeerde ze Rory's aandacht te trekken? Of had ze een geheim leven? Ik bedacht dat ik haar altijd had verteld dat mijn gave 'ons geheimpje' was. Kwam mijn eigen patroon van geheimzinnigheid zich op me wreken?

De coach stond nog steeds naar me te kijken. Ik voelde zijn ogen op me gericht toen ik het sleuteltje omdraaide in het contact, en toen ik langzaam langs hem reed. Ik kneep in het stuur, maar mijn handen bleven trillen. Zelfs toen ik thuiskwam, kon ik niets anders doen dan met mijn ogen dicht in de woonkamer gaan zitten en wachten.

Het werd halfacht en later en Cara was er niet. Ik ging verzitten op de bank, met een kussentje in mijn onderrug, en deed mijn ogen dicht. Ik zag Lance, zijn kaalgeschoren hoofd, zijn gebleekte knotje, de pijl die naar beneden wees. Hij stond in een kamer. Er kwamen steeds meer details door: een black light, een grote poster met TUPAC LIVES, flessen drank, waarschijnlijk uit de voorraad van zijn moeder, en een tweepersoonsmatras op de grond. Toen zag ik mijn dochter daar staan met haar lange benen, haar ogen die de kamer rond vlogen en zich toen weer op hem richtten als een kleine kever die gevangenzit in een web. Hij begon haar bloesje open te knopen.

'Ik... ik denk niet dat ik hier klaar voor ben,' zei Cara.

'Cara mia, ik zorg wel dat je er klaar voor bent,' zei hij.

Ik sprong op en sperde mijn ogen open. Dit kan niet waar zijn, hield ik mezelf voor. Het is slechts een projectie van mijn angsten.

Om halfnegen belde ik naar Darcy in de hoop dat Cara daar zou zijn. Ik was blij dat zij opnam in plaats van Barbara. 'Cara is nog niet thuis, en ik dacht dat ze misschien bij jou zou zijn,' zei ik. 'Is ze daar?'

Darcy aarzelde en fluisterde toen: 'Maakt u zich geen zorgen, mevrouw Kaminsky. Cara is net weg. Ze zal zo wel thuis zijn.'

Ik hoorde geschuifel en gedempte stemmen, alsof Darcy haar hand over de hoorn hield, maar ik hoorde haar tegen haar moeder zeggen: 'Maar Cara vermoordt me. Ik heb beloofd dat ik zou zeggen dat ze hier was.'

Plotseling had ik Barbara aan de lijn. 'Hoor eens, Miriam...'

'Nee, nee,' riep Darcy op de achtergrond.

'Hou je mond, Darcy,' zei Barbara. 'We kunnen voor de rechtbank gesleept worden als we een minderjarige een alibi geven.' Daarna tegen mij: 'Sorry, Miriam, Cara is hier de hele dag niet geweest en ik heb geen idee waar ze is. Zal ik wat voor je rondbellen?' vroeg Barbara, de nieuwsgierigheid duidelijk hoorbaar in haar stem.

'Nee, dank je,' zei ik opgewekt. 'Ik geloof dat ik Cara al hoor.'

Ik hing op en begon woedend door het huis te lopen. Nog meer leugens. Cara had tegen me gelogen. Gelogen! Het woord sneed me door de ziel.

Tien minuten later draaide de sleutel om in het slot van de voordeur. Het was Cara. Haar haren zaten in de war, en haar lippen waren gezwollen van waarschijnlijk urenlang zoenen.

Ik kon me niet inhouden. 'Cara, ik weet dat je niet naar een basketbalwedstrijd was, omdat je uit het team bent gestapt, en ik weet ook dat je niet bij Darcy was. Hou op met liegen. Waar was je?'

'Wat is dit?' vroeg ze. 'De inquisitie?'

Ik staarde haar aan tot ze haar ogen neersloeg. 'Ik bied je de kans om schoon schip te maken.'

'Ik was bij Lance,' zei ze zacht.

'Wat deed je daar?"

'Naar cd's luisteren.'

'Wie was er nog meer?'

'Zijn moeder.'

Zijn moeder het dronken lor, dacht ik. 'Maar je had gezegd dat je naar basketbal ging en daarna naar Darcy.'

'Alles is in orde. Ik kan wel voor mezelf zorgen.'

'Je hebt gelogen,' zei ik.

'Jij liegt ook!' snauwde ze. 'Tegen je stomme klanten.'

'Misschien geloof je niet in mijn werk, maar hoezo lieg ik tegen jou?' vroeg ik geschokt.

'Je doet alsof het allemaal echt is,' zei ze giftig. 'Al die abracadabra. Alsof je echt weet wat er gaat gebeuren!'

'Ik weet dat jij en die jongen problemen zoeken!'

'Nou, ik ken mijn toekomst ook. Beter dan jij! En ik weet dat Lance mijn toekomst is!' Ze draaide zich om en stormde naar boven. Ik hoorde haar slaapkamerdeur dichtslaan.

Tegen de tijd dat ik Rory's wielen op het grind van de oprit hoorde, wist ik dat hij al ergens kwaad over was. De lamp van de gang scheen op de plastic zak die hij vasthield. Hij gaf me de tas met apothekersjassen die gewassen moesten worden.

Ik vertelde hem in één adem over Cara.

'Die nozem op zijn motor!' zei Rory. 'Een paar minuten geleden reed hij naast me over Lakeville en schoot toen ineens zonder richting aan te geven voor me langs naar Northern. Ik eindigde bijna tegen de vangrail!' Ik zag een ader kloppen op zijn slaap. 'Ik riep uit het raam naar die gozer: "Hé, maat, kijk waar je rijdt!" Hij stak zijn middelvinger naar me op. Is dat de jongen die Cara leuk vindt?'

'Ja,' zei ik. 'Lance Stark.'

'Die klootzak,' mompelde hij. Haar muziek stond zo hard dat we die beneden konden horen. 'Ik ben te zeer van streek om nu met haar te praten,' zei Rory, en hij ging met zijn hoofd in zijn handen op de bank zitten. 'Die jongen is nog maar het topje van de ijsberg. Medicaid heeft zijn formulieren veranderd en ik heb nieuwe software nodig om ze te verwerken. En die nieuwe software is niet compatible met mijn hardware. Ik moet een hele nieuwe computer aanschaffen. En dan hebben we het niet over een kleine pc. Het systeem dat ik nodig heb kost zo'n dertigduizend dollar. Medicaid is genadeloos. Ik zal weer een lening moeten aanvragen.'

Ik zag waar hij aan dacht: een bericht van executieverkoop van ons huis, Cara en ik die op de stoep stonden naast zwerfkatten die op onze bank en stoelen lagen.

Hij liet zijn handen zakken, rechtte zijn rug en hees zich overeind. 'Ik ga wel met haar praten,' zei hij.

Ik hoorde hem op haar deur kloppen. 'Cara, ik ben het, pap. Doe de deur open.'

Ik hield mezelf bezig zodat ik niet kon meeluisteren. Maar terwijl ik de dode bladeren uit de plant op de vensterbank plukte, zag ik Cara en Rory voor me. Ik wist dat Cara op het bed en Rory in de schommelstoel zat. Hij leunde voorover, met zijn ellebogen op zijn knieën. Hij zag er beheerst uit. Ik knipperde het beeld weg. Ik wilde me er niet mee bemoeien, zelfs niet via mijn gave. Ik moest in mijn hoofd het volkslied zingen om hun gesprek niet te verstaan. Toen ik halverwege het eerste couplet was, gilde Cara: 'Ik haat mijn leven! Zo kan ik niet leven!' Toen ik naar de trap holde, kwam Rory net naar beneden.

'Rustig maar,' zei hij. 'Het helpt niet als jij ook hysterisch wordt. Ze blaast gewoon stoom af. Ze vond het niet leuk dat ik zei dat ze Lance niet meer mag zien en dat je haar elke dag van school haalt tot we haar weer kunnen vertrouwen. Ben je het daar trouwens mee eens?'

'Ik kan hier niet meer tegen!' riep Cara.

'Ze moet het er gewoon even uit gooien,' zei Rory.

In gedachten zag ik drie letters: SOS. 'Ik maak me zorgen om haar, Rory.'

'Het komt wel goed met haar,' zei hij, zijn armen om me

heen slaand. Ik knipperde het SOS weg en leunde tegen hem aan, voelde zijn kracht. Toch wist ik dat wat voor straf Rory en ik ook uitdeelden, hoe ik haar ook in de gaten hield, Cara en Lance toch een manier zouden vinden om elkaar stiekem te ontmoeten.

Toen ik de volgende ochtend wakker werd, rook ik vochtigheid, en ik volgde de geur naar beneden. Er lekte nu water langs de muur in de kamer. Ik kon de reparatie niet langer uitstellen. Ik belde diverse dakdekkers voor een offerte en gaf ze het nummer van de apotheek. Als ze te duur waren, zou Rory zijn veto erover uitspreken, maar dan hoefde ik in elk geval niet met ze in discussie over de prijs.

Die middag reed ik langzaam over de verkeersdrempels de lange weg naar Cara's school. Er stonden veel bomen langs de route: beuken en dennen, met hier en daar kudzu ertussen. Boven het speelveld vlogen Canadese ganzen. De atletiekcoach rende langs de weg, zijn team als jonge ganzen achter hem aan.

Cara stond op het parkeerterrein te wachten en keek naar alle andere ouderejaars die naar de parkeerplaats voor de leerlingen liepen, ofwel om met hun eigen auto naar huis te rijden, ofwel om met iemand mee te rijden, als ze nog geen zeventien waren. Zo gauw ze mijn Honda zag, dook ze in elkaar en trok ze haar fleece jack over haar hoofd, zoals criminelen doen wanneer ze worden achtervolgd door verslaggevers. Ze deed het portier open, gooide haar rugzak in de auto en stapte toen zelf in, haar gezicht nog steeds van me afgewend. Ze was woedend omdat ze als een klein kind van school werd opgehaald. Ik hoorde haar denken: dit is Amerika. Mijn ouders kunnen me niet vertellen met wie ik wel of niet mag omgaan.

'Hallo,' zei ik.

'Hoi,' zei ze koeltjes, haar kaken op elkaar geklemd.

'Je hoeft het niet leuk te vinden,' zei ik, 'maar je vader en ik willen niet dat je van alles stiekem doet.'

Ze haalde haar schouders op. 'Bedoel je dat het wel had gemogen als ik jullie had verteld dat ik naar Lance ging?'

'Natuurlijk niet,' zei ik, maar verder hield ik mijn mond. Ik mocht mijn geduld niet verliezen. Ik moest rustig blijven om haar te beschermen tegen Lance, tegen zichzelf. Helderziend of niet, wat dit betreft was ik precies als iedere andere moeder. In Cara's ogen was ik passé, aan huis gebonden en onwerelds. Hoe kon ik, haar moeder, nou weten wat ware liefde was? Hoe kon ik haar tegenhouden voor ze gekwetst werd? Ik kon wel huilen, maar hield me in. 'Cara, beloof me in elk geval dat je niet op die motor kruipt. Dat ding is levensgevaarlijk.'

'Ja, hoor,' zei ze. 'Dat beloof ik.'

Ik wist niet hoe lang ze die belofte zou kunnen houden. En alsof dat nog niet erg genoeg was, zag ik toen ik de huiskamer binnenkwam dat het plafond drupte. 'Bubbie, begrijp je nu waarom ik geld nodig heb?' riep ik geërgerd uit. Ik dacht niet dat ze er was. Ik rook geen lavendel.

'Verwacht je nu dat ik medelijden met je heb?' vroeg ze.

Ik schrok op. De schimmel moest haar lavendel hebben verdrongen. Ik draaide me om naar waar haar stem vandaan was gekomen. Daar stond ze, bij de salontafel, bevallig haar rok tot boven haar enkels omhooghoudend voor het geval het water zou stijgen.

'Dit *wasser* is niets,' zei Bubbie. 'De overstromingen die je vader in zijn slagerij had waren zo erg dat hij lieslaarzen moest aantrekken. Hij verdeelde de blikken waar de etiketten van afgeweekt waren tussen je moeder en mij. Wekenlang wisten we niet of we blikken bruine bonen of perziken openmaakten.'

'Dat weet ik nog,' zei ik.

'En in Berdytsjiv moest ik door een bitter koude rivier waden met de honden van de kozakken achter me aan. Nesjommele, je moet dapper zijn. Er is altijd wel een reden om iets verkeerds te doen. Ook al is het moeilijk, je moet doen wat juist is. Je moet eerst een genezeres zijn en je niet druk maken om het geld, wat er ook gebeurt.'

'Ik zal het proberen,' zei ik. 'Bubbie, wat ik echt moet weten is hoe ik Cara weg kan houden bij Lance.'

Maar Bubbie had genoeg van onze aardse lucht. Ze maakte

zwembewegingen en zweefde naar boven. 'Een beetje salpeter in haar eten,' zei Bubbie, en ze verdween.

Ik lachte en zuchtte toen. Ik wist dat ze een grapje maakte, maar Bubbie kende een hoop middeltjes tegen zware verliefdheid, die ze me nooit had kunnen leren. En die had ik nu nodig. Ik legde de schuld bij mijn moeder en voelde een verse golf verontwaardiging bovenkomen. Mijn moeder had altijd alleen maar geprobeerd mijn gave uit te roeien. Ik herinnerde me de nachten dat ze koud water in mijn gezicht goot omdat ik praatte in mijn slaap. Ze wreef met een zacht potlood over mijn kladblok en las dan de afdruk van wat ik had geschreven om me te bespioneren. Ze stoomde brieven open die ik aan een penvriendin in Engeland schreef. Als ik een boek zat te lezen, zwaaide ze met haar handen tussen mijn ogen en de bladzijde om te controleren of ik wel echt aan het lezen was. Elke keer als het er maar op leek dat ik zat te dagdromen, gaf ze me een duwtje.

Als mijn vader zich er niet mee had bemoeid, had ik Bubbie waarschijnlijk nooit meer mogen zien. 'Je kunt een kind niet weghouden van haar bubbe,' had ik hem op een avond in hun slaapkamer horen zeggen. 'Er zou een wet moeten zijn die dat verbiedt.'

'O, dus nu ben ik met een advocaat getrouwd,' had mijn moeder gezegd. 'Nou, er zou ook een wet moeten zijn die verbiedt dat je moeder het hoofd van onze dochter vult met troep die haar in problemen zal brengen.'

'Dorothy,' beet mijn vader haar daarop toe, 'als je Putchkie morgenochtend niet naar mijn moeder brengt, doe ik het zelf. Mama heeft al zoveel verloren, ze kan Putchkie niet ook nog kwijtraken.'

Dat stemde mijn moeder milder. 'Goed dan,' zei ze. 'Maar ik blijf bij Miriam, en zeg jij maar tegen je moeder dat ik geen woord over haar *bubbe meises* wil horen, anders zijn we meteen weg.'

Daarna mocht ik nooit meer alleen naar Bubbie. Met mijn moeder erbij konden we alleen maar over recepten en avocado's praten. Een keer, toen mijn moeder even naar het toilet was, wees ik naar de muis van mijn duim, waarvan Bubbie had gezegd dat die voor de liefde stond. Ik wilde dat Bubbie wist wat ik voor haar voelde, dat ik me alles herinnerde wat ze me had geleerd en dat ik meer wilde leren.

Plink, plink. Het water drupte net zo snel in de pannen als de tranen van mijn gezicht stroomden. Ik kon het geluid niet meer verdragen. Ik liep naar mijn kamer, deed de deur dicht, ging in de leunstoel in de hoek zitten en legde mijn benen op de voetsteun. Ik liet mijn hoofd achteroverzakken en was bijna in slaap gevallen, toen ik Cara met haar prachtige sopraan hoorde zingen over iemand die haar zintuigen streelde als een berg in de lente of een wandeling in de regen. Ik wenste maar dat ze naar iemand zou verlangen die dat liedje waard was.

Ik dacht aan wat mijn familie gedaan zou hebben als ze ooit hadden ontdekt dat ik met een jongen als Lance omging. 'Lance in de Broek,' zou mijn moeder hem genoemd hebben, en ik zou gebrand hebben van schaamte. Mijn vader zou zo gekweld hebben gekeken – zijn onderlip naar voren gestoken terwijl hij knarsetandde – dat ik hem dat nooit zou hebben aangedaan, hoe verliefd ik ook was. Bovendien zou zelfs maar het idee dat ik de geest van mijn bubbe zou teleurstellen, elk vuur hebben geblust dat ik voor een foute jongen had gevoeld. Hoe het ook zij, ik had niet de scherpe tong van mijn moeder, en hoewel Rory vreselijk leed, was dat niet voldoende om Cara tot een dergelijke gehoorzaamheid te inspireren.

Die avond, terwijl ik helemaal alleen de pannen water leeggoot in de spoelbak in de keuken, daarbij water over het aanrecht en mijn schoenen spattend, probeerde ik de juiste woorden te vinden om Cara ervan te overtuigen dat ze niet met Lance moest omgaan. Ik vond echter alleen de woorden waarvan ik zeker wist dat ze haar nog meer op de kast zouden jagen. 'Hij is je niet waard. Ik zie hem met een ander meisje op zijn motor,' zou ik zeggen. Ik droogde een zware emaillen pan af en zette hem in de kast. 'Hij gebruikt je, zoals hij die anderen heeft gebruikt. Straks ben je zwanger of ziek of allebei.' Cara's muziek drong weer tot me door. Ik was nu toch te uitgeput om met haar te praten. Morgenochtend, hield ik mezelf voor. Alles zag er 's morgens altijd beter uit.

Maar de volgende morgen was ik laat. De wekker was niet afgegaan en tegen de tijd dat ik wakker werd, stond Cara al op het punt om te vertrekken. 'Nog maar tien maanden en dan ga je studeren,' zei ik opgewekt. Ik wilde haar eraan herinneren dat ze een toekomst had, zodat ze die niet zou vergooien aan Lance.

'Nou en?' zei ze.

Ik stond stil. 'Weet je niet meer dat je zei dat je naar een goede universiteit wilde, zodat je erachter kon komen wat je met je leven wilde doen?'

Ze haalde haar schouders op. Ik hoorde haar denken: wat ik wil is samen zijn met Lance.

Tot Lance was de universiteit het allerbelangrijkste voor haar geweest. Hoe kon ze zo snel veranderd zijn?

Ze stapte naar buiten en toen weer naar binnen. 'Hé, waarom staat papa's auto er nog?' vroeg ze.

Hij was naar de bank om weer een lening aan te vragen. Het verkeer en het parkeren waren zo'n ramp dat hij er te voet sneller was. 'Hij moest boodschappen doen,' zei ik.

'O,' zei ze, 'ik moet rennen.' En weg was ze.

In mijn werkkamer ging ik in mijn rieten stoel zitten en stelde me een kalenderblad voor september voor. In de dertig genummerde vakjes zocht ik naar aanwijzingen voor haar vertrek naar de universiteit: koffers of Cara die zich installeerde in haar nieuwe kamer in het studentenhuis. De kalendervakjes bleven leeg. Cara zal echt haar universitaire opleiding niet laten schieten voor Lance, zo verzekerde ik mezelf. Ik herinnerde me echter mijn cliënte Colette Menkoff, die vertelde dat haar zoon Marcus, natuurkundestudent, zo verliefd werd op een caissière van een fastfoodketen dat hij net als zij bij de Hare Krishna ging. Colette had gesnikt: 'Marcus noemt zichzelf nu Daubs Dilip. Wat is dat nou voor naam voor een joodse jongen?' Edwina Jackson had drie banen tegelijk gehad om haar dochter Luelle naar een meisjeskostschool in Vermont te kunnen sturen in plaats van naar het Evander in de Bronx, maar op de een of andere manier raakte Luelle bezeten van een kerel die op de vlucht was wegens een gewapende overval. Toen hij weer gearresteerd werd, trouwde Luelle toch met hem. 'Ja, ik wil,' zei ze, haar lippen tegen het glazen scherm gedrukt dat hen van elkaar scheidde.

Ik hoorde Rory op de trap. 'Ben je bezig?' riep hij.

'Nee,' zei ik, en ik opende mijn ogen toen hij de kamer binnenkwam. Even keek ik hem verbaasd aan. Zijn haar was geknipt en hij had zijn bril afgezet. Hij droeg zijn marineblauwe pak met een gestreepte zijden stropdas, bijpassend zakdoekje, zijn diamanten dasspeld en gouden manchetknopen. Ik was niet gewend hem in een pak te zien, behalve op heilige dagen. Zijn pupillen waren verwijd. Ik kon zien dat hij naar me verlangde, op een bijna wanhopige manier. Hij was net naar de bank geweest voor weer een lening. Ik voelde me ook wanhopig. Ik stond op en hij duwde me tegen de muur en begon me begerig te zoenen. Zijn ademhaling leek wel een opgevoerde motor. We lieten elkaar los om ons uit te kleden. Mijn kleren gleden gemakkelijk van me af, maar ik moest hem helpen met zijn manchetknopen, dasspeld en het strakke knoopje van zijn kraag. We rolden naakt over de vloer. Toen Rory bij me binnendrong kreeg ik een flits door van Fred in een wedkantoor. 'Twintig op Biscuit,' zei Fred. Ik probeerde Fred buiten te sluiten en me op de tamtam van mijn genot te concentreren. Ik beet in Rory's schouder en sloot mijn ogen, maar daar was Fred weer. Ik ademde heel diep in, alsof ik de opwinding kon inademen, waardoor er geen ruimte overbleef voor Fred. En toen dacht ik plotseling niet meer aan Fred. Ik ging mee met Rory's bewegingen. Nat van het zweet, stootte hij toe. Mijn dijbenen trilden van opwinding, maar plotseling werd ik weer afgeleid door iets. En toen ging Rory's mobieltje. Hij kreunde.

'Laat hem liggen,' smeekte ik, maar hij stak er toch zijn hand naar uit.

Ik lag op de vloer, mijn arm over mijn ogen geslagen. Ik hoorde Rory naar mijn bureau lopen en met mijn telefoon bellen. 'Wat?' brulde hij. 'Weggesleept? Fred, Fred, kalm aan. Wacht. Ik kom eraan.' Rory hing hoofdschuddend op. 'De bestelwagen is weggesleept.'

'Scheiding van Kerk en Staat of niet,' zei ik, 'ik moet je vertellen dat ik een visioen heb gehad over Fred, zo helder als glas. Hij is gestopt bij een wedkantoor en heeft waarschijnlijk bij een brandkraan geparkeerd. Geloof me,' zei ik. 'Ik kan je zelfs de naam vertellen van het paard waarop hij heeft gewed.'

'Ik wil het niet horen,' zei Rory terwijl hij in zijn broek sprong. 'Is het net zoiets als de gewapende overvaller die een muis bleek te zijn?'

'En hoe zit het dan met al het goede werk dat ik voor mijn cliënten doe?' zei ik. 'En die keer dat ik wist dat je een niersteen had?'

Maar Rory was al op weg naar buiten.

12

Rory kwam vroeg thuis om met Cara en mij uit eten te gaan, om haar aandacht af te leiden van Lance. Het was een aardig gebaar, maar ik was nog steeds kwaad op hem omdat hij niet geloofde wat ik over Fred had gezegd. 'Ik ben vandaag naar het wedkantoor gegaan om te verifiëren wat ik je had verteld,' zei ik tegen Rory. 'Tea Biscuit is eerste geworden, met negen tegen een. Fred moet een fikse winst hebben gehad. Misschien kun je hem beter weddenschappen voor je laten plaatsen dan in de apotheek laten helpen.'

'Hou je nou op?' zei Rory.

'Nee, dat doe ik niet. Gaan jij en Cara maar zonder mij uit eten.'

Toen Cara beneden kwam, zei Rory: 'Ga je mee naar Millie's?' Millie's was een chic restaurant aan Middle Neck Road.

'Natuurlijk,' zei ze. 'Wie slaat een etentje bij Millie's af?' Ze trok aan de voorkant van het versleten sweatshirt dat ze thuis vaak droeg. 'Ik kan me beter gaan omkleden,' zei ze.

Rory trok zijn apothekersjas uit en deed een verbleekte spijkerbroek en een denim shirt aan alsof hij van Lances leeftijd was. Ik zag een geborduurd blauwe paardje boven het borstzakje en dat verbaasde me, omdat Rory nooit iets om designerkleding had gegeven. Ik zou hem wel gevraagd hebben waarom hij geld uitgaf aan een shirt van Ralph Lauren terwijl we er zo slecht voorstonden, maar het paardje herinnerde me weer aan Tea Biscuit en aan Fred in het wedkantoor.

Cara kwam naar beneden in de perzikkleurige sweater die ik voor haar had gekocht en waar ze volgens eigen zeggen niet eens in begraven wilde worden, en een nette rok. 'Klaar,' zei ze.

Rory stak haar galant zijn arm toe en ze pakte die vast en drukte een kus op zijn wang. 'Pappie,' zei ze, zoals ze als klein meisje had gedaan. Toen keek ze naar mij. Ik droeg nog steeds mijn yogapak en was blootsvoets. 'Mam, ga je niet mee?'

Ik had mijn kaken op elkaar geklemd en mijn slapen klopten, maar ik dwong mezelf tot een glimlach. 'Nee,' zei ik. Meer kon ik niet zeggen, anders zou ze beslist de boosheid in mijn stem horen doorklinken.

Met tot spleetjes geknepen ogen keek ze naar mij en toen naar Rory.

'Ga je mee?' vroeg hij, mijn blik ontwijkend.

'Oké,' zei ze uiteindelijk, en volgde hem naar buiten.

Ik liep naar het raam. Toen ik hen samen zag weglopen, moest ik denken aan de keren dat mijn vader me in mijn tienertijd op zondag meenam om te gaan lunchen bij Central Deli. Zelfs al moesten we een uur wachten, we hadden het ervoor over om maar aan ons favoriete hoektafeltje te kunnen zitten. 'Je moeder,' zei hij vaak, 'die denkt dat ik eeuwig zal leven als ze me alleen maar sla voert,' en dan nam hij een grote hap van zijn vette pastramisandwich, boog voorover en vroeg me: 'En, hoe gaat het met jou?'

Als ik hem over mijn laatste ruzie met mam vertelde, over de meisjes uit Belle Harbor die me 'lijpo' noemden, en over mijn leraar voor driehoeksmeting, meneer Siddeons, die tegen me tekeerging omdat ik naar het plafond keek als ik een vraag moest beantwoorden, nam mijn vaders vriendelijke glimlach alle pijn weg.

Het was heel wat anders dan lunchen met mijn moeder. Zo nu en dan trok ze haar strakke zijden jurk met oerwoudprint aan, zette een hoed met veren op en nam me mee naar Le Bonheur in Hewlett. Ze bestelde voor ons allebei een salade Niçoise en voor haarzelf een glas sherry. Haar groene ogen sprankelden wanneer ze naar me keek, alsof ze even vergeten was dat ze mijn gave probeerde te onderdrukken en alleen maar wilde genieten van het feit dat ze een dochter had. Na de koffie stak ze een Gauloise op en vertelde verhalen over toen ze pas in New York was en als manicure werkte. 'Mijn baas vertelde me dat ze op zijn kappersschool oefenden op dronkaards uit de Bowery,' zei ze een keer, terwijl ze de rook langzaam liet ontsnappen. 'Een kerel bij de deur controleerde hen op hoofdluis voordat ze binnen werden gelaten. Als de dronkaards in de stoel zaten en je even je hoofd omdraaide, dronken ze de haartonic op. Dat was voor negentig procent alcohol,' voegde ze er lachend aan toe. Terwijl ze haar sigaret uitdrukte, bekende ze: 'Je vader denkt dat ik eeuwig zal leven als ik niet rook.'

Ik wilde dat mijn moeder niet had gerookt en dat mijn vader niet zo vet had gegeten. Mijn tranen wegknipperend, ging ik naar het souterrain om de wasmachine aan te zetten. Rory en Cara lieten heel vaak pennen in hun zakken zitten. Ik zag dan de vlekken die de inkt had veroorzaakt, als boodschappen die nooit meer konden worden uitgewist. Daarom legde ik hun broeken en shirts boven op de wasmachine en fouilleerde ze als een politieagent. Er zat een stukje strak opgevouwen papier in de zak van Cara's spijkerbroek. Ik kreeg koude rillingen, een voorgevoel. Ik vouwde het open. Het handschrift deed me denken aan een reeks harpoenen.

Schatje,
Het zit diep tussen ons. Ik ben nog nooit zo gek geweest op een meisje. We zijn met elkaar verwant. Je bent mijn levensadem. Zonder jou zou ik doodgaan. Ik weet nog wat je zei, dat je alles voor me zou doen, overal met me heen zou gaan, alles voor me zou willen zijn. Ik blijf mezelf dat telkens voorhouden en me ervan overtuigen dat het waar is.

Ik hou van je tot in de dood,
Lance

Ik had het gevoel alsof iemand me tegen de muur had gesmakt. 'Ik blijf mezelf dat telkens voorhouden', had hij geschreven. Waarom? Het was warm en benauwd in het washok, maar ik wreef over mijn armen alsof ik het ijskoud had. 'Zonder jou zou ik doodgaan.' Ik schudde het van me af als een boze droom. Kinderpraat, meer was het niet. Flirten met de dood als Romeo en Julia zonder echt te weten wat het betekende. 'Ik haat mijn leven!' had Cara geschreeuwd. 'Ik kan er niet meer tegen!'

Ik knipperde een visioen weg van Julia, dood. Nee, Rory had gelijk, zo hield ik mezelf voor. Ik was melodramatisch. Cara had gewoon een woedeaanval. Wanneer ze dat als kind had, zei Rory altijd heel rustig tegen haar: 'In je hart ben je eigenlijk een heel redelijk meisje', en dan kalmeerde ze altijd meteen. Als ik het haar niet aan haar verstand kon brengen, kon hij dat misschien wel. Hij kon haar stilte in deze storm zijn.

Toen Cara ontdekte dat ze niet over mijn gave beschikte, trok ze naar Rory toe. Ze wilde hem op vrijdag en in de weekenden helpen in Mirror. Hij was dolblij haar erbij te kunnen betrekken, dolblij met haar belangstelling. 'Cara is fantastisch met de nieuwe gecomputeriseerde kassa en weet de handel heel mooi uit te stallen,' had hij me verteld. En zij had eraan toegevoegd: 'Vandaag heb ik lolly's uitgedeeld aan de moeders van zieke kinderen. En ik heb zelfs een mevrouw die moest hoesten verteld welke siroop ze moest kopen.'

'Goed gedaan,' had ik gezegd, en ik vond het echt heerlijk voor haar. 'Toen ik je vader probeerde te helpen bij Mirror, kwam er een vrouw binnen voor ontharingshars, voor de donkere haren op haar bovenlip. Ik heb haar per ongeluk zwarte snorrenverf verkocht. Ze was woedend toen ze terugkwam.' Cara lachte. Dat werd haar favoriete anekdote.

Ze droeg een naamkaartje dat Rory had gemaakt: CARA KAMINSKY, APOTHEKERSASSISTENTE. Elke keer als ik het zag moest ik glimlachen. Het deed me aan Bubbie denken die aanbood me tot haar officiële assistente te maken. Cara was zo trots dat ze het naamkaartje soms naar school droeg. Toen ze bijna twaalf was, begon er een knappe jongen naar de apotheek te komen om pakjes kauwgum te kopen. Ik zag hen verlegen naar elkaar glimlachen. Ik was vaak in de apotheek om Rory op te zoeken en te kijken wat er in de schappen lag. Ik merkte dat als de jongen er niet was, Cara de deur in de gaten bleef houden, hopend dat hij binnen zou komen. Op een keer had hij eindelijk de moed vergaard om te vragen: 'Woon je hier in de buurt?' De lucht om hen heen sprankelde.

'Nee,' zei Cara, met haar lange wimpers knipperend. 'Ik woon...'

Juist op dat moment gooide mevrouw Anderson haar pak maximaandverband met vleugeltjes op de toonbank. 'De menopauze zal een verademing zijn na al dat vloeien,' zei mevrouw Anderson steunend. Cara keek naar het plafond alsof ze wenste dat ze ergens anders was. De jongen trok zich iets terug en wachtte, maar tegen de tijd dat mevrouw Anderson eindelijk wegging, sprankelde de lucht niet langer. De jongen betaalde voor zijn kauwgum en vertrok.

Cara deed haar naamkaartje af en legde het met een klap op de toonbank. 'Dit is niets voor mij,' zei ze.

Rory keek haar aan. 'Schaam je je, schatje? Dat hoeft niet. Het menselijk lichaam is een wonderbaarlijk...'

'Nee, ik schaam me niet,' onderbrak ze hem. Ze keek de winkel rond. 'Ik wil alleen niet de hele dag tussen de vaginale douches en klysma's staan.'

Het werk als Rory's assistente had haar door een moeilijke periode heen geholpen, maar ze ging nooit meer terug naar Mirror.

Ik vroeg me af of Rory haar door deze Lance-fase heen zou kunnen helpen.

Zodra ik Rory's auto hoorde, deed ik de deur open. Hij kwam alleen naar me toe gelopen. 'Wat is er gebeurd?' vroeg ik.

'Op weg naar huis vertelde ik haar dat een jongen als Lance onmogelijk van haar kon houden. Ik bedoelde alleen maar dat hij niet zou beseffen hoe waarlijk fantastisch ze is, hoe bijzonder. Ik vertelde haar dat bij jongens van zijn leeftijd de hormonen door hun lijf gieren. Was dat zo erg?'

Cara dacht waarschijnlijk dat hij haar over de bloemetjes en de bijtjes probeerde te vertellen. 'Nee, ik denk niet dat dat zo erg was.' Ik zuchtte.

'Cara werd steeds bozer. Ze zei dat ik walgelijk was en stapte bij een stoplicht uit de auto.'

'Waar is ze?'

Hij haalde zijn schouders op. 'Ze ging richting het station. Misschien is ze daarheen gegaan om die gozer te bellen vanuit een telefooncel. Of misschien wilde ze een taxi nemen.' Hij liet zijn hoofd hangen. 'Ik heb het verknald.' Hij was uitgeput, verslagen. Hij ging naar boven en kroop meteen in bed. Ik trok zijn Lands' Endjack aan en ging buiten op het trapje op Cara zitten wachten. Iris Gruber stond voor het raam. Ze keek me met tot spleetjes geknepen ogen aan en trok toen het rolgordijn naar beneden. Eindelijk kwam Cara de hoek om gelopen. Zodra ik haar zag naderen, liep ik in haar richting. 'Pap zit toch niet op me te wachten om weer een zwaar gesprek met me te hebben, hè?' vroeg ze. Ze bleef staan, alsof ze niet van plan was nog een stap dichter bij huis te zetten.

'Nee, hij is naar bed gegaan.'

'Goed. Hij is de gênantste man op aarde en hij begrijpt helemaal niets.'

'Hij houdt van je,' zei ik.

'Liefde,' zei ze, en haar ogen stonden plotseling weer dromerig. Ik wist dat ze niet aan de veilige, allesomvattende liefde van haar vader dacht. Ze dacht aan liefde die op een motorfiets reed, liefde die geen helm droeg, liefde die alleen maar naar zijn eigen regels luisterde, en dat maakte me doodsbang.

Binnengekomen wilde ik eigenlijk nog met haar over Lance praten, maar haar aura was gekarteld. Het was duidelijk dat alles wat ik zei tot weer een nieuwe ruzie zou leiden en dat ik deze keer degene zou zijn die 'helemaal niets begreep'.

Boven was Rory op zijn buik, met zijn kleren nog aan en zijn armen wijd uitgestrekt, in slaap gevallen. Ik had plotseling medelijden met hem. Ik maakte zijn schoenen los en trok ze uit en kroop toen naast hem in bed.

De volgende ochtend zag ik vanuit mijn ooghoeken mijn vader bij mijn slaapkamerraam staan. Hij boog zich naar me toe, zijn blauwe ogen heel intens, alsof hij me iets wilde vertellen, maar zijn lippen bewogen niet.

'Papa,' fluisterde ik.

'Mam,' kwam Cara plotseling de kamer binnen, 'ik kan dit zo niet aan.' Ze droeg een witte bloes en panty en hield haar blauwe rok met een loshangende zoom omhoog.

Mijn vader keek me verontrust aan en verdween. Ik sloeg mijn gezicht voor mijn handen.

'Is alles goed met je?' vroeg Cara.

'Je weet nooit hoe lang je hebt met je vader,' waarschuwde ik haar.

Cara liet de rok vallen. 'Is er iets met papa aan de hand?' vroeg ze geschrokken.

'Nee, schatje, ik dacht aan mijn eigen vader.'

Ze legde even haar hand op mijn schouder. 'Het spijt me,' zei ze. Ze aarzelde en raapte toen de rok van de vloer op. 'Ik moet deze aan voor het koor, maar de zoom hangt er voor de helft onderuit. Kun je hem maken?'

Ik zuchtte. Elke keer als ik een zoom maakte, liet die weer los. 'Je oma was de naaister,' zei ik. 'Maar ik? Op de middelbare school moest ik een katoenen servet omzomen en op de een of andere manier heb ik hem aan mijn jurk vastgenaaid.'

Ik dacht aan de oersterke zomen van mijn moeder en de steekjes die zo klein waren dat je ze bijna niet zag.

'Ik kom te laat!' zei Cara, nerveus op haar voeten wippend.

'Trek de rok maar aan,' zei ik tegen haar. 'Ik zal de zoom nu vastzetten met tape en je rok morgen naar de vrouw van de stomerij brengen.'

Nadat ik de zoom had vastgezet en Cara weg was, had ik drie sessies achter elkaar en vroeg ik me af waarom mijn vader aan me was verschenen. Had hij me iets te vertellen?

Ik zag een gloed rechts van mijn bureau. 'Papa,' zei ik blij, denkend dat hij terug was. In plaats daarvan verscheen de conciërge van het gebouw waar Rory en ik eerder hadden gewoond. Hij droeg zijn overall en zijn goedgevulde gereedschapsriem. Zijn mond had de vorm van een O, alsof hij net zo verbaasd was dat hij in mijn werkkamer terecht was gekomen als ik. Hij verdween snel, zoals hij ook altijd had gedaan toen hij nog leefde.

Hij had me altijd ontweken. Het hele jaar dat we in dat gebouw woonden, werkten er drie afvoeren niet en tikten, sisten en lekten de radiatoren. Nu was het echter een troost dat hij mijn werkkamer was binnengekomen. Het hielp me eraan herinneren dat geesten soms alleen maar langskwamen om even gedag te zeggen. Misschien was dat met pap ook zo geweest.

Mijn telefoon ging. Het was Phyllis Kanner. 'Heb je er nog over nagedacht of je een contract bij me gaat tekenen?' vroeg ze.

'Ik ben bang dat het antwoord nee en nee is,' zei ik.

'Nou, ik accepteer nooit nee,' zei ze.

Ik moest glimlachen om haar gotspe.

'Ben je ook een medium?' vroeg ze.

'Ja.'

'Ik wil dat je contact opneemt met mijn oom Jake. Laten we nog een sessie afspreken.'

Hoe kon ik dat weigeren, zolang ze een betalende klant was? Ze maakte een afspraak voor een heel uur.

'We wijden de hele sessie aan mijn oom Jake,' zei ze.

Geesten hielden het niet altijd een hele sessie vol. Ze hielden zelden een monoloog zoals de geest van Hamlets vader. Wat ik hoorde waren eerder korte fragmenten op een hoge toon, als een bekraste 45 toerenplaat van Alvin en de Chipmunks. 'Ik zal het proberen,' zei ik.

Toen ik had opgehangen, herinnerde ik me dat mijn moeder had gezegd: 'Als je met dode mensen praat, zal de dood je komen opzoeken.' Huiverend vroeg ik me af of het toeval was dat zowel mijn ouders als die van Rory dood waren, of dat het kwam doordat ik zoveel tijd met de doden doorbracht. Opeens moest ik aan Rory en Cara denken, en de angst sloeg me om het hart.

Twee dagen later gaf de man van UPS me een lange doos die eruitzag alsof er tien rozen in zouden kunnen zitten. Ik maakte hem op de eettafel open. Er zat een hele dot roze tissuepapier in. Ik trok het opzij en begon te gillen. Het was een kunstarm. Er zat een briefje bij met een briefhoofd: PHYLLIS KANNER, MANAGER VAN NEW-AGETALENT

> *Beste Miriam,*
> *Dit is de arm van oom Jake. Wanneer ik je bel voor mijn volgende sessie, kun je vast beter contact met hem maken als je zijn hand vasthoudt.*
>
> *Met vriendelijke groet,*
> *Phyllis*

Ik kreeg er de kriebels van. Ik legde de arm terug in de doos en stopte die in de kast in mijn werkkamer.

De dag van Phyllis' afspraak was ik zo nerveus dat ik niet kon eten. Ik zette mijn 'ohm-cd' op en zong bijna een uur mee, maar was nog steeds onrustig. Soms waren geesten séanceschuw. Als de geest van oom Jake nou ook niet kwam, wat dan? Een keer had ik geprobeerd contact te leggen met iemands vader, die in de marine had gezeten, en was er een piraat opgedoken. 'Verdwijn, mannen,' zei hij, en hij beval ons allemaal overboord te springen.

Terwijl ik wachtte op het telefoontje van Phyllis, dwong ik mezelf de arm van oom Jake uit de kast te halen. Ik moest mijn ogen dichtdoen om hem te kunnen aanraken. Het plastic was koel. Ik bewoog de elleboog, toen alle vingers. Er kwam niets. Ik pakte de arm op en hield hem tegen mijn voorhoofd, tegen mijn derde oog, maar ik kreeg nog steeds niets door. Ik legde de arm terug in de doos. Ik wist waarom dit gebeurde: ik had zo mijn twijfels over Phyllis en haar motieven. Ze leek niet oprecht in haar behoefte aan een helderziende. Ook al had ik haar verteld dat ik geen agent wilde, ze leek toch te volharden in haar pogingen me binnen te halen.

De telefoon ging. 'Phyllis hier,' zei ze. 'Heeft oom Jake je al iets verteld?'

'Hij houdt zijn lippen stijf op elkaar,' zei ik. 'Waarschijnlijk geloofde hij niet in helderzienden.'

'Je hebt het mis. Hij liet zich altijd de theebladeren lezen. Hij was degene die mijn belangstelling voor het paranormale heeft gewekt.'

Ik voelde dat ik bloosde, maar probeerde te blijven praten. Mijn mond was droog van de spanning. 'Oom Jake had problemen met zijn speekselklieren,' zei ik.

'Daar was niks mis mee. Hij kon een heel roggebrood eten zonder een druppel water.'

Ik wist me bijna geen raad meer. 'Ik zie een oude man,' zei ik. 'Heel schimmig, alsof hij in een zware sneeuwstorm staat.'

'Kijk, nou zit je goed. Mijn oom Jake maakte donzen dekbedden en kussens. De lucht in zijn werkplaats hing altijd vol veertjes. O, dat had ik je niet moeten vertellen,' zei ze.

Ik voelde me bemoedigd en had een pulserend gevoel in het gebied van mijn derde oog, alsof het als een zoomlens naar voren stak. De verenstorm ging liggen en oom Jake stak zijn duim op. 'Bedankt voor de augurken,' zei hij. Ik herhaalde het.

'Ik ben onder de indruk,' zei Phyllis. 'Oom Jake bracht zijn laatste jaren door in Boca Raton. Wanneer ik op bezoek ging, nam ik altijd augurken mee uit Essex Street. Als je me kon vertellen hoe, oom Jake, dan zou ik augurken voor je naar de hemel sturen.'

'Dat hoeft niet,' zei ik. 'Geesten kunnen eten wat ze willen en wanneer ze maar willen zonder zwaarder te worden of andere negatieve gevolgen te ondervinden. Ik kan je niet zeggen hoe vaak ik mijn dode vader een bord verboden *schmaltz* haring heb zien eten zonder dat hij er een maagzuurremmer achteraan moest pakken. Ik denk niet dat geesten hun eten echt proeven, maar de herinnering aan de smaak is net zo lekker.'

'*Sjtoepping*, ook,' zei oom Jake.

Ik herhaalde het voor Phyllis.

'Wat?' zei ze, en ze moest onwillekeurig lachen.

'Geslachtsgemeenschap,' zei ik.

'Ik weet het,' zei ze. 'Oom Jake was een echte vrouwenliefhebber. Hoe ouder hij werd, hoe jonger zijn vrouw. Het schokt me alleen dat hij dat tegen jou zegt.'

'Phyllis,' zei oom Jake, 'je aardt naar mij.' Ik dacht aan onze vorige sessie. Ik dacht aan de oude en verbitterde echtgenoot van Phyllis. 'Ik geloof dat oom Jake me net vertelde dat je in de toekomst net als hij zult zijn.'

'Echt waar?' zei Phyllis lachend. 'Nou, dat doet me plezier.'

Ik zag een cartoon van een als een meiboom versierde penis. 'Er komt een jongere man op je pad,' zei ik.

'Ik heb het gevoel dat ik de loterij heb gewonnen,' zei ze, opnieuw lachend. 'Miriam, ik heb de allerbeste helderzienden zien optreden, maar ik heb nog nooit zoiets gehoord als wat jij me vertelt. Je moet me toestaan je te vertegenwoordigen.'

Ik dacht aan alles wat ik had gedaan om mijn paranormale gaven stil te houden. Ik was via de telefoon gaan werken in plaats van persoonlijk, ik was bij bekenden weggebleven opdat ze mijn gave niet zouden ontdekken en ik had Cara meegetrokken in mijn geheimzinnigheid. En toen ik nog klein was had Bubbie me verteld dat dit werk heilig was, en geen show. 'Doe het nooit op een kermis,' had ze gezegd.

'Nee, dank je,' zei ik tegen Phyllis.

'Wat is ervoor nodig om je van gedachten te doen veranderen?'

'Een lobotomie,' zei ik.

Kwart over elf en ik kon mijn ogen nauwelijks openhouden, maar ik dwong mezelf wakker te blijven voor Rory. Zodra hij de slaapkamer binnenkwam, zag ik een zwarte raaf boven zijn hoofd.

'Er is iets ergs gebeurd bij Mirror,' zei ik.

'Je probeert altijd mijn gedachten te lezen,' snauwde hij. 'Mag ik misschien een beetje privacy?' Hij ging op het bed zitten en deed zijn schoenen uit, draaide zich toen naar me om en zuchtte. 'Oké,' zei hij zacht. 'Er is iets ergs gebeurd bij Mirror.'

'Wat?' vroeg ik met bonkend hart.

'Nou, je weet dat ik een nieuwe, speciale computer heb gekocht met die lening van dertigduizend dollar, zodat ik de software van Medicaid kon gebruiken. Nu werkt de software niet. De softwareontwikkelaar kende de regels van Medicaid niet, en nu worden alle ingediende nota's onbetaald teruggestuurd. De softwareontwikkelaar kan het probleem niet oplossen of me mijn geld teruggeven, en ik zit aan ze vast alsof ik met ze getrouwd ben.'

Het woord 'getrouwd' kwam eruit alsof hij in een rot ei had gebeten.

'Maar, Rory, we kunnen al bijna niet rondkomen,' zei ik boos. 'Heb je geen navraag gedaan naar die softwareontwikkelaar voor je ze ons geld gaf?'

'Ik ben hun eerste klant in New York. Ze hebben het programma geschreven voor Arkansas, maar wij New Yorkers zitten met de problemen.' Vervolgens begon hij te mopperen over de concurrentie, de grote ketens, de Rite Aids en Genoveses die één lijn trokken en afwachtten. 'Ze verkopen *tsatskes* – strandballen, opwindschildpadden – zodat ze de medicijnen onder de kostprijs kunnen verkopen.' Zijn stem werd steeds luider. 'Zodra ze de kleine jongens als ik hebben uitgeschakeld, gooien ze de prijzen omhoog en maken ze de regering in. Je zult het zien.'

'Rory, je gaat tekeer als mijn vader over de prijsstijgingen van vlees. Hou op.'

'Ik kom thuis, tot mijn nek in de problemen, en jij wilt niet eens luisteren,' zei hij.

Rory begreep niet echt hoe ik met mijn psyche luisterde, dat ik zelfs veel van zijn onuitgesproken gedachten kon horen. Ik raakte zijn hand aan. 'Ik luister nu,' zei ik.

Hij pakte mijn hand vast en kuste die. 'Mim, ik wil zoveel

voor ons, voor Cara. Ik heb er genoeg van om alleen maar te proberen het hoofd boven water te houden.' Hij kneep harder in mijn hand en legde zijn gezicht tegen mijn schouder.

'We hoeven niet rijk te zijn om gelukkig te zijn,' zei ik. 'We moeten alleen uit de schulden zien te komen.'

'Daarom wil ik ook uitbreiden,' zei hij, zijn hoofd optillend. 'Ik wil een catalogus printen en die in heel Queens versturen. Ik zou op postorder kunnen gaan werken. Ik heb het al uitgerekend. Het komt alles bij elkaar op achttienduizend, inclusief verzending.'

Hij klonk weer als de oude Rory toen hij dat zei, vol vertrouwen, zelfverzekerd. Misschien was het een goed idee. Misschien zou het verzendsysteem zijn zaak kunnen redden, maar ik had het gevoel of ik een klap had gekregen. 'Achttienduizend dollar. Waar halen we die vandaan?'

'Ik heb het niet allemaal nu meteen nodig,' zei hij. 'Een derde maar. We zouden een deel van het lijfrentetegoed kunnen verzilveren.'

'Die lijfrente is ons pensioen. Als we dat doen, moeten we straks misschien van voedselbonnen leven.'

'Maar als ik een catalogus verstuur, hoeven we ons geen zorgen meer te maken over het heden of de toekomst.'

Rory zat altijd vol goede ideeën voor zijn zaak, en Mirror had heel goed gedraaid. Maar sinds het tij elf jaar geleden was gaan keren, was hij zo paniekerig geworden dat hij het tegengestelde van gouden handen had ontwikkeld. Ik dacht aan de hulpmiddelen die nog steeds onverkocht in de winkel stonden, de mailinglist die hij vorig jaar voor vierduizend dollar had gekocht en die niet één nieuwe klant had opgeleverd. En ik dacht aan de circulaires die wegwaaiden in de maartse wind, in bomen bleven hangen en wegspoelden in het riool. 'Ik vind het vreselijk om te zeggen, Rory, maar de afgelopen elf jaar hebben we al ons geld in jouw zaak gestoken en we hebben er nauwelijks iets voor teruggezien.'

Zijn gezicht betrok. 'Dat doet echt zeer, Mim. Je weet hoe hard ik werk.'

'Ja, dat weet ik,' zei ik. In een sneeuwstorm maakte Rory een pad naar Mirror vrij en gebruikte hij een sigarettenaansteker om het slot van het beveiligingsrolluik te ontdooien.

'Ik ben dol op deze lijn,' zei ik, zijn wang strelend. Ik zag iets van de spanning uit zijn gezicht trekken. Zijn mond bewoog. 'En ik ben ook dol op deze lijn,' zei ik, en toen pakte hij me langzaam beet.

Toen we later in bed lagen, zijn lichaam zwaar tegen het mijne, had ik het gevoel dat ik op een strand lag, met een deken over me heen, mijn lichaam zowel zanderig als glibberig. Ik voelde de zon op me neerschijnen en elke porie openen. Ik hoorde de oceaan, als plakjes bacon die op de grill lagen te bakken. We bleven loom zo liggen. Ik dacht niet dat ik het zou overleven zonder Rory's armen om me heen. Die maakten dat ik me veilig voelde, werkten als een amulet.

Juist op dat moment mompelde hij in mijn oor: 'Denk je dat je het aantal sessies dat je doet zou kunnen opschroeven?'

13

'Mam, er zit een man voor mijn raam!' gilde Cara.

Ik rende de trap op en vond Cara in bed met de dekens tot aan haar kin opgetrokken. Door het glas heen riep een man tegen haar: 'Ik ben van Tip Top.'

'Stil maar, schat,' zei ik tegen haar. 'Hij komt het dak maken.'

'Fijn dat je me dat nu vertelt,' zei Cara.

'Ik wist ook niet dat ze vandaag zouden komen.' Ik liep naar het raam. 'U had van tevoren even moeten bellen,' riep ik, maar de werklaarzen van de mannen verdwenen al naar boven.

'Dit is een gekkenhuis,' zei Cara.

'Het wordt in elk geval weer een droog gekkenhuis,' zei ik terwijl ik haar rolgordijn dichttrok, zoals ik haar altijd had gevraagd te doen voor ze ging slapen.

Cara stond op. Ze droeg een lang zwart T-shirt dat ik niet kende.

'Is dat een halloweenshirt?' vroeg ik.

'Nee. Smashing Pumpkins is een rockgroep.'

Ik wist dat het van Lance was. Het rook naar sigaretten en een duister reukwater.

'Geef het me zo maar, dan kan ik het wassen,' zei ik. Ik wilde het koken en bleken tot het een verbleekt, verschrompeld vod was.

'Nee, dank je, mam,' zei ze glimlachend. 'Ik heb het liever zo.' Ze streelde met haar handen langs haar lichaam, zoals ik vermoedde dat Lance had gedaan.

Zuchtend ging ik naar mijn werkkamer. De dakdekkers kropen over het dak en gooiden kapotte dakpannen in de tuin.

De telefoon ging. 'Hal-lo,' zei een man. 'Spreek ik met de helderziende?'

'Ja.'

'Ooo, daar ben ik blij om,' zei hij op zangerige toon. Ik verstond hem nauwelijks, maar hij klonk zo opgewekt dat ik wist waarvoor hij belde.

'U belt om me een advertentie aan te smeren.'

Hij giechelde.'O, u bent een heel pientere helderziende. Inderdaad. Ik vertegenwoordig de meest verspreide hindoekrant in New York.'

'Het spijt me. Ik heb geen geld.'

Hij hing snel op.

Ik zakte in elkaar aan mijn bureau, legde mijn hoofd in mijn handen. Niemand had me erop voorbereid dat ik blut zou raken. Mijn vader had met contanten gewerkt. En mijn moeder had ook contanten, die hield ze apart van het huishoudgeld.

'Hier bewaar ik mijn *pechel*,' had ze me verrukt verteld terwijl ze een van haar hoedendozen uit de kast haalde. Het was het enige woord in het Jiddisch dat ze goedkeurde. Ze opende de dot tissuepapier die in de doos zat met haar hoge gendarmehoed met zwarte veer en speld van kunstdiamant, en onthulde een pak bankbiljetten zoals Bubbie dat in de zoom van haar rok had genaaid toen ze haar sjtetl ontvluchtte.

'Rory en ik zullen elkaar altijd vertrouwen en alles delen wat we hebben,' zei ik somber.

'Nou, sommige mensen moeten door schade en schande wijs worden,' had mijn moeder gezegd terwijl ze haar geldvoorraad terug in haar hoed stopte en de kastdeur dichtdeed.

De telefoon ging weer. 'Verjaagt u ook boze geesten uit een huis?' vroeg een vrouw op vertrouwelijke toon.

Ik was zo in paniek over het geld om de dakdekkers te betalen, dat ik alles wel wilde proberen. 'Ja,' zei ik.

'Ik heb u uit de advertenties gekozen omdat ik aan uw nummer kon zien dat u ook in Great Neck woont. Hoeveel rekent u om naar mijn huis te komen?'

Ik aarzelde even en verdriedubbelde toen mijn normale tarief.

'Dat is redelijk,' zei ze, en ik wilde dat ik meer had gevraagd. De dakdekkers legden hun ladders op het dak en ik hoorde hun voetstappen.

'Wat is dat voor lawaai?' vroeg de vrouw.

'De dakdekkers.'

'U hebt poltergeisten,' zei ze. 'Wou u ze soms meebrengen en me nog meer problemen bezorgen?' Ze hing op. Ik stond op van mijn stoel, strekte mijn armen en spreidde mijn benen, sprong toen omhoog en klapte boven mijn hoofd in mijn handen terwijl ik mijn benen bij elkaar bracht. Dat deed ik twintig keer, maar het maakte me niet rustiger.

Ik wist dat ik op dergelijke momenten het beste het huis uit kon gaan om mijn hoofd helder te maken. Bij elk verkeerslicht op weg naar het postkantoor zei ik een affirmatie op die ik in een boek had gelezen: 'Het universum brengt je de juiste mensen op het juiste moment voor je hoogste goed.' Ik had behoefte aan het wonder van het geld, maar toen ik mijn postbus opende, zaten er geen postwissels in, alleen maar reclame. Ik wilde het hele stapeltje weggooien, toen me een envelop opviel waar in paarse letters op stond: 'Van 's werelds meest accurate helderziende, Lucinda Bright'. Ik scheurde de envelop open.

Beste Miriam,

- *Ik weet, Miriam, wanneer (en hoeveel) geld je hoopt te ontvangen.*
- *Ik kan voorspellen, Miriam, wanneer een bepaalde relatie waar je over inzit ten goede zal veranderen.*
- *Ik kan je het precieze moment vertellen, Miriam, waarop je chronische pech zal omslaan in geluk.*
- *Miriam, ik zal je de geheimen onthullen waarmee je geluk in je leven kunt brengen.*

MIRIAM, OM DAT ALLES (EN MEER) VOOR JE TE KUNNEN DOEN, IS HET BELANGRIJK DAT IK BINNEN ACHT DAGEN IETS VAN JE HOOR.

Ik las verder. Ze noemde mijn naam nog minstens tien keer. Ik voelde me gehypnotiseerd. Op de achterkant stond een formuliertje dat ik kon invullen en terugsturen. Ze vroeg twintig dollar. Ik stelde me alle enveloppen vol cheques, postwissels en contant geld voor die naar ''s werelds meest accurate helderziende' gingen. Misschien was dit het duwtje dat het universum nodig had om me de juiste mensen te brengen. Ik besloot dat ik een mailinglist zou opstellen, maar ik zou het wel bescheidener aanpakken en er alleen 'Miriam, helderziende' boven zetten.

Weer thuis bracht ik de middag door met het doornemen van mijn koekblik met brieven van cliënten. Ik vond de brief van Desiree. Haar man had een andere vrouw zwanger gemaakt. Hij had gewild dat Desiree die andere vrouw en de baby bij hen in huis nam en had gezegd dat Desiree wel voor de baby kon zorgen. Bij het lezen van de brief kwamen alle details van het verhaal terug. Ik herinnerde me de frustratie van de zelfvernietigende zielen. Desiree hongerde zichzelf uit en gaf haar man zijn zin. Ik wist dat ze het niet zou redden, wat ik ook zei.

Dan was er de brief van de weduwnaar wiens vrouw zelfmoord had gepleegd door in twee uur tijd haar antipsychotica voor een hele maand in te nemen. Hij had geweigerd haar in het ziekenhuis te laten opnemen voor constante bewaking, zoals de dokter had geadviseerd. Nu wilde hij met haar in contact komen om haar zijn excuses aan te bieden.

Een andere brief was van een vrouw met trichologie. Wanneer ze nerveus was, trok ze haar haren uit, en kon daar dan niet meer mee stoppen. Ze had alles al geprobeerd en geen genezing gevonden. Ik had haar gezegd haar hoofd kaal te scheren en grote oorbellen te gaan dragen. Daarna had ik zelf dagenlang mijn haren uit willen trekken. Ik moest mijn uiterste best doen om mijn handen in mijn schoot te laten liggen. Het was alsof ik een spons was in een diep meer van hun verhalen.

'Het universum brengt je de juiste mensen... voor je hoogste goed,' herhaalde ik, maar het leek niet te kloppen. Ik herinnerde me hoe Rory erop had aangedrongen dat ik meer geld zou verdienen. Mijn cliënten deden er niet toe. Ik begon te betwijfelen of het universum me werkelijk de goede echtgenoot had gestuurd die Bubbie me met de theebladeren had voorspeld.

De deurbel ging. Ik ging naar beneden en keek door het ruitvormige raampje naar buiten. Het was een bezorger. Ik zag de bestelbus van een bloemist staan en deed de deur open. 'Bloemen,' zei de bezorger, alsof ik nog niet had gezien dat hij een gigantisch, met linten versierd boeket irissen, witte rozen, gevlekte lelies, varens en gipskruid in een glazen vaas vasthield. Ik tekende ervoor en nam ze mee naar de keuken. Een rozenknopje streek zacht langs mijn wang. Mijn ogen werden vochtig. Het was jaren geleden dat Rory zich op deze manier had verontschuldigd. Ik pakte de telefoon.

'Dank je wel,' zei ik.

'Waarvoor?'

'Voor de bloemen. Ze zijn heel romantisch, maar ze moeten een fortuin gekost hebben. Dat had je niet moeten doen.'

'Heb ik ook niet gedaan.'

'Wat?' Ik klemde de telefoon tussen mijn oor en schouder en opende het envelopje dat tussen de varens zat. Op het kaartje stond:

Duizendmaal dank,
Liefs, Vince

'O,' zei ik, 'ze zijn van een cliënt.'

'En ik neem aan dat een romantisch boeket niet van iemand komt die Alice heet, of wel?'

'Nee, het is van Vince. Een echte kerel.'

'En hoe komt die Vince, die echte kerel, aan je adres?'

'Dat weet ik niet. Dat moet ik hem vragen.'

'Wat is zijn telefoonnummer?' vroeg Rory. 'Dan vraag ik het hem wel.'

'Ik regel dit zelf wel,' zei ik tegen hem. 'Scheiding van Kerk en Staat, weet je nog? Als dat voor jouw zaak geldt, dan geldt het ook voor de mijne.'

'Nou, vergeet niet die kerel te vertellen dat je getrouwd bent. En dat je echtgenoot een meter negentig lang is.'

Ik had zin om Rory te vertellen dat Vince een hele stoet huurmoordenaars tot zijn beschikking had, maar zoals Bubbie me had aangeraden, beschaamde ik nooit het vertrouwen van mijn cliënten. Bovendien wist ik niet eens zeker of het wel waar was.

'Misschien ben ik vanavond wat vroeger thuis,' zei Rory.

'O?' zei ik, mijn lach inhoudend. Ik begon Vince toch wel aardig te vinden.

Nog geen tien minuten later ging de telefoon in mijn werkkamer. 'Dag, pop,' zei Vince. 'Heb je mijn bloemen gehad?'

'Jazeker. Dank je, maar je had ze niet moeten sturen.'

'Je kunt toch best een beetje waardering gebruiken?'

Hij wist niet half hoezeer, maar ik zei: 'Een gewoon dankjewel is voldoende. Mijn echtgenoot vindt het niet fijn dat ik bloemen krijg van andere mannen.'

'Ha, ik wed dat je echtgenoot best wat tegenspel kan gebruiken. Dat geldt voor elke man die meer dan vijf minuten getrouwd is.'

Rory had de laatste tijd alleen maar tegenspel, maar dat ging om zijn zaak, niet om mij.

'Nee, dat geldt beslist niet voor mijn man,' zei ik. 'En trouwens, hoe heb je mijn huisadres gevonden?'

'Daar heb ik zo mijn manieren voor,' zei hij. 'Jij kunt de doden vinden. Ik kan de levenden vinden. Maar goed, ik wil nog een sessie.'

Mijn schouders verstijfden en ik rolde ermee om ze te ontspannen. 'Wanneer kun je?' vroeg ik.

'Wat zeg je van nu meteen? Bereken me maar zoveel als je wilt.'

Ik zag dollartekens. Hij probeerde me te kopen zoals hij ook altijd liefde had gekocht. 'Het gewone tarief is prima,' zei ik tegen hem.

'Ik moet het nog eens met je over die griet hebben,' zei hij. 'Ik heb nog nooit zoveel moeite gehad om over een vrouw heen te geraken. Ik was ze altijd zo weer vergeten.'

Ik zag het getal veertien verschijnen en daarna een bruidstaart. 'Je bent veertien jaar getrouwd geweest,' zei ik. 'Dat moet een liefde zijn geweest die je niet zo gemakkelijk kon vergeten.'

'Ha, ha,' lachte Vince. 'Je hebt echt gevoel voor getallen. Ik zou je eens mee moeten nemen naar Vegas.'

Ik zei niets.

'Ben je je gevoel voor humor kwijt?' vroeg hij.

'Als je ophoudt met je insinuerende opmerkingen, zal ik je mijn humor laten horen.' Ik hoorde de toon van de pinnige ouwe vrijster die ik altijd gebruikte als een cliënt avances maakte.

'Wat wil je dat ik zeg?' vroeg hij triest. 'Dat ik een uilskuiken ben? Oké, ik geef het toe. Die griet over wie ik het had... Ik heb haar ontmoet in een galerie in Arizona, waar haar schilderijen tentoongesteld werden. Ze was niet een van die hippietypen. Ik heb een hekel aan hippies. Ze was mooi opgetut, je weet wel. Ik wierp één blik op haar en kocht toen alle schilderijen die er van haar hingen. Nu zit ik hier in mijn woonkamer, mijn muren vol met haar zogenaamde kunst. Wie anders dan een uilskuiken zou al haar schilderijen hebben gekocht?'

Ik zag de schilderijen voor me. Het waren grote, voornamelijk abstracte witte stukken, met een grove structuur als van kwark met rozijnen erin. 'Als je haar echt wilt vergeten, verkoop dan haar schilderijen; of geef ze desnoods weg.'

'Niemand die bij zijn volle verstand is zal ze van me overnemen. Ik zal ze weg moeten gooien.'

'Dat is het waard. Het zal je enorm opluchten. Ik denk dat je nu zelfs al over haar heen begint te raken. Je aura is in de paar minuten dat we aan het praten zijn veel lichter geworden.'

'Denk je dat echt?'

'Ik weet het zeker.'

'Leuk om te horen,' zei hij. 'Neem me niet kwalijk,' voegde hij eraan toe, en ik hoorde hem een sigaar opsteken en een trekje nemen. 'Misschien bleef ik gewoon aan haar hangen omdat ze mijn lichaam al kent, als je begrijpt wat ik bedoel.' Hij fluisterde: 'Ik ben dit jaar een paar kilo aangekomen.'

Ik had een visioen van hem met zijn buik over zijn broekriem puilend. 'Je gewicht zal je kansen bij de vrouwen niet verpesten, maar misschien wel je gezondheid.'

'Ik moet mijn sigaren opgeven, hè?'

'En vet eten laten staan.'

'Ik geef nog liever de vrouwtjes op,' zei hij.

'Ik vrees dat je beide zult opgeven als je niet snel gaat minderen.'

'Nou, Vince moet het kort houden, ik bel morgen wel weer,' zei hij. 'Nu moet ik naar het restaurant. Ik hoef je niet te vertellen wat er fout kan gaan als een baas niet elke minuut boven op zijn personeel zit.'

Ik dacht aan Rory en Fred. 'Nee,' zei ik, 'dat hoef je niet.'

Zodra ik had opgehangen ging de telefoon weer. Het was Phyllis Kanner. 'Heb je nog over mijn aanbod nagedacht?' vroeg ze.

Geeft ze het dan nooit op? 'Phyllis, ik ben blij dat je van de sessies hebt genoten, maar nee is nee.'

'Ik bel je binnenkort wel weer,' zei ze.

Nou, daar ben ik blij mee, dacht ik.

Een halfuur later belde er een vrouw om een afspraak te maken. Toen ik haar naar haar creditcardnummer vroeg, reageerde ze verbaasd. 'Laat u het meteen van mijn kaart afschrijven?' vroeg ze.

'Ja. U gaat met de afspraak een verplichting aan.'

'Maar als ik nou van gedachten verander?'

'U kunt zich binnen vierentwintig uur bedenken,' legde ik uit.

Binnen twee uur kreeg ik nog twee telefoontjes voor sessies. Ik was verrukt. De zaken gaan goed, dacht ik tevreden. Ik heb Phyllis Kanner nergens voor nodig.

14

De volgende dag ruimde ik mijn bureau op en kwam wat briefjes tegen met aantekeningen over diverse cliënten. 'Mary Cutler – ontstoken navelpiercing', stond op een ervan. 'Morrie Rose – oorsuizen', op een ander. 'Joy Kent – langdurige relatie met zwager.' 'Harriet Chaikin – vaders geest draagt nog steeds toupetje'. Ik kon me de cliënten waar de aantekeningen over gingen niet meer herinneren, maar toen ik met mijn hand over mijn bureau veegde om ze in de prullenbak te laten verdwijnen, had ik het gevoel dat ik ze in een massagraf gooide.

Over ruim een uur zou de eerste van de drie sessies plaatsvinden die ik gisteren had geboekt. De telefoon ging. Nog meer werk. Phyllis zou me eens moeten zien, dacht ik toen ik de telefoon oppakte.

'Ik heb gisteren een afspraak met u gemaakt en ik bel om die af te zeggen. En u moet mijn geld terugstorten, omdat ik binnen drieëntwintig uur afzeg.'

'Wilt u een nieuwe afspraak maken?' vroeg ik

'Nee,' antwoordde ze. 'Ik ben van gedachten veranderd.'

Ik voelde me enigszins geschokt. Met een uur tussenruimte belden ook de andere twee vrouwen die een sessie hadden geboekt om op het drieëntwintigste uur af te zeggen. Na de laatste kreeg ik argwaan. Als er nog iemand had gebeld om naar mijn afzeggingsbeleid te informeren, zou ik geweigerd hebben een afspraak te maken. Nu had ik drie uur over voordat Vince zou bellen.

Tegen de tijd dat Vince inderdaad belde was ik aardig in paniek over mijn financiën. Ik nam de telefoon op zodra die overging.

'Het is weer Vince-tijd,' zei Vince met zijn schorre stem. Ik hoorde geroezemoes op de achtergrond. Hij belde tijdens lunchtijd vanuit zijn restaurant. 'Hoor eens,' zei hij. 'Ik heb genoeg van die telefoononzin. Wat zeg je van een livesessie? Ik kom wanneer je maar wilt.'

Voor ik via de telefoon was gaan werken, was een oudere klant, Sam, eens naar mijn werkkamer gekomen voor een sessie. Halverwege sprong hij overeind en kuste me pal op mijn mond. Ik kon zijn kunstgebit van zijn tandvlees voelen glijden. Voor ik hem van me af kon duwen, kwam Rory binnen. 'Wat is hier aan de hand?' riep hij, waarop Sam een aanval van angina pectoris kreeg. Rory was degene die het digitalistabletje onder Sams tong legde.

'Ik doe geen sessies in mijn huis,' zei ik tegen Vince.

'Bedoel je dat je niemand binnenlaat? Zelfs geen vrouw?'

Ik herinnerde me Noreen, die vanuit mijn rododendronstruik op me af gesprongen was. 'Ik laat helemaal geen cliënten naar mijn huis komen,' herhaalde ik.

'Kom dan maar naar mij toe,' zei hij.

'Vince!'

'Ik weet het. Geen ontucht met cliënten,' zei hij.

'Helemaal geen omgang met cliënten, bedoel je.'

'Je kunt het me niet kwalijk nemen dat ik het probeer. Daar zijn we voor op aarde gezet. Maar ik meen het. Als je al zoveel kunt opvangen via de telefoon, dan ben ik heel benieuwd naar wat je persoonlijk zou kunnen bewerkstelligen.'

'Via de telefoon gaat het net zo goed,' zei ik. 'Misschien zelfs wel beter, omdat ik dan niet word afgeleid.'

'Oké, ik doe oneerbare voorstellen, maar niet wat jij denkt. Nog niet, in elk geval.' Hij lachte weer. 'Dit is wat ik je aanbied: duizend ballen, contant. Kom naar mijn kantoor. Het ligt direct achter het restaurant.'

Maar als hij dan zijn hand onder mijn jurk steekt, vroeg ik me bezorgd af. 'Hand onder jurk,' schreef ik op een velletje papier.

Alsof hij mijn gedachten gelezen had, zei hij: 'De kelner zal je horen als je gilt. En ik stuur een auto om je te halen. Maar je mag tegen niemand hier zeggen dat je helderziend bent. Ik wil niet dat mijn personeel weet dat ik hulp nodig heb, snap je?'

Ik bedacht hoe hard Rory en ik het geld nodig hadden. Ik ben een grote meid, dacht ik. Ik kan wel op mezelf passen. Duizend dollar. En ik zou anoniem blijven. 'Afgesproken,' zei ik. 'Wanneer had je in gedachten?'

'Hoe eerder hoe beter. Ik ken het verkeer op Long Island. Ik heb ooit eens een verhouding gehad in het Garden City Hotel.'

Hoewel ik hem over het bed heen en weer zag rollen met een rondborstige vrouw, had ik het geld zo hard nodig dat ik zin had om meteen naar het restaurant te gaan. Maar ik was het niet meer gewend om cliënten in levenden lijve te ontmoeten en ik was ook niet gewend aan sessies in een vreemde omgeving. 'Vandaag over een week, om elf uur,' zei ik.

'Ik zal proberen het vol te houden,' zei Vince. 'O, en trouwens, ik stuur mijn eigen auto. Je moet uiterlijk om halftien opgehaald worden om hier op tijd te zijn.'

'Ik kan wel met de trein komen,' zei ik.

'Natuurlijk kun je dat, maar waarom zou je als ik een limousine heb?'

Weer zag ik dollartekens. En lippenstift. Die kerel zwemt in het geld en de vrouwen, dacht ik. 'Ik aanvaard de lift,' zei ik.

Toen ik de telefoon had neergelegd, leek het alsof ik iets was kwijtgeraakt, maar ik wilde er niet over nadenken wat dat dan was.

Terwijl ik naar school reed om Cara op te halen, had ik het gevoel dat de duizend dollar van Vince al stevig in mijn zak zaten. Ik stelde me voor dat ik elke week naar hem toe zou gaan voor een sessie. Waarom niet een paar keer per week? 'Laten we gaan winkelen,' zou ik tegen Cara zeggen wanneer ze instapte. Maar toen ik de school bereikte, stond Darcy naast haar te wachten.

'Hallo, mevrouw Kaminsky,' zei Darcy. Haar haar was glad en glansde als geel glas. 'Vind u het goed als ik meega?'

Ik was nog steeds een beetje boos op Darcy omdat ze me had voorgelogen dat Cara bij haar thuis was. 'Ik vind het prima, zolang je moeder maar weet waar je bent,' zei ik wat pinnig.

'O, maar dat weet mijn moeder,' zei Darcy, en ze stapte met een zucht in de auto. 'Mijn moeder weet alles.'

Cara blies haar adem zo uit dat het als 'duh' klonk. 'Alle moeders dénken dat ze alles weten,' zei ze, 'maar dat is niet zo.'

Het was waar dat ik niet alles over Cara kon weten. Niet alleen werd mijn gave soms geblokkeerd door mijn liefde voor haar, helderziendheid was ook niet iets wat je net zo gemakkelijk kon aanzetten als bijvoorbeeld het licht. De boodschappen kwamen waziger door wanneer iemand je zo na stond. Ondertussen zou ik over een week een gangster ontmoeten. Cara wist ook niet alles van mij. We leken meer op elkaar dan ze ooit zou geloven, dacht ik triest. Ik voelde dat ik bloosde van schaamte. Als Cara er zelfs maar achter kwam wat ik van plan was met Vince, zou ik in haar ogen al mijn geloofwaardigheid verliezen. Ze zou nooit meer naar me luisteren. Het was waarschijnlijk haar grootste angst, en die van mijn moeder.

Ik reed langs de Koreaanse kruidenier, kocht voor de meisjes een zak chocoladekoekjes en voor mezelf een bol knoflook, een bosje basilicum en peterselie, en pijnboompitten. Thuisgekomen gingen de meisjes met hun koekjes naar Cara's kamer.

In mijn eentje plukte ik de basilicumblaadjes voor de pestosaus van de takjes en deed ze met de andere ingrediënten in de keukenmachine, voegde een handvol kerstomaatjes toe voor de kleur en drukte op de knop. Ik moest aan Vince gedacht hebben, want de saus herinnerde me aan bloed op het gazon en schoten vanuit een auto.

Toen Rory thuiskwam, keek hij lelijk naar de vaas met bloemen op tafel. Toen gaf hij me een klein pakje in Mirrorcadeaupapier. Het was een flesje Arpègeparfum dat al sinds hij de zaak had geopend in zijn afgesloten glazen vitrine stond, maar gezien onze financiën deed het gebaar mijn hart sneller kloppen. 'Dank je,' zei ik, en we kusten elkaar.

Ik bracht Darcy en Cara hun eten in de woonkamer, en Rory en ik aten bij kaarslicht aan de eetkamertafel.

'Je hebt jezelf echt overtroffen,' zei Rory toen hij nog een keer opschepte. 'Een maaltijd als deze geeft me het gevoel dat mijn zakken net zo vol zitten als mijn maag.'

'Misschien binnenkort,' zei ik, en ik vertelde hem dat ik naar Guardelli's zou gaan voor een sessie met Vince.

'Geen sprake van,' zei Rory, vooroverbuigend en me strak aankijkend. 'Tenzij je het op een zondag kunt doen, zodat ik mee kan gaan. Die kerel heeft een oogje op je.'

Ik was Vince inmiddels wel wat schuldig. 'Zondag kan echt niet,' zei ik, ook al had ik dat niet eens gevraagd. 'Ik ben me ervan bewust dat Vince zich tot me aangetrokken voelt, maar ik weet hoe ik daarmee om moet gaan.'

'Juist ja, ik zag hoe je ermee omging toen die oude man je in je werkkamer kuste.'

'Hij verraste me,' zei ik. 'Herinner je je die del nog die achter de toonbank kwam bij Mirror, en wilde dat je de bijtafdrukken op haar borst zou onderzoeken om een geschikt zalfje voor te kunnen stellen?' vroeg ik. 'Je slaagde erin haar de zalf te geven zonder onderzoek.'

'Dat is wat anders,' zei hij. 'Natuurlijk zou ik niet naar de borsten van een klant kijken.'

'Nou, je moet mij ook vertrouwen. Dit is een fantastische kans. Vince betaalt me vijfhonderd dollar.'

Het schokte me dat ik het bedrag had gehalveerd. Ik was in geldzaken altijd volstrekt eerlijk tegen Rory geweest, en nu maakte ik net als mijn moeder plannen voor mijn eigen pechel. Ik realiseerde me dat ik niet al mijn geld in zijn zaak wilde zien verdwijnen en had meteen daarna het gevoel dat ik een grens over was gegaan, dat ik in de richting van het verdelen van de spullen, van een echtscheiding ging.

Het werd nog erger toen ik Rory's hand vastpakte en erin kneep met de woorden: 'Je kunt me vertrouwen.'

Ik was gewend dingen voor Cara te kopen waar we eigenlijk geen geld voor hadden, maar ik kon mezelf er niet toe brengen onze creditcard te gebruiken om iets voor mezelf te kopen voor de sessie met Vince. Ik doorzocht mijn kast. Ik vond een lange Victoriaanse jurk, maar die was te laag uitgesneden. En een zwarte jurk met lange mouwen zag er te heksachtig uit.

Ik kwam mijn moeders marineblauwe pakje tegen. 'Je mag me er niet in begraven,' had ze lachend gezegd voor ze stierf. 'God zal weten dat ik het heb nagemaakt van een Chanel.'

Namaak of niet, ik wilde mijn moeders pakje aantrekken. Ik dacht dat ze dan misschien haar engelenlicht op me zou laten schijnen om me te beschermen.

Ik probeerde het aan. Het draadhangertje had de ene schouder uitgerekt, waardoor het net leek of mijn moeders geest het had vastgepakt in een poging me ervan te weerhouden naar Vince te gaan. Ik stopte het pakje terug in de plastic kledingzak. Voor deze keer was ik blij dat haar geest niet in de buurt was, dat ze me nu niet kon zien. Om maar niet te spreken van Bubbie, die zich waarschijnlijk met reden verborgen hield.

Toen Rory en ik ons klaarmaakten om naar bed te gaan, zei hij onder het dichtknopen van zijn pyjamasje: 'Ik wil dat je weet dat ik er nog steeds zwaar op tegen ben dat je naar die Vince gaat.'

'Er zijn ook dingen aan jouw zaak waar ik zwaar op tegen ben,' zei ik. 'Wil je het daarover hebben?'

Hij stak zijn hand op. 'Absoluut niet.' Ik was woedend, maar toen we in bed stapten, begon hij me te kussen. Vince had gelijk: Rory kon best wat tegenspel gebruiken.

Ik begon me zorgen te maken. Ik hield van Rory, maar ik wist van mijn cliënten dat er onverwachte dingen konden gebeuren als je jezelf in compromitterende situaties bracht. Een van mijn cliënten, die gelukkig getrouwd was met een echt stuk, nam uit nieuwsgierigheid via internet contact op met haar vriendje van de middelbare school. Ze besloten een keer koffie te gaan drinken om over vroeger te praten. Het vriendje was er niet knapper op geworden. Hij krabde aan zijn psoriasis en vertelde haar dat hij geen melk in zijn koffie kon doen vanwege zijn spastische darm, maar toen ze hun koffie ophadden belandden ze samen in het Marriott en uiteindelijk verliet ze haar man en drie dochtertjes.

In mijn voortdurende zoektocht naar iets langs en verstandigs om aan te trekken liep ik naar de grote cederhouten kast in het souterrain. Op het moment dat ik de kast opende en naar het touwtje voor het licht zocht, vielen er dozen van de bovenste plank naar beneden. Toen ik eindelijk het licht aanhad, zag ik hoe vol alles hing met kleren uit 'het jaar onzes Heren', zoals mijn moeder het gezegd zou hebben. Ik had geen tijd om iets aan de chaos te doen. Hoewel ik een week de tijd had gehad om me voor te bereiden, had ik nog steeds niets geschikts gevonden om aan te trekken. Ik moest geconcentreerd blijven. Ik vond een witte bloes met lange mouwen die iets onschuldigs gehad zou hebben als hij niet zo dun was geweest. Ik wilde iets met een wijde rok. Mijn moeder had ervoor gezorgd dat ik me schaamde voor mijn achterwerk. 'Draag in vredesnaam een korset,' had ze vaak tegen me gezegd, hoewel Rory mijn billen erg mooi vond. Ik dook nog dieper de kast in en vond een lichtblauwe doorknoopjurk met een witte ceintuur die eruitzag als een gordijnkoord. Ik trok het geheel aan.

Cara kwam naar beneden. Ze hapte naar adem. 'Je lijkt wel een vluchteling van Woodstock.'

Ik herinnerde me dat Vince had gezegd dat hij niet van hippietypen hield.

'Perfect,' zei ik.

Vince-dag. Mijn deurbel ging om exact halftien. Ik keek door het raampje en zag het gezicht van een misdadiger: ogen als appelpitjes, een neus als een worst met peperkorrels erin. 'Bent u Miriam?' vroeg hij.

Ik deed de deur een stukje open. Met mijn voet ertegen voor het geval hij zou proberen de deur open te duwen, knikte ik.

'Ik ben Rocko. Vince zei dat ik u moest ophalen.'

Ik voelde dat hij me van top tot teen bekeek. Ik had licht-roze lippenstift en lichte rouge op gedaan. De helft van mijn haar was boven op mijn hoofd in een knotje gedraaid, zoals dat van Bubbie, en de rest hing krullend tot op mijn schouders. Hij haalde zijn schouders op, wist niet wat hij van me moest denken.

Naast de stoeprand stond een lange witte limousine. Ik sloeg een witte wollen omslagdoek om en sloop mijn huis uit, hopend dat geen van de buren me zou zien. Het was akelig rustig op straat. Plotseling begon Baron echter als een idioot te blaffen en keek Iris tussen haar verticale lamellen door.

Rocko hield het achterportier voor me open. Vanbinnen was de limousine middernachtelijk blauw. Ik had hier een séance kunnen houden.

'Vince heeft gezegd dat u kunt gebruiken wat u wilt,' zei Rocko tegen me. 'Hij drukte op een knop en er schoof een kastdeurtje naar links. Het was een goedgevulde bar. In de koelkast stond frisdrank, ijs, champagne, een bord met druiven, brie en truffels. Ik stelde me voor dat ik een van die helderzienden was die de hele wereld over werden gevlogen om sjeiks en pasja's de toekomst te voorspellen.

Op de televisie die op het kastje stond lag een magere vrouw in een balletpakje op de vloer, haar hoofd achterovergebogen in de cobrapositie. 'Adem in,' instrueerde ze.

Ik ademde in en bleef dat doen, de hele rit naar de stad. Ik kreeg een beeld door van Rory die in de kelder van Mirror tegen een grote lege doos stond te trappen. 'Dit is het hoofd van Vince,' hoorde ik hem zeggen. Het was net als toen we elkaar pas kenden en andere mannen me ten dans vroegen. Ik moest glimlachen. Opeens zag ik mijn vader op de leren stoel tegenover me zitten. 'Is dat een manier om je echtgenoot te behandelen?' zei hij, en de glimlach verdween van mijn gezicht. Toen de limousine dichter bij de stad kwam, probeerde ik me op de komende sessie voor te bereiden door beelden op te roepen. Het enige wat ik kreeg was de geur van Vince' sigaar en zijn sterke reukwater. Tegen de tijd dat Rocko op Madison en Fifty-third stopte, was ik misselijk. GUARDELLI'S, stond er op de grote gestreepte luifel. Rocko liep om de auto heen en hield het portier voor me open. Ik stapte uit als een beroemdheid.

De ober vroeg: 'Bent u Miriam?'

Mijn keel was zo dichtgeknepen dat ik alleen maar kon knikken.

'Volgt u mij,' zei hij, en hij ging me voor naar binnen. Het restaurant was nog niet geopend. Ik zag roodfluwelen stoelen en witte tafelkleden met rozen in kristallen vaasjes. De kroonluchters zagen eruit als fonkelende stalactieten en de muren waren behangen met rood fluweelpapier. Het personeel was druk bezig. Toen ze me zagen, porden ze elkaar en fluisterden ze achter hun hand. De ober grijnsde.

'Ik zal u naar Vince brengen,' zei hij wellustig.

Toen ik hem volgde, had ik het gevoel dat ik een van de vele vrouwen was die door het restaurant naar de grote Guardelli waren geleid. Mijn wangen gloeiden.

De ober klopte op een zware eiken deur. 'Baas, de dame is hier.'

'Laat haar binnen,' zei Vince. Toen de deur openging, rook ik de sigarenlucht. Vince kwam overeind achter zijn reusachtige bureau. Hij was ongeveer een meter vijfenzeventig en zwaar, maar zag er indrukwekkend uit in zijn grijze pak met zijdeglans. Zijn donkere ogen glommen als mica. Zijn zwarte haar was dik en een beetje grijs bij de slapen. Hij zag er werelds, Europees uit, en veel aantrekkelijker dan ik had gehoopt. Ik voelde me stom in mijn blauwe doorknoopjurk met gordijnkoord.

'Pak een stoel,' zei Vince, naar de roodfluwelen stoel wijzend, waarbij zijn diamanten pinkring flonkerde.

Ik ging zitten. Hij schoof zijn zwarte leren leunstoel achter zijn bureau vandaan, kwam tegenover me zitten en keek me keurend aan. Ik werd er nerveus van.

'De griet over wie ik je vertelde,' zei hij uiteindelijk. 'Ik heb voorgoed met haar gebroken, maar het voelt aan alsof ze hele stukken van mijn hart heeft meegenomen.' Hij nam een trek van zijn sigaar. 'Vince is leeg,' zei hij door de rook heen.

Zijn pijn zat diep, dat kon ik zien. Het ging niet alleen om zijn vriendin en ik moest uitzoeken hoe ik hem kon helpen. Ik ademde drie keer diep in. Rechts van hem verscheen een klein licht dat langzaam de vorm aannam van een man in een wit schort. Hij leek op Vince. Hij stak zijn duim op. Die was ernstig misvormd, plat en paars. Toen voelde ik het soort kou dat ik altijd had gevoeld als ik in de buurt van mijn vaders vrieskasten kwam.

'Was je vader slager?' vroeg ik, mijn stem bijna brekend omdat ik mijn eigen vader zo miste.

'Ja,' zei Vince, zijn ogen wijd open.

'Hij is gewond geraakt aan zijn duim, nietwaar?'

'Die is geplet tussen de deur van zijn vrieskast.'

'Hij is hier,' zei ik. 'Hij probeert je iets te vertellen. "Gin," zegt hij.'

Ik bedacht dat sommige drinkers het nooit opgaven, maar Vince zei: 'Pa was dol op Ginny. Ze was mijn vrouw. Ze zorgde voor hem nadat hij een herseninfarct had gehad. Hij zal wel willen dat ik naar haar terugga. Maar je kent Vince. Hij heeft te veel oog voor de vrouwtjes.'

De vader van Vince stak zijn kapotte duim in de lucht. 'Je hebt gelijk. Je vader wil inderdaad dat je teruggaat naar Ginny.'

'Pa was heel trouw. Hij zou een medaille moeten krijgen voor het feit dat hij al die jaren bij mijn moeder is gebleven.' Zijn mondhoeken trilden. 'Is mijn moeder er ook?' vroeg hij.

Ik rolde mijn ogen naar boven en ademde nog een paar keer diep in. Er verscheen geen andere geest. 'Misschien is ze er wel, maar ze komt niet door.'

'Dat was te verwachten,' zei Vince. 'Ze was er nooit. Ze leefde voor de bingo en de kerk.'

Ik voelde met Vince mee. Ik bedacht hoezeer ik ernaar had verlangd mijn moeders geest om me heen te hebben, door haar beschermd te worden; waarschijnlijk dacht zíj dat ze alleen maar mijn baboesjkamanieren zou aanmoedigen als ze aan me zou verschijnen.

Vince schraapte zijn keel.

O, mijn god, dacht ik toen, ik ben nu misschien wel alleen met een gangster. In plaats van Vince' moeder verschenen er twee spookachtige figuren, de een wees met zijn hand als een wapen naar zijn eigen slaap, de ander greep zichzelf naar de keel en liet zijn tong uit zijn mond hangen. Ze beeldden vast hun eigen executies uit, dacht ik. Ik wist niet of het de visuele bijwerking van mijn eigen fantasie was of iets wat echt was gebeurd. Mijn hart bonkte in mijn keel. Ik zei er niets over tegen Vince, omdat ik anders wellicht te veel te weten zou komen en een getuige van zijn misdaden zou worden. Dan werd ik misschien wel opgehangen en in stukken gesneden als een rund of een varken.

'Je bent een vrouw die ik nooit zou kunnen aanraken,' zei hij plotseling. 'Je bent als het beeld van de Maagd Maria dat bij mijn moeder in de gang stond.'

Ik was uiteindelijk toch gered door een moeder. 'Zo moet je me ook altijd blijven zien,' zei ik beslist, en de geesten verdwenen.

Als om afleiding te zoeken van zijn echte verlies, begon Vince er weer over dat hij zoveel geld aan die 'griet' had uitgegeven en vroeg hij zich weer af of ze lesbisch was. 'Wat moet ik nu doen?' vroeg hij.

'Stel jezelf open voor ware liefde,' zei ik. 'Er zweeft een roze licht om je hart. Nu is het maar een zachte gloed, maar je kunt ervoor zorgen dat het je hele wereld lichter kleurt. Adem drie keer diep in,' zei ik tegen hem.

Terwijl hij inademde zag ik de knopen van zijn jasje strak komen te staan in de knoopsgaten. Bij de tweede ademteug kuchte hij. Bij de derde zakte zijn lichaam dieper in de leren stoel.

'Stel je voor dat je hartlicht steeds groter wordt,' zei ik monotoon. 'Stel je nu voor dat het je omringt, door de hele kamer straalt en alles op je pad waarschuwt. En nu over de hele straat en de wereld. Het zal je naar je ware liefde brengen.'

Hij opende zijn ogen, boog naar me over en legde zijn handen op zijn hart, alsof Cupido hem zojuist had geraakt met een van zijn pijlen.

'Ik ben het beeld in de gang van je moeder,' zei ik. 'Weet je nog?'

'Jij bent geen beeld,' zei hij bijna hijgend.

Ik stond op. 'Onze tijd is beslist om,' zei ik.

Hij stond ook op, pakte een flinke bundel bankbiljetten uit zijn zak, telde tien briefjes van honderd dollar af, legde die in mijn hand en sloot toen zijn handen om mijn vuist. Zijn dikke wenkbrauwen kwamen bijeen boven ogen vol verlangen. 'Blijf,' smeekte hij.

Als ik moest gillen, wie zou me dan horen, behalve zijn personeel? Mijn hart ging nu zo tekeer dat ik ervan overtuigd was dat hij het kon horen. 'Roep jij de limousine of doe ik het?' zei ik vastberaden, mijn hand lostrekkend uit de zijne.

'Rocko wacht voor het restaurant op je.' Vince zuchtte en haalde zijn schouders op. 'Volgende keer.'

Er zou geen volgende keer komen. Ik stak het geld in de zak van mijn Maagd Maria-jurk en liep langzaam achterwaarts de kamer uit. Rocko stond op het trottoir, tegen de limousine geleund. Hij opende het portier zodra hij me zag.

15

Toen ik eindelijk thuiskwam, zaten Cara en Darcy in de woonkamer tijdschriften te lezen. Ik sloop naar mijn slaapkamer, trok
de blauwe jurk uit en ging naar beneden.

'Mam,' riep Cara terwijl ze naar me toe kwam. 'Er zijn weer
bloemen gebracht terwijl je weg was,' fluisterde ze, naar het salontafeltje wijzend.

Roze rozen. Ik wist dat ze van Vince waren. Het was zelfs
een nog groter boeket dan de vorige keer.

Cara keek me met samengeknepen ogen aan. 'Wat heeft dit
te betekenen?'

'Ze zijn van een dankbare klant,' zei ik. Ik was zo van streek
dat ik hard begon te niezen. 'Ik ben er zeker allergisch voor.'

'Nou, zeg dan tegen de kerel die ze stuurt, dat hij ermee ophoudt,' beet ze me toe, terwijl ze over haar schouder keek om
zich ervan te verzekeren dat Darcy niet meeluisterde.

'Dat heb ik gedaan, maar hij heeft ze toch gestuurd,' fluisterde ik. 'Wil je me een plezier doen? Als er iemand bloemen
voor mij wil afleveren, neem ze dan niet aan.'

'Wat onbeschoft,' zei ze, waarop ze mompelend en hoofdschuddend wegliep.

Ik luisterde mijn voicemail af. Er waren geen berichten van
Rory. Als de situatie andersom was geweest, zou ik hem elke
minuut gebeld hebben. Ik belde hem.

'Zo,' zei hij, 'hoe is het gegaan met je echte kerel?'

Cara hoefde niet voor schut te staan omdat haar moeder een

man achter zich aan had, maar Rory verdiende het wel om wat tegenspel te krijgen.

'Ik heb hem echt geholpen zijn hart open te stellen,' zei ik.

'Ik wil niet dat je weer naar hem toe gaat,' zei Rory. 'Ik heb een veel beter idee. Ik hoorde vanochtend een helderziende op de radio. Ze was lang niet zo goed als jij. Je zou ook aan zo'n programma mee kunnen doen. Dan komt het geld binnenrollen en hoef je niet meer naar louche kerels toe.'

Ik zag bellen van opwinding in zijn aura dansen.

'Waar heb je het over?' vroeg ik. 'Cara zou flippen als ik mijn gave openlijk bekendmaak.'

'Mim, ik vraag je alleen erover na te denken, oké?'

'Dat is zeker een grapje,' zei ik, maar hij lachte niet. Ik voelde me zo beledigd dat zich een hete gloed van mijn hoofd tot in mijn onderbuik verspreidde. Waarom besefte Rory niet hoe riskant meer bekendheid voor me was? Hij had toch zelf meegemaakt wat er gebeurde als mensen erachter kwamen wat ik deed. Een paar jaar geleden had Tiffany, een cliënte, me overgehaald naar haar bruiloft te komen, omdat ze zo dankbaar was dat ik haar had gezegd dat ze lid moest worden van Outdoor Singles, omdat haar toekomstige man daar op haar wachtte. Jeff was tijdens hun eerste wandeltocht verliefd op haar geworden.

'Ik kom alleen naar je bruiloft als je me belooft dat je tegen niemand zegt dat ik helderziend ben,' zei ik. Ze beloofde het, maar toen het tijd was voor de toasts, hief ze haar glas en verkondigde: 'Deze bruiloft zou niet hebben plaatsgevonden zonder mijn helderziende, Miriam.' Waarop ik in de spots werd gezet. Meteen drongen er mensen om me heen, stelden me vragen over aandelen en de hoogte van hun volgende belastingaanslag.

'Haal mijn jas,' zei ik tegen Rory, en ik trok me terug in het damestoilet. Terwijl ik op de wc zat, keek een lange vrouw over de deur heen. 'Waar kan ík een echtgenoot vinden?' vroeg ze me. Toen hoorde ik een mannenstem. 'Hé, dit is de rij voor de helderziende,' zei hij, 'en ik was hier eerder dan u.'

Er stond een man in het damestoilet! Ik ging ervan uit dat

een groep als deze nog het beste scenario was. Ik had evengoed uitgelachen of gemeden kunnen worden. Ik kon niet weer in het voetlicht treden. Bubbie had me verteld dat mijn gave heilig was, en geen show. Ik hing op. Het enige waar Rory tegenwoordig aan dacht, was hoe we meer geld konden verdienen. Toen hoorde ik Cara en Darcy praten in de kamer:

'Als je gaat studeren moet je een dartbord hebben,' zei Darcy. Haar oudere zus was naar Brandeis gegaan. Ik hoopte dat Darcy Cara's belangstelling voor de universiteit terug kon brengen.

'Ik kan niet darten.' Cara zuchtte.

'Dat weet ik. Maar je hangt er een in je kamer omdat de jongens erop afkomen. Een goed dartbord kost vijftig dollar.'

Studenten met dartpijltjes leken me veel veiliger dan Lance.

'De matrassen in de studentenhuizen zijn net planken,' ging Darcy verder. 'We zullen een zacht matrasdek moeten kopen. En in plaats van een gewone deken en een kussen, koop je een hele set. Een donzen dekbed met een overtrek en bijpassende kussensloop, en je kunt zelfs bijpassende gordijnen krijgen. En we hebben van die zitkussens met armleuningen nodig, daar kun je zo lekker op steunen.'

Ik hoorde de kassa's in de warenhuizen op de North Shore al rinkelen. We zouden een fortuin nodig hebben om Cara naar de universiteit te sturen, en als ze niet ging, zouden we een fortuin nodig hebben voor een psychotherapeut voor haar en mij.

De telefoon ging. 'Hoi, met Phyllis Kanner.' Ze was vasthoudender dan een jehova. 'Ik geef niet op voor je een contract met me getekend hebt. Het is belachelijk dat je daar opgesloten zit in een kamertje en achter elkaar door werkt als een stukwerker in een slavenhok. Je hebt een fantastische gave. Het is tijd om die te verzilveren.'

'Dank je, maar ik heb geen belangstelling.'

'Ik bel je nog wel,' zei ze alsof ze me niet gehoord had.

Ik hing op en bleef zitten met mijn hoofd in mijn handen, te ontmoedigd om me te verroeren. Toen voelde ik een tinteling, alsof Iris me weer in de gaten stond te houden. Ik keek op en zag mijn vader in de deuropening staan in een wijde donkere broek en zijn gele nylon shirt met korte mouwen.

'Putchkie, denk je dat jij *tsores* hebt? Wat je hebt is zo erg nog niet,' zei hij, en gleed vervolgens door de deur naar buiten.

'Bedankt, pap,' riep ik hem na. Hij moest me er altijd aan herinneren dat onze problemen niet zo groot waren als ik dacht. We hadden tenminste nooit in de bijtende kou lucifers hoeven te verkopen, zoals mijn vader toen hij klein was. We beten nog lang niet op onze laatste korst droog brood en roken niet de stank van ons platgebrande dorp.

Alles is relatief, dacht ik. Maar toen Rory die avond binnenkwam, legde hij zijn hand tegen de muur alsof hij anders niet overeind kon blijven.

'Wat is er aan de hand?' vroeg ik gealarmeerd.

Hij blies zijn adem uit en schudde zijn hoofd, stak zijn hand in zijn zak en gaf me een brief. Die was van het waterschap. Ze schreven dat hij een schuld had van vijftienduizend dollar.

'Gebruik je zoveel water?' vroeg ik verbaasd.

'Nee. Ik ben hen al maanden aan het bellen, schrijven en faxen, en heb twee keer een vervanger ingehuurd zodat ik de zaak daar persoonlijk kon gaan regelen, maar ze sturen nog steeds die rekeningen. Ze worden elke keer hoger door de boetes. Ik heb het gevoel te verdrinken. Hoeveel meer kan ik er nog bij hebben?'

Het viel me plotseling op hoe mager hij was geworden. Zijn wangen waren ingevallen en hij had donkere wallen onder zijn ogen. Ik dacht aan mijn vader, die telkens als hij de vrieskast in moest had gedroomd van een huisje in Florida. Hij had niet lang genoeg geleefd om het te kopen. Mijn hart kromp ineen bij de gedachte dat ik Rory zou kunnen verliezen.

Ik pakte Rory bij zijn arm alsof hij invalide was en zette hem aan de keukentafel. Ik gaf hem een kom soep met vlees en gerst, maar hij leek te moe om de lepel op te pakken. Hij keek naar de muur en vervolgens naar mij.

'Ik ben nu geen medium,' zei ik, 'maar ik weet zeker dat je ouders niet zouden hebben gewild dat je in ellende leefde. We

zijn nog jong. We hebben mogelijkheden. We zouden eenvou-
diger kunnen gaan leven op het platteland.'

Rory legde zijn handpalmen plat op de tafel en boog naar
me toe. 'Als ik er nu mee kap, krijg ik niets voor de zaak. Dan
zijn de opofferingen van mijn ouders voor niets geweest. Wat
kan ik anders gaan doen? Het idee om op het platteland te gaan
wonen is heel leuk, maar daar zijn ook winkelketens. Ik zou
waarschijnlijk bij een CVS of Genovese terechtkomen en daar
de hele dag samenwerken met kinderen die net van de opleiding komen, bijna voor niks.' Ik zag de wanhoop in zijn ogen.
Toen wendde hij als een schuldig kind zijn blik af. 'Onze enige
hoop is dat jij voor de radio gaat werken, dat je de bekendheid
opzoekt.'

Ik dacht aan Phyllis Kanner die me smeekte een contract bij
haar te tekenen. Ik keek naar Rory's gezicht en voelde een
scheut van pijn in mijn hart. 'Oké...' zei ik beverig. 'Ik zal het
proberen, maar het zal afschuwelijk zijn voor Cara.'

'Het zal nog veel erger zijn als we failliet worden verklaard,'
zei hij zacht.

'Ik ben niet van plan dit tegen Cara te zeggen eer het echt
helemaal vaststaat,' zei ik. 'Dus laten we het voorlopig voor ons
houden.'

De volgende ochtend belde ik Phyllis Kanner. 'Hallo, met Miriam het medium.'

'Ik wist dat je tot bezinning zou komen,' zei ze gretig.

'Ik wil alleen ergens naar informeren.'

'Ik woon zelf ook in Great Neck. Zal ik naar je toe komen,
zodat we het persoonlijk kunnen bespreken?'

Ik had zin om haar te vragen meteen te komen, maar ik
wilde dat Rory erbij was om te horen wat Phyllis te zeggen
had.

'Wat dacht je van morgenavond om zeven uur?' vroeg ik.
Dan zou Cara naar de Junior Tempelclub zijn.

'Geweldig,' zei ze, en ik zuchtte.

'Miriam!' zei Phyllis toen ik de volgende avond in mijn witte tuniek de deur opendeed. Tijdens onze eerste sessie had ik gemeend dat ze achtenveertig was, maar nu ik het grijze laagje in haar aura zag, vermoedde ik dat ze halverwege de vijftig was. Niemand anders zou het zien. Haar gezicht was strak dankzij plastische chirurgie. Ze was wat plomp in haar witte jas en hield haar hand aan haar keel zodat ik haar vierkaraatsdiamant zou zien. Aan haar nek hing een grote fotocamera.

'Kom binnen,' zei ik.

Ik kon horen hoe ze mijn bezittingen taxeerde terwijl ze rondkeek. Het was alsof ze keek wat er te halen viel: eiken kist, 750 dollar; vloerlamp van Stiffel, 200 dollar of zo.

'Tweezitsbankje, negenhonderdvijftig bij Bloomingdale's,' zei ik wrang. 'Wil je niet gaan zitten?'

Haar grijze ogen twinkelden. 'Je bent me er echt eentje,' zei ze lachend. Daarna deed ze een stap terug en bekeek mij eens goed. 'Hm,' zei ze. 'Een paar hoge hakken zouden je wat meer lengte geven. Ik zal alvast wat foto's van je hoofd maken.'

'Maar ik weet nog helemaal niet of ik met je in zee wil gaan.'

'Dit is alleen zodat ik een beslissing kan nemen over je look,' legde ze uit. 'Als je tekent, laat ik je natuurlijk door een professional fotograferen. Maar hiermee heb ik alvast een foto in je dossier, voor het geval zich iets aandient.' Ze bracht haar camera omhoog en bestudeerde me door de lens.

'Moet ik glimlachen?' vroeg ik.

'Wees maar gewoon jezelf,' zei ze, maar ik voelde mijn gezicht verstrakken terwijl ze door de zoeker naar me keek.

Met haar mond schuin zei ze: 'Nou, ik denk dat we met die lichte ogen en dat wilde haar het beste kunnen gaan voor een etherische look.' Ze maakte een stuk of tien foto's. 'Ja, beslist etherisch,' zei ze. 'Een sterrenhemel als achtergrond zou ook helpen.' Ze liet haar camera weer zakken en keek me aan met haar hoofd iets schuin. 'Misschien kun je een wat donkerder foundation gebruiken aan de zijkanten van je neus, zodat die wat minder breed lijkt.'

Ik kromp ineen.

'O, hemeltje,' kwinkeleerde Phyllis. 'Ik wilde je niet van streek maken. Het is alleen dat ik alles al helemaal aan het uitdenken ben, en dan vergeet ik soms mijn fatsoen.' Ik meende een glimp van plezier in haar ogen te zien, maar ze beet op haar onderlip alsof het haar oprecht speet. Toen ze op het tweezitsbankje plaatsnam, zag ze Cara's foto op het salontafeltje staan. 'En wie is deze schoonheid?' vroeg ze.

'Mijn dochter, Cara,' zei ik trots.

'Is ze ook helderziend?'

'Helemaal niet,' zei ik opgelucht, en toen voelde ik me vaag schuldig om wat Cara ervan zou vinden als ik de openbaarheid opzocht. Ik herinnerde me hoezeer Cara zich had geschaamd: bij de helderziende op televisie, haar vernedering tijdens de basketbalwedstrijd, toen ik het veld op liep om te roepen dat Alicia's neus gebroken zou worden. Het vage schuldgevoel werd levensecht en pijnlijk.

'Jammer,' zei Phyllis. 'Anders had ik jullie samen kunnen boeken, een moeder-en-dochter-act. Dat zou het publiek prachtig vinden. Ik had haar op de voorpagina van *Vogue* kunnen krijgen.'

'Eén helderziende in de familie is al moeilijk genoeg,' zei ik. 'En ik wil een toneelnaam gebruiken, zodat mijn gezin en ik enigszins anoniem blijven.'

'Natuurlijk,' zei ze. 'En Miriam Kaminsky ligt toch niet echt lekker in de mond. Wat vind je van Simone Savant?'

'Wie? Ik heb iets nodig wat dichter bij mijn eigen naam blijft. Misschien kunnen we gewoon Miriam gebruiken,' opperde ik. 'Geen achternaam. Dat heb ik altijd al gedaan. Veel helderzienden doen het.' Ik vertelde haar over Isabel.

'Goed, Miriam dan,' zei Phyllis.

Toen hoorde ik Rory's Taurus op de oprit. Terwijl hij de voordeur opendeed, zei ik: 'Mijn man, Rory.'

Rory had een lichtblauw overhemd met een gestreepte das en zijn goede zwart jas aan, alsof hij degene was die indruk moest maken.

Phyllis kwam overeind van het tweezitsbankje. 'Een waar genoegen,' zei ze, en ze schudde hem met glimmende oogjes de hand. 'Nu zie ik van wie jullie dochter haar knappe uiterlijk heeft.'

Ik voelde me alsof er een kippenbotje in mijn keel was blijven steken.

'Uw vrouw zou een goudmijn kunnen worden als ze ermee instemde een contract bij me te tekenen,' vervolgde Phyllis, naar hem toe buigend. 'U hebt geen idee wat voor markt ervoor is.'

'Ik weet het,' zei Rory. 'Ik heb haar aangemoedigd met u samen te gaan werken.'

'Echt waar?' zei Phyllis met haar hoofd schuin. 'En wat doet u zelf?'

'Ik ben apotheker. Ik heb een eigen zaak. Apotheek Mirror aan Springfield Boulevard in Queens.'

'En hoe blijft u overeind tussen de grote ketens?' vroeg ze.

Rory begon zijn schimprede tegen de ketens. Ik had die al zo vaak gehoord dat ik naar de keuken liep om de koffie en het chocoladegebak te halen. Toen ik terugkwam, zei Rory: 'Bedankt voor het luisteren. Poe, ik voel me nu al beter.'

Ik zette het gebak en de koffie net iets te hard op de tafel neer. Ze was hier om het over míjn zaak te hebben, niet de zijne. 'Kost het me geld om jouw cliënt te zijn?' vroeg ik.

'Normaal wel, maar ik wil je zo graag hebben dat ik een uitzondering zal maken. Ik breng je niets in rekening tot je bij *Oprah* bent geweest. Je krijgt de eerste keer maar achthonderd dollar,' zei ze, 'maar met je volgende optreden verdien je zeker evenveel als nu in een halfjaar, dat garandeer ik je. Zodra je echt begint te scoren krijg ik twintig procent.' Ze haalde het contract uit haar tas en gaf het me. 'Het is zo simpel dat je er niet eens een advocaat bij nodig hebt. Teken maar op de stippellijn, dan kunnen we beginnen.'

Het verbaasde me hoe stil Rory was. Hij leek wel in trance te zijn. Gewoonlijk bemoeide hij zich wel met zakelijke transacties. Nu liet hij het aan mij over. Een ware scheiding van Kerk en Staat, dacht ik. Het voelde goed. Het bood me de kans om een echte zakenvrouw te worden. 'Ik zit liever niet aan een contract vast,' zei ik.

'Nou, ik kan je moeilijk beroemd maken en je dan door iemand anders laten wegkapen, is het wel?'

Rory kwam eindelijk uit zijn trance. 'Laat mij eens kijken.' Hij las het nauwelijks. 'Klaar als een klontje. Precies zoals ze zegt.' Hij bleef maar knikken alsof hij wilde zeggen: zeg ja, zeg ja, zeg ja. Het begon me te irriteren.

'Laat het contract maar hier,' zei ik tegen Phyllis. 'Ik zal er eens naar kijken, maar ik beloof niets.'

'Nee, maar ik beloof jou wel iets,' zei ze verrukt. 'Succes zoals je nooit hebt durven dromen. Jij bent de helderziende. Je wilt me toch niet vertellen dat je je eigen toekomst niet kunt zien, wel?'

Ik was zo overweldigd dat mijn geestesoog troebel was. Ik kon zelfs nauwelijks zien wat ik pal voor me had, laat staan mijn toekomst. 'Ik moet er nog even over nadenken,' zei ik.

Nadat we haar in haar Lexus hadden zien stappen, viel me op dat Rory helemaal gloeide. Hij zag er zo uitbundig, zo jongensachtig uit dat ik even door zijn haren woelde.

'Ze is goed,' zei hij. 'Je zou moeten tekenen, Mim. Het is verbazingwekkend zoals deze kans op je af is gekomen. Alsof het zo heeft moeten zijn.'

Ik had het gevoel of ik op een pijnbank uit elkaar werd getrokken.

'Rory,' zei ik. 'Doe me een lol. Gebruik mijn affirmaties niet tegen me.'

De volgende ochtend ging de telefoon. Mijn nekspieren zaten zo vast dat ik nauwelijks de hoorn kon opnemen.

'Hoi,' zei Phyllis. 'Heb je al een besluit genomen?'

De pijnbank werd nog strakker aangetrokken. Ik woog alles: Cara's gevoelens, onze gigantische uitgaven, wat er met onze levens zou gebeuren als Great Neck erachter kwam dat ik helderziend was. En als ik inderdaad succes kreeg, zou Rory's zaak misschien nog meer geld opslokken en zou ik me dubbel zo hard ergeren. 'Ik weet het nog niet zeker,' zei ik.

'En, vertel me eens, wat vond je man van het gesprek?'

'Hij laat het helemaal aan mij over,' zei ik. Ik wilde niet dat ze wist hoezeer hij me onder druk zette. Ik wilde niet dat ze in het voordeel was.

16

Ik las Cara's absentiebriefjes van de schooladministratie telkens weer. Ja, ze deelden me echt mee dat Cara op maandag en dinsdag het achtste lesuur had gemist. Zoiets had ze nog nooit gedaan. Aan de achterkant van het briefje zat een geel Post-itbriefje:

Beste Miriam,
Maak je geen zorgen, het is gewoon senioritis, iets van de laatstejaars. Mijn dochter heeft trouwens nog steeds de wenskaart die ze in jullie souterrain heeft gemaakt, destijds bij de kabouters.

Vriendelijke groet,
Nancy Curson

Het was aardig van Nancy om te proberen de klap te verzachten, maar senioritis of niet, ik moest een eind maken aan het spijbelen van Cara. Ik had nu een bondgenoot bij de administratie, maar voelde nog steeds de aandrang om meteen naar school te rijden om te controleren of Cara vandaag niet weer gespijbeld had.

Ik arriveerde halverwege het zevende uur. Terwijl ik de trap naar de hoofdingang op liep had ik uitzicht op de leerlingenparkeerplaats. Er zat een stelletje op een motor, de gezichten naar elkaar toe, in een Kamasutra-achtige houding. Ze hadden bijna seks en dat pal voor de school. In mijn tijd deden jonge mensen dit soort dingen onder de sporttribune.

Ik keek weer naar het stelletje en toen ze zich bewogen zag ik plotseling dat het meisje net zo'n jas had als Cara en dat het hoofd van de jongen gedeeltelijk was kaalgeschoren, met een blond knotje bovenop. Het meisje rekte zich uit en zuchtte, en ik kreeg zowat een hartverzakking. 'Cara!' riep ik. Bij hen aangekomen, voelde ik me vooral onverklaarbaar beschaamd. 'Je had me beloofd niet op die motor te kruipen,' zei ik ademloos.

Cara deinsde geschrokken achteruit. 'Wat doe jij hier, mam?' Ze streek haar kleren en haar haren glad.

'Ik kreeg een paar uitnodigingen met de post,' beet ik haar toe, zwaaiend met de absentiebriefjes.

Ze keek me even met grote ogen aan en zwaaide vervolgens langzaam, nog steeds Lance' hand vasthoudend, haar benen van de motor. 'Mam, Lance,' zei ze bij wijze van introductie.

'Hé,' zei Lance, zijn gele knotje scheef naar één kant. Er lag een vrijpostige grijns op zijn gezicht.

Ik had genoeg van hem. Ik knikte zonder hem echt aan te kijken, maar zag nog steeds bliksemschichten van energie van zijn hand naar die van Cara schieten, die haar hele lichaam vulden met een negatieve kracht. 'Ik zat wel op de motor, mam, maar die reed niet,' zei ze. 'We zaten er alleen maar op. Het had net zo goed een bank in het park kunnen zijn.'

'Maakt u zich geen zorgen,' kwam Lance ertussen. 'Zelfs als Cara met me meerijdt is ze veilig. Ik heb wel tweehonderd gereden zonder een schrammetje,' voegde hij er trots aan toe.

Mijn hart bonkte in mijn keel. Hij moest weten dat hij me doodsbang maakte. Cara had zo'n verheerlijkte uitdrukking op haar gezicht, dat als ik niet nog steeds de pijnlijke klap van mijn moeder tegen mijn eigen wang zou voelen, ik haar misschien ook had geslagen. 'We gaan,' zei ik tegen haar. 'We moeten praten. Onder vier ogen.'

Ze snoof, schonk Lance nog een lange blik, waarbij een roze waas tussen hen in dreef, en kwam toen eindelijk achter me aan.

Ik voelde zijn blik, als tentakels die naar haar werden uitge-

209

strekt. 'Je kunt maar beter meteen teruggaan naar de klas,' zei ik toen we buiten gehoorafstand van Lance waren.

'Mevrouw Bernschwager is er vandaag niet en de vervangster is ook ziek geworden. Mijn klas werd in een stomme studiezaal gestopt met een achterlijke decaan. Ik had niet eens iets bij me om te studeren.'

'Sinds wanneer bepaal jij je eigen regels?'

Cara keek achterom naar Lance, haalde toen haar schouders op en schudde haar hoofd. 'Ik vond het meer op mijn eigen oordeel afgaan.'

Ze had tegenwoordig overal een antwoord op. 'Er wordt onder geen beding meer gespijbeld,' zei ik. 'En zoals jij met die jongen tekeerging, en dan nog wel op het schoolterrein, dat getuigt van erg weinig beoordelingsvermogen.'

'Het enige wat we deden was praten,' zei ze.

Ik dacht aan hoe hij zijn benen om haar dijen had geslagen en hoe haar handen over zijn rug streelden. 'Ik loop wel met je naar de studiezaal,' zei ik.

Ze keek geschrokken. 'Mam, maak je geen zorgen. Ik vind het heus wel alleen, hoor.'

Ik vergezelde haar tot aan de glazen deur en hield die voor haar open tot ik haar naar boven zag lopen, het roze waas achter haar aan.

'Er zit nog maar één ding op,' zei Rory toen hij de twee absentiebriefjes las.

'Wat?' vroeg ik.

'Als we onze dochter niet tot bezinning kunnen brengen, moeten we dat met die jongen proberen. We zullen hem vragen zondag om één uur hierheen te komen.'

'Oké,' zei ik, verwachtend dat Cara zou protesteren, hem ouderwets zou noemen. Ik kon me haar sneer al voorstellen, maar hoe kon ik tegen Rory zeggen dat hij het beter niet kon proberen?

Rory liep naar de trap. 'Cara, kom naar beneden,' riep hij, 'je moeder en ik moeten met je praten.'

Terwijl ze blootsvoets de trap af kwam, hoorde ik haar denken: daar gaan we weer. 'Ik weet het al,' zei ze, haar kamerjas strakker om zich heen trekkend, 'ik heb zeker huisarrest tot ik een jaar of tachtig ben?'

Rory klemde zijn kaken op elkaar. 'Mis,' zei hij. 'We willen Lance ontmoeten. We willen dat je hem vraagt zondag om één uur hierheen te komen. Ik wil een paar dingen met hem bespreken.'

Tot mijn verbazing sprong ze op haar tenen en zei 'Yes!' met een brede glimlach op haar gezicht. 'Jullie vinden Lance vast heel aardig als jullie hem eenmaal leren kennen. Hij heeft een fantastisch gevoel voor humor.'

'Zeg dat hij zijn motor thuislaat en iets fatsoenlijks aantrekt, iets met een stropdas, misschien,' zei Rory.

'Ik weet niet of Lance zo ver zal gaan,' zei Cara, maar ze glimlachte. 'Ik ga hem meteen bellen.'

Zodra we alleen waren, keken Rory en ik elkaar paniekerig aan. 'Ik kan niet geloven dat ik die maniak in ons huis binnenlaat,' zei hij.

'Ik ook niet.'

Hij zweeg even en legde een vinger tegen zijn kin. 'Misschien kunnen we tegen Cara zeggen dat we ons bedacht hebben.'

'Kunnen we dat wel maken?'

'Natuurlijk wel. Wij zijn de ouders.'

'Misschien heeft ze hem nog niet gebeld,' zei ik.

'Dat zou helemaal mooi zijn,' zei Rory. We aarzelden, pakten elkaar toen bij de hand en liepen naar de trap, maar Cara verscheen al in de deuropening. Ze keek alsof er in haar binnenste iemand een lamp had uitgedaan.

'Lance doet niet aan ouders, zegt hij,' verkondigde ze.

'Maar, Cara,' zei Rory, 'hoe kunnen we geloven dat hij eerzame bedoelingen heeft als hij ons niet wil ontmoeten?'

'Dat heeft hij echt, papa. Hij heeft alleen problemen met vertrouwen.'

De laatste cliënt die me had verteld dat hij problemen had

met vertrouwen, had zijn sessie betaald met een gestolen creditcard.

'Hij zou het voor jou moeten doen, Cara. Daar gaat het om,' zei Rory. 'Zeg hem dan maar dat hij hier nooit een voet in huis zal zetten. En laat ik niet weer horen dat je lessen hebt gemist vanwege hem of wie dan ook, jongedame.'

Cara draaide zich op haar hielen om en liep de kamer uit.

Rory keek me aan. 'Misschien is het zo wel beter,' zei hij. 'Lance heeft zojuist onze positie verstevigd.'

Ik zag niets anders dan een dichte mist. Ik hoopte dat Rory Cara niet verder in Lance' armen had geduwd.

De volgende ochtend belde er een vrouw. 'Ik wil graag een afspraak maken voor een sessie,' zei ze. 'Wanneer hebt u tijd?'

Ik keek in mijn agenda. 'Vrijdagochtend,' zei ik.

'Nee, dan laat ik mijn haren en nagels doen,' zei ze.

'Komt woensdagavond u beter uit?' vroeg ik.

'Soms gaan we op woensdagavond naar de club,' zei ze.

'Vertel me maar welke tijden u vrij bent,' zei ik, 'dan zal ik kijken of ik u van dienst kan zijn.'

Ze vertelde me wanneer ze een afspraak had met haar therapeut, en wanneer ze naar de allergoloog en de dermatoloog moest. 'Ik ben zelden voor de middag op,' zei ze, en babbelde vervolgens een poosje over haar slapeloosheid en alle behandelingen die ze daarvoor al had ondergaan.

Er was al een kwartier verstreken en we waren nog niet dichter bij het maken van een afspraak. 'Het spijt me, maar ik kan niet langer aan de telefoon blijven.'

'Ik ben klaar om af te spreken,' zei ze. 'Maar wat nu als ik van gedachten verander? Wat is uw annuleringsbeleid?'

Ik bedacht dat ze wel eens de vierde zou kunnen worden die net op tijd de afspraak afzei. 'Weet u wat?' zei ik. 'Ik krijg helemaal geen informatie over u door. U kunt beter een andere helderziende bellen.'

'Maar u werd heel warm aanbevolen,' sputterde ze tegen.

'Vraag maar om een andere aanbeveling,' zei ik, en ik hing op.

212

De telefoon ging weer. Ik dacht dat het dezelfde vrouw was, die me belde om nog meer van mijn tijd te verspillen, maar ik nam net op voordat de voicemail werd ingeschakeld.

Het was Phyllis. 'Ik heb iets fantastisch voor je,' zei ze ademloos. '*The Rita Cypriot Show*. Landelijke uitzending. Dat is een geweldige kans.'

Het klonk opeens beter dan mijn tijd verspillen aan kwebbelaars die toch maar annuleerden. 'Televisie?' zei ik. 'Ik had alleen radio in gedachten.'

'Als je dit niet aanpakt, moet ik een van mijn andere helderzienden bellen,' zei Phyllis. 'Ik zweer je, hoe geweldig je ook bent, als je dit afwijst, kan ik het me niet veroorloven nog meer tijd in je te investeren.'

Ik aarzelde nog steeds. Toen hoorde ik in mijn hoofd iets dichtslaan. Het was ofwel de deur van de kans, ofwel het deksel van mijn doodskist. Ik keek links van me om te zien wat de toekomst in petto had en zag een wolkenkrabber. Het was in elk geval geen begraafplaats. Misschien was het een goed teken. Daarna dacht ik aan Cara, en wat het voor haar zou betekenen als ik op televisie kwam.

'Je bent een heel dwaze vrouw als je er nu niet in springt.'

Het woord "springt" baarde me zorgen. Ik zag mezelf van de wolkenkrabber springen, maar knipperde dat beeld weg. Daarop zag ik Cara springen.

'Ik begin mijn geduld te verliezen,' zei ze.

Ik sloeg mijn hand voor mijn ogen. 'Maar ik wil niet gezien worden.'

'Dit is ofwel je lanceerplatform, ofwel het einde van de rit.'

Daar was ik al bang voor. 'Oké,' zuchtte ik. 'Ik zal je contract tekenen en het opsturen.'

'Dit is de mooiste dag van je leven,' zei ze.

Toen we hadden opgehangen, leunde ik achterover in mijn stoel en ging met mijn handen achter mijn hoofd uit het raam zitten kijken. Misschien was het inderdaad de mooiste dag van mijn leven, dacht ik. Wie weet? Bubbie had gezegd dat een helderziende zichzelf de toekomst niet kon voorspellen.

213

'Maar nesjommele, ik kan de jouwe wel voorspellen,' hoorde ik. Ik draaide mijn ogen naar rechts en daar was Bubbie, met haar zilveren broche midden op haar kanten kraag en gekleurde kammen in haar haren.

'Bubbie, wat zie je er mooi uit, vandaag,' zei ik, maar haar ogen vonkten.

'In dit werk word je niet geacht voor het geld te gaan. En je mag het nooit voor de show doen. Als jij op tv komt, kan ik je niet meer helpen,' zei ze.

Ik dacht aan de ellende waarin Rory en ik verkeerden. 'Bubbie, een van de mooiste dingen die een genezer kan doen is een gezin redden, heb je gezegd. En ik probeer nu mijn eigen gezin te redden. We hebben het geld nodig om Cara te kunnen laten studeren. En ik kan Rory niet steeds verder laten wegzakken. Ik moet hem redden. Soms moeten de levenden voorrang krijgen boven de doden.'

'Dus je vernaggelt wat ik je heb geleerd om te doen wat je zelf wilt en spoelt de oude manieren door de plee?' snauwde ze. 'Nou, als jij gaat optreden in dat programma, dan zul je je Bubbie niet meer zien.'

Ik voelde mezelf in paniek raken.

'Bubbie, je kunt niet boos op me blijven. Weet je niet meer? Boosheid is een blinddoek en oordoppen.'

Bubbie klemde haar lippen op elkaar en kneep haar ogen tot spleetjes. De enige andere keren dat ik haar boos had gezien, was wanneer een cliënt ondankbaar was, of wanneer mijn moeder ons bij elkaar vandaan probeerde te houden.

'Je kunt van een persoon houden zonder te houden van wat hij of zij doet,' zei ze.

Bubbie werd steeds bleker, tot ik alleen nog de kleine regenboog zag die weerkaatste in het kristal aan de witte muur. Ze komt wel terug, hield ik mezelf voor, maar ik stond niettemin te bibberen. Wat ik ook verkoos te doen, ik bleef toch haar nesjommele. Ik moest geloven dat haar geest me nooit in de steek zou laten.

Ik belde Rory op de zaak. Ik kon het gegons van de printer

op de achtergrond horen, die formulier na formulier uitspuugde waarop stond wat de klanten hem schuldig waren en dat iemand bij Medicaid, Medicare of een van de andere verzekeraars op een verkeerde stapel zou leggen.

'Heb je ooit van *The Rita Cypriot Show* gehoord?' vroeg ik hem.

'Natuurlijk. Mijn klanten praten erover. Waarom vraag je dat?'

'Ik teken het contract van Phyllis en ik kom in dat programma.'

'Mim, dat is geweldig. Voor ons allebei.' Er klonk zoveel opwinding door in zijn stem, dat ik moest denken aan maïskorrels die in de oven openbarstten tot popcorn. 'De mensen zeggen dat Rita Cypriot echt weet hoe ze haar gasten gerust moet stellen, en het beste in hen naar boven weet te halen.'

Ik voelde dat ik milder werd onder Rory's aanmoediging. Rita zou me precies de goede vragen stellen en me naar het succes voeren. Mijn ademhaling werd weer regelmatig.

Een kwartier later belde Phyllis me terug. 'Het is nog niet helemaal rond,' zei ze. 'Morgenochtend om negen uur belt de productieassistente, Janice Whitman, je op voor een sessie, zodat ze zeker weten dat je het echt in je hebt.'

'Oké,' zei ik. Ik wist dat de test me altijd nog een kans zou bieden me terug te trekken.

Die nacht lag ik te woelen en te draaien tot het beddengoed een warboel was. Ik had Rory's troost nodig. Ik aaide zijn nek. 'Rory,' zong ik zacht in zijn oor. Hij bewoog even en ik drukte mijn lichaam tegen zijn rug, maar hij weigerde wakker te worden.

Ik ging naar beneden, schonk mezelf een paar slokjes whisky in en begon te nippen. Het voelde aan als een suikerkoekje dat in thee was gedoopt. Zodra mijn lichaam de bank raakte, viel ik in slaap.

Later voelde ik beweging om me heen. Mijn ogen fladderden open. Rory stond over me heen gebogen. Hij kuste me op mijn voorhoofd. 'Ik ga werken,' zei hij. 'Eigenlijk had ik hier moeten gaan liggen. Ik was zo moe dat ik overal wel had kunnen slapen. Ik weet dat je die productieassistente zult verbijsteren,' zei hij. Ik keek op de klok. Het was halfvijf. Ik wilde dat hij me had laten slapen.

Voor ik het wist stond er iemand aan mijn schouder te trekken. Ik deed mijn ogen open. Het was Cara. De zon was opgekomen en scheen door de ramen.

'Jij en pap hebben toch geen ruzie gehad, of wel?' vroeg ze. Ik hoorde haar denken: eerst gingen de Changs scheiden, daarna de Hassams en de Goldsmiths, nu mijn vader en moeder.

'Nee, ik kon alleen niet slapen,' zei ik. Ik sjokte de keuken in om samen met haar te ontbijten, maar kon zelfs geen slokje thee drinken. Ik hoopte dat ze het niet zou merken. Een inmenging van Cara zou mijn geestesoog vandaag wellicht te veel vertroebelen. Nadat ik me had gedoucht en aangekleed, ging ik meteen door naar mijn werkkamer. Ik pakte een pen en een velletje papier om alles op te schrijven wat me te binnen schoot. 'Ohm,' zong ik nerveus. 'Ohm.' Ik probeerde me voor te stellen hoe de productieassistente eruit zou zien. Ze had bruin haar. Nee, het was rood. Of was het zwart? Ik was bang dat mijn gave me volledig in de steek had gelaten. Wanneer ze belde, zou ik haar niets kunnen vertellen. Ik zou haar minachting over mijn hoofd voelen stromen.

De telefoon ging. Mijn hand beefde toen ik de hoorn opnam. 'Hallo,' zei ik.

'Hallo, met Janice Whitman, de productieassistente van *The Rita Cypriot Show*. Tijd voor de auditie. Vertel me eens wat over mezelf.'

Ik probeerde wanhopig een detail door te krijgen waarmee ik indruk op haar kon maken, iets in haar kantoor. Maar alles was donker, als de stukken van een oude spiegel waar het zilver van is afgesleten. Ik zweeg. 'Je bent punctueel en efficiënt,' zei ik uiteindelijk nerveus. Toen hoorde ik een zoemtoon in mijn oor. 'En heb je last van je oor?' vroeg ik hoopvol.

'Nee, maar mijn dochtertje wel. En nu heb je me bezorgd gemaakt. Ik wil de oppas even bellen. Ik bel je over een paar minuten terug,' zei ze.

Poe, dacht ik. Zodra ze had opgehangen kwamen er allerlei beelden op me af. Ik zag haar vaag in een kamertje met hoge stapels papieren op haar bureau. Aan de muur hingen memobriefjes, een foto van haar dochter en een foto van een man die een schilderij maakte aan een ezel. 'Kunstschilder,' schreef ik op. Ik kreeg beelden van haar hele familie. Ze had een zus en ik kreeg een beeld door van een zwaard in het hart van de productieassistente. 'Rivaliteit met haar zus,' schreef ik.

Toen ze terugbelde vertelde ik haar wat ik had opgeschreven.

'Jeetje,' riep ze. 'Hoe wist je dat?'

'Het is mijn werk,' zei ik tevreden. Toen kwam er iets nieuws door. Een hooggehakte schoen die een stapel geld omtrapte. 'Betaal jij het merendeel van de rekeningen in jullie gezin?' vroeg ik.

Ze zuchtte. 'De galerie van mijn man is onlangs gesloten. Hij zoekt een nieuwe.'

Ik kreeg een blik op de toekomst van de schilderijen die zich op de zolder van hun appartement opstapelden. Ze verkochten niet. Hij was geen goede schilder. 'Hij heeft weinig geluk gehad met zijn schilderijen,' zei ik. 'Ik zie massa's onverkochte doeken.'

'Alles wat Phyllis over je heeft gezegd is waar,' zei ze. 'Je bent fantastisch. Ik heb het vreselijk druk, maar voor we ophangen zou ik je graag een vraag stellen. Zal mijn huwelijk goed blijven?'

Ik hoorde haar angst; het klonk als het geknetter wanneer je een vork in de broodrooster stak. Toen zag ik een hand die een trouwring afdeed. 'Investeer in jezelf,' waarschuwde ik haar. Ik zag een televisiescherm boven haar hoofd verschijnen. Ze presenteerde haar eigen programma. 'Ik weet dat je op een dag graag je eigen programma wilt. Maak je eigen dromen waar.'

'Houdt dat in dat mijn huwelijk spaak zal lopen?'

'Dat is op dit moment nog niet duidelijk,' zei ik voorzichtig. 'Maar ik zie wel een fantastische kans op succes voor jou als je je op jezelf concentreert.'

'Daar ben ik blij om. Ik ben stomverbaasd. Je hebt het echt in je. Ik zal regelen dat je in het programma komt. We nemen het op dinsdag 12 januari op en ik laat je nog weten wanneer we het uitzenden.'

We namen afscheid, maar nadat ik had opgehangen waren de zorgen over Cara er weer. Ik moest een manier bedenken om het haar te vertellen.

Zodra Rory thuis was rende ik naar hem toe. 'Ik heb de auditie gehaald,' zei ik.

'Geweldig,' zei hij, en hij drukte me tegen zich aan.

Ik begon te beven. 'Rory, ik ben zo nerveus. Neem je op 12 januari vrij om mee te gaan naar de studio?'

Hij sloeg zijn armen om me heen, maar ik voelde zijn spanning.

'Dat zou ik heel graag willen, schat. Meer dan wat dan ook, maar de apotheker die altijd voor me inviel heeft een vaste baan gevonden en ik heb niemand anders. En ik kan ook geen hele dag sluiten. De mensen rekenen op me voor hun recepten.'

Ik begreep het, maar kon niet voorkomen dat mijn ogen vollepen met tranen. 'Ik voel me zo alleen, Rory.'

'Je zou Phyllis Kanner kunnen vragen om mee te gaan,' zei hij. 'Ik wed dat het bij haar werk hoort.'

'Zij maakt me nog nerveuzer. Ik wil dat jij bij me bent, Rory.'

Hij hield me stevig vast. 'Dat programma zal mij de mogelijkheid geven het iets rustiger aan te doen, zodat we vaker samen kunnen zijn. We zullen met ons drieën op vakantie kunnen. Daar gaat het allemaal om, Mim, dat ik meer tijd krijg voor jou en Cara.'

Heel even voelde ik me gesterkt, maar toen deed de gedachte dat ik het aan Cara moest vertellen de moed weer in mijn schoenen zinken.

De zaterdagmiddag voor het programma zou worden opgenomen wist ik dat ik het Cara moest vertellen. Ze lag op haar zij op bed een nummer van *Seventeen* door te bladeren, haar hoofd op haar hand. Ze droeg weer het T-shirt van Lance. 'Cara, ik kom binnenkort op televisie,' zei ik opgewekt.

'O? Waarvoor?' vroeg ze zonder haar tijdschrift dicht te slaan. In haar kringen was het niet ongewoon. Darcy's moeder was op tv geweest om te klagen over de luizenepidemie in Great Neck. Courtneys moeder, die ooit model was geweest, verscheen nog steeds in een commercial voor Playtexbeha's.

Ik ademde diep in. 'Voor mijn gave,' zei ik. 'Mijn helderziendheid.'

Nu sloeg ze *Seventeen* dicht. Zonder een woord liep ze naar haar dressoir, trok haar rommellaatje open en keerde het ondersteboven. Knikkers, tampons, zonnebrillen, pennen, agenda's, baretten en snoepkokertjes vielen op het vloerkleed. 'Dat kun je niet maken!' riep ze uit. 'Dan heb ik geen leven meer. Waarom doe je me dat aan?'

Ik wilde haar omhelzen, maar ze sloeg haar armen over elkaar.

Ik liet mijn handen zakken. 'We hebben het geld nodig,' zei ik zacht. 'Het zal me helpen mijn zaak op te bouwen, zodat pap de zijne kan uitbreiden. Jongeren van jouw leeftijd kijken toch niet naar dat programma.'

'Dat is ze geraden,' zei ze. 'Dat is ze echt geraden.' Ze bukte zich en begon handenvol spullen terug in de lade te stoppen. Zonder me aan te kijken vroeg ze: 'Wanneer wordt het uitgezonden?'

Mijn mond was droog. 'Ik weet alleen dat het aanstaande dinsdag wordt opgenomen.'

Ze kwam overeind om de la terug in het dressoir te duwen, maar was zo kwaad dat ze hem er schuin in duwde.

'Laat mij dat maar doen,' bood ik aan.

'Jij hebt al genoeg gedaan,' zei ze verbitterd. 'Ik wil gewoon met rust gelaten worden.'

'Oké,' zei ik, en met zoveel waardigheid als ik kon opbrengen liep ik naar beneden, ging op de onderste trede van de trap zitten en probeerde te bedenken hoe ik dit weer recht kon breien. Ik had Bubbie nodig.

'Bubbie?' Ze gaf geen antwoord. Ze draait wel bij, dacht ik, als ik maar lang genoeg wacht. Er ging een kwartier voorbij en ik werd zo rusteloos dat ik daar geen seconde langer kon blijven zitten. Ik moest gewoon dicht bij Cara zijn. Ik ging terug naar boven, naar haar kamer, maar ze had een bordje met NIET STOREN aan de deurkruk gehangen.

Naarmate de dag vorderde, nam ook mijn paniek over mijn tv-optreden toe, vooral als ik dat zonder de steun van Bubbie moest doen. Toen Rory thuiskwam, zei ik: 'Ik moet op jou oefenen voor het programma.'

Rory trok aan zijn kraag. 'Dat lijkt me niet zo'n goed idee,' zei hij.

Ik wist dat Rory het niet prettig vond als ik mijn gave op hem gebruikte, maar ik had geen tijd voor zijn tegenwerpingen. Ik gaf hem een *National Geographic*. 'Ik ga naar boven,' zei ik. 'Kies een foto uit en concentreer je daarop. Over een kwartier kom ik naar beneden om je de foto te beschrijven.'

'Maar, Mim, ik verga van de honger.'

'Doe het!' zei ik gejaagd.

Hij schudde zijn hoofd om mijn opwinding. 'Oké.'

Ik ging naar boven en stelde een timer in. Ik ging in een van de slaapkamerstoelen zitten en sloot mijn ogen. 'Ohm, ohm,' zong ik. Ik probeerde me Rory voor te stellen die aan de ronde eiken tafel in de keuken naar het tijdschrift zat te staren. Ik plaatste mezelf in dat tafereel en keek over zijn schouder. De pagina was blanco. 'Ohm, ohm.' Ik veranderde van tactiek, stelde me voor dat ik Rory was. Ik stelde me voor dat ik door zijn bruine ogen naar de foto keek. Ik concentreerde me en zag de kleur rood. De timer ging af en ik liep naar beneden.

'Ik kreeg niet veel door,' zei ik. 'Alleen een hoop rood.'

Hij hield een grote zwart-witfoto omhoog van een amish die een veld aan het schoffelen was.

'O, nee,' riep ik. 'Ik zat er helemaal naast.' Opeens zag ik dat Rory iets roods op zijn lippen had. Heel even vroeg ik me af of het lippenstift was, maar toen zag ik zijn lege bord. Hij had de spaghetti met gehaktballetjes opgegeten. Hij had naar zijn eten zitten kijken. 'Je hebt je niet op de foto geconcentreerd, zoals ik je gevraagd had!'

'Mim, ik keek er wel naar, maar ik had je al verteld dat ik verging van de honger.'

'Ik heb het gevoel dat ik nergens voor op je kan rekenen!' riep ik.

'Dat is niet waar, Mim. Ik heb je aan het werk gezien. Je hebt die stomme tests niet nodig. Je bent geniaal in wat je doet.'

Hij kuste me en stak zijn tong in mijn mond. Ik trok me even terug. 'Lekkere saus,' zei hij.

De dag voor ik naar de tv-studio moest, was ik zo gespannen dat ik echt het huis uit moest. Ik trok mijn jas aan en deed de voordeur open. Baron zat op mijn deurmat te hijgen, zijn tong uit zijn bek hangend, terwijl Iris naast hem een ansichtkaart stond te lezen. Ze had blonde lokken in haar vaalbruine haar, die overeind stonden alsof ze haar natte vinger in een stopcontact had gestoken.

'Kan ik je helpen?' vroeg ik.

Ze schrok op en keek me loerend aan. De parelketting aan de pootjes van haar bril trilde.

'Ik... eh... de postbode had deze in mijn brievenbus gestopt, maar hij is aan jou geadresseerd,' legde ze uit.

Ik kreeg een visioen van haar terwijl ze mijn post controleerde, maar dwong mezelf tot een glimlach. 'Dank je,' zei ik.

Iris draaide zich om en liep met Baron weg. Ik keek naar de foto op de ansichtkaart. Een donkerblauwe hemel met een grote ster, met daaronder: A STAR IS BORN. Ik draaide de kaart om en las:

Beste Miriam,
Even ter bevestiging. Ik verheug me erop je te ontmoeten bij de
opname voor The Rita Cypriot Show *op dinsdagochtend 12*
januari om elf uur. Zorg dat je er uiterlijk om negen uur bent.
Het programma wordt uitgezonden op 21 januari om acht uur
's avonds. Bedankt voor je geweldige advies.

xoxo
Janice Whitman

Binnen enkele tellen stond ik net zo te hijgen als Baron. Ik ging gauw weer naar binnen om tot rust te komen.

17

De ochtend van de opnamen werd ik drie kwartier voor de wekker af zou gaan al wakker. Er lag een briefje op mijn kussen: 'Geef ze van katoen. Liefs, Rory.'

Ik dwong mezelf op te staan en nam een douche. Ik deed wat gel in mijn haar en draaide toen afzonderlijke krullen om mijn vingers. De spiegel was nog steeds beslagen, maar ik nam niet de moeite hem droog te vegen. Ik trok twee panty's kapot voor ik er eentje heel wist aan te krijgen. Ik had eindelijk een zwart pakje van Ann Taylor gekocht. Voor mij geen tulband of zigeunerkleren. Ik wilde er respectabel uitzien. Na het optreden kon ik het pakje altijd nog dragen naar begrafenissen.

Ik hoorde Cara's wekker afgaan en hoorde haar toen naar de badkamer lopen. Ik wachtte twintig minuten tot de Niagarawaterval stopte, zette toen een paar bosbessenmuffins en een beker Ovaltine in de magnetron, en bracht die op haar Peter Rabbitbord naar boven als zoenoffer.

'Kom binnen,' zei ze zuchtend. Ze zat op de vloer in een turquoise push-upbeha en bijpassende string en met blauw piepschuim tussen haar tenen haar nagels te lakken.

Ik zette het bord op haar dressoir. 'Wordt dat geen zootje als je zo meteen je laarzen aantrekt?'

'Deze is binnen drie minuten droog,' zei ze zonder me aan te kijken.

'Ik weet dat je erop tegen bent dat ik in dat programma kom,' zei ik, 'maar ik wil toch graag dat je me succes wenst.'

Ze keek me scherp, peinzend, aan. Weer had ik het gevoel dat ik mijn moeders gezichtsuitdrukking in haar mooie trekken zag en er ging een rilling door me heen. Cara schudde haar hoofd. 'Dat kan ik niet,' zei ze. 'Dat kan ik echt niet.'

In de sneltrein van 7.26 uur naar Penn Station koos ik een plaats die naar het westen gericht was. Ik was al verward genoeg zonder dat ik ook nog eens achteruit moest rijden. Op een poster van een televisieprogramma tegenover me stond: WAARDIG STERVEN. De tl-lamp boven me flikkerde. Als dit voortekenen waren, dan waren het geen goede.

Ik wilde dat ik iemand anders in de trein was. De vrouw die *The Times* zat te lezen, haar aktetas bij haar voeten; de vrouw die met haar dochtertje op weg was naar een auditie en haar onderweg haar tekst liet oefenen; of zelfs de heel oude man die hard in zijn mobiele telefoon pratend zijn constipatie beschreef.

'Kaartjes, alstublieft,' zei de conducteur. Ik zocht in mijn handtas, in mijn zakken, maar kon het niet vinden en moest een nieuw, en duurder, kaartje kopen.

Een halfuur lang zat ik naar mijn voorbijvliegende omgeving te kijken, bang voor wat me te wachten stond.

'De volgende en laatste halte voor deze trein is Penn Station.'

De trein denderde een donkere tunnel in. Ik zag mezelf weerspiegeld in het raam. Mijn haar krulde nog sterker dan anders en was aan één kant veel voller. Ik haalde een afrokam uit mijn tas en probeerde het in evenwicht te brengen.

Toen de trein tot stilstand kwam, werd ik opgenomen in de menigte die naar het smalle trapje wilde. Ik voelde me anoniem, gewoontjes, iets minder nerveus. Zodra mijn voeten echter op de zwart-wit gespikkelde tegels van het perron stonden, herinnerde ik me dat ik op weg was naar mijn tv-vuurproef. Alles wat ik zag verraste me. Al die verlichte bordjes; mensen die aandachtig naar de grote monitors met vertrektijden en -perrons stonden te kijken, wetend dat zodra hun bestemming erbij stond, ze nog maar een paar minuten hadden om op het juiste perron te komen.

Ik nam de lift naar boven en ging in de rij staan voor een taxi. Toen ik eindelijk aan de beurt was, reikte ik naar het portier van de voorste taxi, maar zag er al een passagier in zitten: een man in een zakenkostuum met een bril en grijs haar. Ik wachtte tot hij betaald had en uitgestapt was.

De taxichauffeur claxonneerde. 'Die taxi is leeg, hoor,' riep iemand in de rij achter me.

'Er zit iemand in,' legde ik uit.

De chauffeur was een Chinees. 'Geen passagier,' zei hij.

Ik bleef staan.

'U gek, dame? Stap in.'

Toen ik instapte zag ik Seventh Avenue dwars door de zakenman heen. En hij keek niet naar mij. Hij bleef maar op zijn horloge kijken.

'Ik zag een weerspiegeling,' zei ik tegen de chauffeur.

'O, ik begrijp het,' zei hij. Hij bleef echter in de spiegel kijken, alsof ik in de gaten gehouden moest worden.

'Sixth Avenue en Fifty-fourth,' zei ik.

Onder het rijden zong ik zacht 'Ohm, ohm', maar ik kon me niet concentreren. Ik wilde dat de geest de helft van de taxirekening zou betalen.

We stopten bij een groot gebouw met spiegelramen, waarin stukken van de lucht te zien waren. Binnen leek het door de zwarte marmeren vloeren en donkere muren wel een crypte. Links en rechts van me waren liften, maar ik liep rechtstreeks naar het bureau van de bewaker. 'Mijn naam is Miriam Kaminsky,' zei ik. 'Rita Cypriot verwacht me.'

'Loopt u maar door naar de receptie,' zei hij, helemaal naar rechts wijzend. De man aan de andere balie belde Janice voor me. 'De productieassistente komt zo naar beneden,' zei hij.

De steen in mijn maag werd steeds zwaarder en mijn keel was kurkdroog. Ik zou nu al niets meer kunnen zeggen, laat staan voor de televisie.

Er kwam een jonge vrouw in een blauw pakje naar me toe. 'Janice?' vroeg ik.

'Miriam?' vroeg zij.

We lachten. Ik kon niet geloven hoe klein ze was. Ik was zo bang voor haar geweest, dat ik had gemeend dat ze minstens een meter tachtig was. Haar lichtbruine haar was getoupeerd en ze was zwaar opgemaakt. 'Aangenaam kennis te maken,' zei ik, haar mijn hand toestekend.

Ze kneep even haar ogen tot spleetjes, glimlachte toen en pakte mijn hand vast. Nadat ik een sessie met iemand had gedaan, klampte die persoon zich ofwel aan me vast voor meer informatie, ofwel behandelde hij of zij me koeltjes, als een onbekende. Ik had zo'n idee dat Janice het niet prettig vond dat ik haar geheimen kende. Ik voelde me als een prostituee die de volgende dag een klant tegen het lijf loopt. Ze liet mijn hand snel weer los, alsof ze bang was voor zulk nauw contact met me.

'O, het is heerlijk om je te zien,' loog ze. 'De liften zijn hier altijd idioot vol. We zullen de trap nemen naar de groene kamer.'

We gingen een verdieping naar beneden. Ik zag steeds weerspiegelingen in de glimmende, donkere muren. Ik hoopte dat Bubbie zich zou bedenken, maar zag haar niet. Wel zag ik op de overloop het gezicht van mijn vader; hij glimlachte niet.

De groene kamer was helemaal niet groen. Het was een kleine ruimte met beige behang, een bruin tapijt, een bank en twee gestreepte stoelen. Er hing een groot televisiescherm aan de muur, waarop een aflevering te zien was van het programma waarin ik zou verschijnen. De presentatrice, Rita Cypriot, was een indrukwekkende vrouw met priemende donkere ogen en zwart haar. Ze boog zich samenzweerderig naar haar gasten toe en had een vriendelijke glimlach.

Er stonden drie telefoons en een kleine koelkast in de groene kamer. Op de salontafel zag ik een paar kranten, wat knipsels over het programma, een mandje met muffins, croissants en donuts met pakjes boter en jam, en een schaal kleine sandwiches onder doorzichtig plastic. 'Neem alsjeblieft waar je zin in hebt,' zei Janice.

'Dank je,' zei ik, maar mijn maag speelde op.

'Rita heeft als regel dat ze voor de opnamen nooit met de gasten praat. Ze zegt dat dat het avontuurlijke eruit haalt.'

Wie ben ik om Rita Cypriot haar avontuur te ontnemen, dacht ik. Mijn knieën knikten toen ik op de bank plaatsnam.

'Dankzij jou,' zei Janice, 'treed ik vanavond zelf ook op in het programma, om voor je te getuigen. Ik was immers degene met wie je een sessie hebt gedaan.'

'Dank je,' zei ik.

'Tijd voor de make-up,' zei Janice. 'Penny zal goed voor je zorgen.'

Ze opende een deur in de groene kamer naar een kamertje dat donker was, met uitzondering van de felle lampen rondom een spiegel voor een stoel zoals een schoonheidsspecialiste die gebruikt. 'Hoi,' zei Penny. Ze zag eruit als een geest in een zwarte legging. Ik kon mezelf nauwelijks onderscheiden in de ronde spiegel.

'Rita heeft nog nooit eerder een helderziende in haar programma gehad,' zei Penny, terwijl ze me in haar stoel hielp. 'Iedereen gaat tegenwoordig naar een helderziende. Ik leer de kaarten te lezen. Misschien kom ik ook nog eens in het programma.'

'Misschien,' zei ik. Iedereen denkt dat hij kan wat ik kan, dacht ik.

Ze nam de tijd om een kleur foundation te maken die bij mijn gezicht paste. Zo gauw ze hem opbracht, begon mijn gezicht echter te branden. Ik dacht eerst dat het van schaamte was, maar toen begon het ook te jeuken. 'De make-up,' zei ik. 'Die is te sterk. Het lijkt wel zuur.'

'Hij is hypoallergeen,' zei ze.

'Haal het eraf,' riep ik.

Ze veegde het eraf met babydoekjes. Ik voelde al bultjes op de plekken die jeukten. 'Mag ik alsjeblieft een glas water?' Ik had altijd allergietabletten bij me, voor het geval ik door een bij gestoken zou worden. Ik nam een tabletje in.

'Ik heb mijn eigen make-up,' zei ik. Ik haalde uit mijn tas wat ik bij me had.

'Daar zie je niets meer van onder die lampen,' klaagde ze toen ze de rode vlekken ermee bedekte. 'Je zult eruitzien als een geest vergeleken met de andere gasten.'

'Andere gasten?'

'Er zijn nog twee mensen die je tijdens het programma moet proberen te "lezen", en Janice natuurlijk, die ken je al. Rita heeft hun gevraagd eerder te komen, zodat je ze niet vooraf kon zien.' Ze sloeg haar hand voor haar grote mond. 'Daar mocht ik helemaal niets over zeggen.'

Ik probeerde me meteen een voorstelling van hen te maken. 'Een man en een vrouw,' raadde ik.

'Van mij hoor je niets meer,' zei ze.

Ik keek in de spiegel. Cara had gezegd dat ze me in een grote menigte altijd herkende aan mijn krullen. Ik dacht aan een vermomming. 'Heb je een elastiekje?' vroeg ik.

'Wel ergens,' zei Penny, en ze begon in een la te zoeken. 'Kijk eens hier.'

In mijn tas had ik een grove metalen haarborstel die ik ooit in een dierenwinkel had gekocht. Het was de enige waarmee ik door mijn haar kon komen. Ik borstelde het strak naar achteren en zette het met het elastiekje vast.

'Ik doe geen haren,' zei Penny, maar ze maakte toch een net knotje van mijn kroezende paardenstaart en zette dat met een paar spelden vast.

Janice stak haar hoofd om de hoek. 'We worden in de studio verwacht,' zei ze. Ik zag vonkjes van opwinding rondom haar getoupeerde haren. Ze ging me voor naar de donkere studio. Er zaten twee mannen. Dat had ik dus al mis. Janice ging naast hen zitten en ik kreeg de stoel naast Rita Cypriot. Ik voelde me alsof ik op de elektrische stoel zat te wachten tot de beul de hendel zou overhalen. Alles was donker, behalve de hete spots die op ons gericht waren.

'Daar gaan we,' was alles wat Rita zei. Het hoofd van de tv-ploeg kwam naar de rand van het podium, stak vier vingers omhoog en zei hardop: 'Vier.' En daarna volgde het drie... twee... een.

Rita schonk de camera haar stralende glimlach. 'En nu onze bijzondere gaste, Miriam het medium. Onze andere gasten stel ik u niet voor,' vervolgde Rita Cypriot. 'Dat laten we aan Miriam over. Ze weet helemaal niets over deze mannen. Ze heeft ze voor dit moment niet gezien, maar Janice Whitman, onze productieassistente, heeft een persoonlijke sessie met Miriam gehad via de telefoon. Vertel ons eens over je ervaring, Janice.'

Ik ging wat rechter in mijn stoel zitten en glimlachte, omdat ik een compliment verwachtte.

'Het eerste wat Miriam me vertelde was dat ik punctueel was,' snoof Janice. 'Ja, natuurlijk, ik had haar precies op tijd gebeld. En ze maakte wat opmerkingen over mijn familie, maar bijna niets daarvan was waar. Ze zei dat mijn man kunstschilder was, maar in werkelijkheid is hij fotograaf.'

Dat verbaasde me. 'Ik weet zeker dat ik schildersdoeken zag,' flapte ik eruit.

'Hij projecteert zijn foto's op doeken die met foto-emulsie bedekt zijn, maar hij schildert nooit. En je hebt niets gezegd over het belangrijkste binnen ons gezin. We proberen een tweede kindje te adopteren.'

'Maar ik wist wel dat je dochter oorontsteking had.'

'Dat was geen nieuws. Ik had de dokter al gebeld. Ik was vol van de adoptie, dat had je meteen moeten weten.'

Ik was overdonderd, en bang dat het aan me te zien was.

'Misschien ben ik niet helemaal eerlijk tegenover Miriam,' zei Janice.

Ik ontspande me enigszins.

'Een fotograaf is natuurlijk ook een kunstenaar. Maar,' vervolgde ze, 'er woont bij mij in de buurt een gek die zomaar op je af komt lopen en je de toekomst voorspelt. Je hoeft hem geen aanwijzingen te geven. Je hoeft zelfs helemaal niets tegen hem te zeggen. Het komt er allemaal spontaan uit. En alles wat hij me heeft voorspeld is uitgekomen: dat ik een dochtertje zou krijgen, zelfs dat ik in dit programma zou komen. En hier zit ik.' Daarbij wees ze theatraal naar zichzelf.

Ik was woedend. Waarom deed ze me dit aan? Ik had een visioen van een gebroken trouwring. Daarna niets meer. Nam ze het mij kwalijk dat haar huwelijk zo beroerd was? Als ze zo onder de indruk was van die gek, waarom had ze hem dan niet uitgenodigd voor het programma? 'Wacht eens even,' zei ik, maar Rita stak een hand op.

'Dank je wel, Janice, voor je eerlijkheid,' zei Rita met een brede grijns. 'Daar kunnen we bij jou altijd op rekenen. Laten we naar onze eerste heer gaan,' vervolgde ze, naar de man met het stalen gezicht rechts van haar wijzend. Hij was lang en droeg een bril met dikke glazen. 'Miriam, kun je ons zijn naam vertellen?'

Janice en Rita sloegen beiden hun benen over elkaar en glimlachten boosaardig. Met zo veel mogelijk waardigheid zei ik: 'Ik werk niet op die manier. Ik ben niet goed met namen. Soms moet ik mijn man voorstellen en vergeet ik zelfs zíjn naam.'

'Tja, sommige mannen kun je maar beter vergeten, hè?' zei Janice, en het publiek in de studio giechelde.

Ik voelde me gekwetst namens Rory en mijn keel werd dichtgeknepen.

'Waarom gaan we niet verder?' zei Rita. 'Wat kun je ons dan wel over onze gast vertellen?'

Ik zag een spiegelbeeld van hem, maar dan met een glimlach. 'Hij heeft een tweelingbroer, klopt dat?'

Zijn gelaatsuitdrukking veranderde niet.

'Onze gasten hebben de instructie gekregen om je helemaal geen informatie te geven tot jij klaar bent,' zei Rita.

'Dat is onmogelijk,' zei ik. 'Mijn sessies zijn interactief. Als mensen zich voor me afsluiten, blokkeren ze mijn gave. Het is zelfs met onderzoek aangetoond dat mensen die er niet in geloven, minder goede resultaten krijgen bij een helderziende.'

'Nou, doe maar gewoon je best,' zei Rita.

Ik voelde weer de warmte van de lampen en zag bolvormige nabeelden. Sommige leken op glas. De man met het stalen gezicht was geen arbeiderstype, maar ik wilde mezelf niet gaan tegenspreken. 'Hij is glazenmaker,' zei ik. 'Hij zet glazen in een frame.'

Ik zag zijn mondhoeken trekken alsof hij wilde lachen om mijn vergissing. Ik had het dus mis. Ik luisterde ingespannen, in de hoop dat een of andere geest medelijden met me zou krijgen, maar ik hoorde alleen mijn eigen hart kloppen.

'Ik kan niet iedereen lezen,' legde ik uit. 'Soms wijs ik potentiële klanten af. Daar zou deze man er beslist een van zijn. Maar ik wed dat het met zijn tweelingbroer fantastisch zou lukken. Misschien kunt u mijn kaartje aan hem doorgeven,' zei ik.

Hij nam het kaartje niet eens aan. Op de monitor zag ik de gezwollen aders op mijn voorhoofd en ik hoorde mijn bloed erdoorheen stromen.

'Nou, dat levert je geen compliment op,' zei Rita. 'Laten we naar onze volgende gast gaan.'

De andere man was mager en had geen kin. Zijn hoofd leek op het houten ei dat Bubbie gebruikte om sokken te stoppen. In gedachten zong ik 'Ohm, ohm', en uiteindelijk zag ik de weegschaal van vrouwe Justitia. 'U bent advocaat,' zei ik.

Hij gaf geen reactie. Ik wist niet of ik gelijk had. Ik zag kort een beeld van hem terwijl hij een ring van zijn vinger deed. 'En u bent gescheiden,' voegde ik eraan toe. Ik zag een bord met TE KOOP op een gazon in een voorstad staan. 'U hebt uw huis te koop staan,' zei ik.

Opnieuw reageerde hij niet. Mijn derde oog was even geopend geweest, maar klapte weer dicht.

'Als je verder niets te zeggen hebt, zullen onze gasten nu vertellen of je gelijk had met de dingen die je ons tot dusver hebt meegedeeld,' zei Rita tegen me.

'Ik heb niet alleen geen tweelingbroer,' zei de eerste man, 'ik ben zelfs enig kind.'

'Vertel ons eens wat u doet voor de kost,' zei Rita.

'Ik ben opticien.'

'Nou, ik wist dat het iets met glas was,' sputterde ik.

De opticien rolde met zijn ogen en de anderen lachten.

'En u?' vroeg Rita aan de man met het eierhoofd.

'Ik heb net een appartement gekocht,' zei hij. 'Ik heb nog nooit een eigen huis gehad.'

Ik had in de buurt gezeten, maar ik kreeg de kans niet mezelf te verdedigen.

'Maar ik ben inderdaad advocaat, en gescheiden,' bekende hij zacht.

Rita walste gewoon over mijn goede antwoorden heen. 'Hebt u gisteren ons programma gezien over de helderziende in Connecticut die oudere weduwen hun spaargeld afhandig maakte door hun te vertellen dat ze hun echtgenoten terug kon brengen uit de dood?'

'Ik heb diverse cliënten gehad die door helderzienden waren opgelicht,' zei de advocaat. 'Ik heb ook een vrouw vertegenwoordigd die beweerde dat haar helderziende haar had geadviseerd haar man te vermoorden.'

Ik werd niet eens bij het gesprek betrokken. Toen de aandacht eenmaal niet meer op mij gericht was, zag ik achter Rita een vage vorm verschijnen die zich tot een gedaante ontwikkelde. Ik was zo blij met het visioen dat ik eruit flapte: 'Rita, er staat een man achter je. Hij is in uniform.' Zijn hand ging naar zijn rechterschouder. 'Ik denk dat hij gewond is geweest aan zijn rechterschouder. Hij vertelt me...' Ik luisterde ingespannen. 'Hij vertelt me dat hij je vader is.'

Rita's lippen begonnen te trillen. De cameraman links van me richtte zijn camera op Rita. Het werd heel stil op de set, en ik vond dat wel prettig. Ik keek naar Rita's gezicht. 'Rita, ik zie je op zesjarige leeftijd. Ik zie je vlechtjes, het spleetje tussen je voortanden.' Iedereen in de studio staarde verbaasd naar Rita.

'Je vader noemde je zojuist Snuggles,' zei ik vriendelijk. 'Hij wil dat ik je vertel dat het hem spijt dat hij nooit afscheid van je heeft kunnen nemen.' Daarop rolde er eerst één traan en toen twee over Rita's wangen.

'Ik mis mijn vader met de dag meer,' zei ze.

Het hoofd van de tv-ploeg stak zijn hand op en toen zat het erop.

Janice sprak me aan in de gang. 'Je was geweldig,' zei ze.

'En jij was afschuwelijk tegen me,' zei ik.

'Het spijt me echt,' zei ze. 'Ons programma staat bekend om

de dramatische spanning. Ik probeerde alleen wat spanning te creëren voordat jij iedereen voor je zou winnen.'

Ik keek naar haar om te zien of ze het meende. Ze had iets ondoorzichtigs en ik wist dat ik haar niet kon vertrouwen.

'Hoe dan ook,' zei ze, 'ik wil je er nog even aan herinneren dat het programma op donderdag 21 januari om acht uur wordt uitgezonden. We noemen het "Helderzienden, bedrog of echt?" Ik hoop dat je ervan zult genieten,' zei ze opgewekt.

Ik voelde een rilling, maar misschien was dat van opwinding. Met blijdschap herinnerde ik me de tranen die over Rita's wangen rolden.

Toen ik thuiskwam, zaten Rory en Cara allebei op me te wachten, de een zo verwachtingsvol als een puppy, de ander als een gevangene die op de guillotine wacht. Ik vertelde hun dat het programma donderdag over een week zou worden uitgezonden.

Toen ik later langs Cara's slaapkamer liep, hoorde ik haar aan de telefoon praten. 'Darcy, laten we volgende week donderdag om acht uur naar de film gaan,' zei ze. 'Ik zal Courtney ook bellen. Nou en, wat geeft het dat het een doordeweekse avond is? Het wordt vast leuk.'

Ze zou Barbara, Darcy's moeder met haar grote mond, ook moet uitnodigen, dacht ik. Misschien moest ze de hele stad maar uitnodigen.

18

Donderdagavond zaten Rory, Cara en ik al in de woonkamer klaar voor het programma begon. Darcy en Courtney mochten toch niet doordeweeks naar de film. Cara zat op de grond voor de tv met haar benen over elkaar haar cola te drinken, en Rory schonk wat wijn in. Hij hief zijn glas en keek Cara scherp aan. 'Dit wordt een groots moment voor je moeder en voor ons.'

'De enige reden dat ik zit te kijken, is om de schade te beoordelen,' zei Cara.

'Bedankt voor je motie van vertrouwen,' zei ik gekscherend. Ik zou me door haar niet nog meer van streek laten maken dan ik al was.

Rory zat naast me op de bank in plaats van in zijn eigen luie stoel. Hij pakte de afstandsbediening en zette de televisie aan. Het was nog een paar minuten te vroeg. 'Laten we aftellen,' zei hij, op zijn horloge kijkend. 'Tien.'

Er gingen bliksemschichten door mijn zenuwuiteinden.

'Mijn leven is voorbij,' zei Cara.

'Negen,' zei Rory.

Mijn maag draaide zich om.

'Acht.'

'Hou op, Rory,' zei ik.

'Ik kan me straks nergens meer vertonen,' klaagde Cara.

'Ik heb bedongen dat ze niet mijn volledige naam gebruiken,' zei ik tegen haar.

'Ja, duh,' zei ze. 'Je laat wel je hele gezicht zien. De mensen zullen je heus wel herkennen.'

'Dat betwijfel ik,' zei ik, denkend aan mijn strak naar achteren getrokken haar en mijn allergische reactie op de make-up. 'Ik wed dat niemand me herkent, zelfs jij niet.'

'Dat hoop ik dan maar,' zei Cara.

'Showtime!' riep Rory. Hij zette het geluid harder en sloeg zijn arm om me heen voor een laatste omhelzing.

'*The Rita Cypriot Show*,' zei de omroeper terwijl de titel in rode letters op een blauw scherm verscheen. Toen verscheen een opname van Rita's hoofd. 'Bestaat er zoiets als een paranormale gave?' vroeg Rita met veel verve en ongelooflijk witte tanden. 'Of is het allemaal bedrog?' voegde ze er op vertrouwelijke toon aan toe. 'Onze speciale gaste van vanavond heeft zichzelf tot helderziende uitgeroepen.'

'Mezelf tot helderziende uitgeroepen?' herhaalde ik, maar het was waar. Ik had nooit een graad in parapsychologie gehaald, maar zo'n graad maakte je niet helderziend. De beste helderzienden waren meestal mensen als Edgar Cayce, met alleen lager voortgezet onderwijs, of zoals mijn bubbe, die helemaal geen formeel onderwijs had genoten.

'Ik roep je wel uit,' zei Rory, en hij sloeg zijn arm om me heen.

Er kwam een close-up van mij. Mijn haar zag eruit als natte veren en mijn gezicht was zo bleek alsof het met rijstmeel gepoederd was. Penny van de make-up had gelijk gehad. Ik zag er inderdaad uit als een geest.

'Ben jij dat?' zei Cara verbaasd. 'Ben jij dat echt?'

'Ik zei toch dat je je nergens zorgen om hoefde te maken.'

Cara boog verder naar voren, keek zo aandachtig naar het scherm als een piloot die een vliegtuig door een onverwachte sneeuwstorm moest loodsen.

'Miriam Kaminsky, de helderziende uit Great Neck,' riep de omroeper luid. Ik hapte naar adem. 'Dat moeten ze er later tussen hebben gezet. Dat heeft niemand gezegd toen ik daar zat.'

'Ik ben geruïneerd!' zei Cara, en ze liet zich voorover op het vloerkleed vallen.

'Stel je niet aan,' zei Rory. 'Het is een eer om in *The Rita Cypriot Show* te komen. Je moeder is beroemd. Nu zal iedereen vriendschap met je willen sluiten.'

'Dat is niet de manier waarop ik vrienden wil maken,' riep ze. 'Bovendien heb je het mis. Iedereen zal me voor freak uitmaken.'

'Stil,' zei Rory. 'We willen dit horen.'

Janice begon over de gek bij haar in de buurt te praten. 'Hij kon me meer vertellen dan Miriam,' zei ze. Er was geen woord van haar schimprede uit geknipt.

Het volgende gedeelte was dat waarin ik niet in staat was de twee mannen te lezen. Elk moment daarvan had ik het gevoel dat iemand de verwarming steeds hoger zette. Ik begon te zweten. Cara keek me moordzuchtig aan.

'Ik was op van de zenuwen,' zei ik. 'Maar heb geduld. Het mooiste komt zo. Ik zag Rita's dode vader en maakte Rita aan het huilen.'

De advocaat vertelde over de helderziende die zijn cliënte had geadviseerd haar man te vermoorden, maar ik wist dat daarna het stuk kwam waarin ik Rita's overleden vader zag, dus ik wachtte.

'Tijd voor de reclame,' zei Rita.

'Hierna komt het, hierna komt het,' zei ik. 'Meteen na de reclame. Je zult het zien.'

De reclame was voorbij. De gasten waren vertrokken en ik was er ook niet meer. Er zat een nieuwe gast naast Rita. 'Deze man heeft zijn hele carrière gewijd aan het ontmaskeren van helderzienden,' zei Rita, 'en het resultaat daarvan is dit boek.' Ze hield het omhoog. De cameraman zoomde in op de titel: *Allemaal idioten: de mesjogge dingen die mensen geloven.* Het scherm werd in tweeën gedeeld. Links was ik te zien – en ik zag er slechter uit dan ik ooit voor mogelijk had gehouden – tijdens een herhaling van al mijn mislukkingen. Ze hadden mijn triomf eruit geknipt. Ik kon nauwelijks lucht in mijn longen krijgen. Rory keek ook alsof hij een stomp in zijn maag had gehad.

Cara gilde: 'Ik haat je! Alsof het nog niet erg genoeg is dat je helderziend bent! Nu weet iedereen ook nog dat je een oplichtster bent. Ik ga nooit meer naar school.'

'Luister eens, jongedame,' zei Rory. 'Josh Mindersons vader heeft geld van zijn bedrijf verduisterd en Josh ging gewoon weer naar school. Dawn Lamonts moeder runde een callgirl-club en Dawn zit ook nog steeds op school.'

'Stel je mij gelijk aan dat soort mensen?' riep ik.

'Ik wil alleen iets duidelijk maken,' zei Rory.

'Hoe kon je me dit aandoen?' brulde Cara.

Ik keek weer naar Cara, die zo van streek was dat ze stond te bibberen. 'Ik wou dat je mijn moeder niet was!' krijste ze.

'Waag het niet zo tegen me te praten!' riep ik. 'Ga naar je kamer. Nu!'

Nadat ze naar boven was gestampt, barstte ik in tranen uit.

'Neem het niet te zwaar op,' zei Rory, en hij gaf me zijn zakdoek. 'Ik weet zeker dat bijna niemand het gezien heeft. *Friends* was op het andere net.'

'Je denkt zeker dat je me daarmee troost, hè? Nou, ik zal je wat vertellen. Jij had tegen Cara moeten zeggen dat ze haar mond moest houden, niet ik. Ze moet zien dat er iemand achter me staat.'

'Reageer het niet op mij af!' zei Rory.

'Jij was degene die erop aandrong dat ik aan het programma meedeed,' bracht ik hem in herinnering. 'Jij met je geldproblemen.'

'Ik heb er genoeg van!' riep hij. 'Zal ik eens een lijstje maken van wat ik allemaal voor jou heb gedaan?'

Terwijl wij kibbelden, zei de auteur op de televisie: 'Een echte helderziende bestaat niet.' En Cara riep van bovenaf: 'Ik maak mezelf van kant!'

Die avond was ik nog zo kwaad op Rory, dat hij besloot beneden op de bank te gaan slapen, terwijl ik alleen in bed hulpeloos naar het gesnik van Cara lag te luisteren.

Toen de volgende dag de telefoon ging, voelde ik het wanhopige verlangen dat het iemand van de tv-zender was die belde
om zich te verontschuldigen en dat ze de volgende week het
gedeelte zouden uitzenden waarin ik de geest van Rita's vader
zag. Ik haastte me naar de keuken om op te nemen. 'Hallo?' zei
ik.

'Miriam, je spreekt met Dick Gruber,' zei hij op vriendelijke
toon. 'Iris en ik hebben gisteren naar het programma gekeken
waarin je te zien was. Ik moet je bedanken. Sinds je hier kwam
wonen, maakte Iris zichzelf helemaal gek, omdat ze dacht dat
je bijzondere krachten had. Ze dacht dat je haar via die helderziendheid bespioneerde. Misschien kan ik haar er nu van
overtuigen dat ze zich moet ontspannen.' Toen zei hij: 'Piep,
piep, piep.'

'Pardon?' zei ik.

'Ik stoor je ontvangst, zodat je mijn gedachten niet kunt oppikken,' zei hij, en hij schaterde het uit.

Ik legde neer en was zo kwaad dat ik Phyllis Kanner belde.
'Je spreekt met Miriam,' zei ik. 'Je hebt zeker wel gezien wat ze
in dat programma met me gedaan hebben.'

'Zo erg was het niet,' zei ze.

'Je hebt me voor de leeuwen gegooid. Ik ben in diskrediet
gebracht en ze hebben het stuk eruit geknipt waarin...'

Phyllis onderbrak me. 'Hoor eens, slechte publiciteit is ook
publiciteit. Je zult het zien. Je bent een fantastische helderziende, je was alleen nerveus. Ik zal je boeken voor sessies met kleine groepen, zodat je je zelfvertrouwen terugkrijgt. Daarna gaan
we werken aan je internationale roem. Ik hou mijn ogen en
oren open voor de volgende kans.'

'Er komt geen volgende keer,' zei ik.

'O, ik weet zeker van wel,' zei ze vals. 'Je hebt een contract
voor twee jaar. Geen speld tussen te krijgen. Lees het maar.' Ik
hoorde het signaal voor een wisselgesprek. 'Ik heb iemand op
de andere lijn. Ik bel je weer zodra ik kan. Dag.'

Hoewel ik van plan was geweest de hele dag in bed te blijven, kon ik niet slapen. Ik was kwaad op Rita Cypriot, op Ja-

nice Whitman en vooral op Phyllis Kanner. Ik liep uren door het huis te ijsberen en zakte uiteindelijk op de tweezitsbank neer, met mijn hoofd in mijn handen. 'Bubbie,' riep ik. 'Ik heb je hulp nodig. Ik heb behoefte aan je troost. Kom alsjeblieft bij me.' Maar Bubbie kwam niet.

Toen ik tien was, zat ik met een zwart-witfoto van mijn bubbe in mijn handen in de schommelstoel in mijn slaapkamer, hopend dat ze aan me zou verschijnen. Bubbie was toen een jaar dood en ik miste haar met de dag meer. Ik rolde mijn ogen naar rechts zoals ze me geleerd had. In plaats van Bubbie verscheen Fern Link. Ik schrok. Fern had in de vierde bij me in de klas gezeten en was de zomer daarna verdronken. We hadden in de laatste schoolweek een fikse ruzie gehad omdat zij tegen de juf had gezegd dat ik haar brood had weggegooid. Ferns geest keek me boos aan.

'Je zou blij moeten zijn dat ik je boterham heb weggegooid,' zei ik met bevende stem tegen de geest. 'De eiersalade stonk naar scheten.' Ik stond op uit de schommelstoel en deed een stap naar achteren.

Fern kwam een stap dichterbij.

Ik begon te huilen. 'Het spijt me dat ik je uitschold voor stomkop,' zei ik.

Ik draaide me om om mijn kamer uit te lopen. Mijn moeder stond in de deuropening te luisteren. Fern verdween, maar mijn moeder kwam grimmig kijkend op me af. Ik dacht dat ze me wilde slaan, maar ze pakte mijn jas uit de kast en reikte me die aan. We gingen naar beneden en stapten in onze zwarte Mercury.

'Ik ga doen wat ik nooit heb willen doen,' mompelde ze toen we wegreden. Ik herinnerde me haar verhaal dat ze als kind ooit een zwerfkatje mee naar huis had genomen. Haar moeder was kwaad geworden en de stad uit gereden om het katje ergens buiten te droppen. Ik was opeens bang dat mijn moeder me ergens in de bossen zou achterlaten.

Na een heel lange tijd zei mijn moeder: 'We zijn er.'

We stonden voor een aantal grote geelgrauwe gebouwen,

omgeven door een hoog hek met prikkeldraad erbovenop. Er zaten tralies voor de ramen.

Ik verstarde. 'Stop je me in de gevangenis?'

'Dat zul je wel zien,' zei ze.

'Is het een weeshuis?' huilde ik.

Ze bracht de auto voor een hokje tot stilstand. Binnen zat een man in uniform die ons gebaarde door te rijden.

'Ik wil naar huis,' huilde ik, maar ze reed door. Uiteindelijk parkeerde ze de auto voor de ingang en nam me mee het gebouw in. Het stonk er naar rook en naar plas. Ik keek de wachtkamer in. Die was lelijk groen en de veren staken uit de banken omhoog.

Ik pakte de zoom van mijn moeders jasje vast. We gingen met de lift naar de twaalfde verdieping. De deuren gingen open en ik hoorde gegil en krankzinnig gelach zoals dat van de hyena's in de dierentuin. Ik drukte mijn rug tegen de wand van de lift, maar mijn moeder pakte mijn arm beet en trok me eruit.

Ze hield stil bij een balie waar diverse verpleegkundigen stonden en ik realiseerde me dat we in een soort ziekenhuis waren. We liepen de gang door en ik zag volwassen mensen in ledikanten met spijlen liggen. Een vrouw keek naar me alsof ze wist wie ik was en ik probeerde mijn gezicht in mijn moeders jas te verstoppen. Mijn moeder pakte me bij mijn haren. 'Kijk!' beval ze me. 'Kijk daar maar heel goed naar. Dan weet je wat je te wachten staat als je zo doorgaat.'

'Ik wil naar huis,' huilde ik.

'Dit is wat ze doen met mensen die zich niet met hun eigen zaken bemoeien en hun mond niet dichthouden,' zei mijn moeder.

'Mammie, ik beloof het,' zei ik, maar ze liep steeds verder de lange gang door. In een kamer bijna achteraan in de gang, naast een bed met spijlen, stond een magere vrouw in een grijze jurk met kortgeknipt krulhaar.

'Chaia,' zei mijn moeder vriendelijk, 'het is fijn om je weer te zien. Dit is Miriam.' Toen zei mijn moeder tegen mij: 'Dit is je tante Chaia, de jongere zus van je vader.'

Ik kon nauwelijks ademhalen. Ze had lichtblauwe ogen die iets schuin stonden, net als Bubbie. Ik vroeg me af hoe ze paps jongere zus kon zijn. Haar haar was grotendeels grijs en ze had diepe groeven in haar wangen.

'Zeg je tante Chaia gedag,' zei mam.

'H-h-hallo,' zei ik.

Tante Chaia deed een stap naar voren. Ze klopte zachtjes op mijn hoofd en raakte toen haar eigen korte krullen aan. Ze bestudeerde mijn ogen en haar mond ging open. 'Ben ik dat?' vroeg ze.

'Nee, Chaia, het is je nichtje. De dochter van je broer Sol.'

Ze staarde nog even naar me en begon toen 'Nee, nee' te gillen en met haar armen te zwaaien. Ik stond als aan de grond genageld. Tante Chaia ging steeds harder roepen. Haar pols sloeg tegen de spijlen van het bed. Dat moest pijn gedaan hebben, maar ze bleef met haar armen zwaaien.

'Zuster!' riep mijn moeder.

Er kwam een verpleegster binnen met drie forse mannen, die zich op tante Chaia stortten. Voor een zo magere vrouw vocht ze behoorlijk terug. Ze pakten haar handen vast, tilden haar op, legden haar met moeite in het bed en bonden haar met witte repen stof aan de spijlen vast.

'We willen niet dat ze zichzelf pijn doet,' legde de verpleegster uit.

Mijn moeder pakte me bij de hand en liep zo snel weg dat ik struikelde. De hele weg naar beneden in de lift zei ze niets. Buiten gekomen nam mijn moeder een kortere weg over het natte gras, waar haar hoge hakken in wegzakten. Toen we in de auto zaten, zei ze: 'Je tante Chaia hoorde stemmen en zag dingen, net als jij. Het komt door wat Bubbie haar heeft geleerd dat ze zo geworden is. Wie weet wat voor schroefjes er in iemands hoofd loszitten tot je eraan gaat morrelen?' Ze keek me dreigend aan. 'Die arme Chaia kon het niet laten mensen te vertellen wat ze over hen en hun dode verwanten wist. Ze schreeuwde het uit op straat. Je vader en Bubbie beweerden dat Chaia alleen maar de waarheid zei, maar ze kon zich niet beheersen. De mensen gooiden stenen naar haar. Sinds haar twee-entwintigste zit ze hier opgesloten. Het is een vloek, geen gave. De mensen zullen jou ook willen stenigen. *Chaia* betekent "leven". Maar je hebt haar gezien. Ze had net zo goed dood kunnen zijn. Bijt voortaan maar op je tong, zodat ik jou nooit naar een plek als deze hoef te brengen. Dat zou ik niet kunnen verdragen.'

Ik hoorde mijn moeder nauwelijks door mijn eigen gesnik. 'Mammie, het spijt me zo,' riep ik. 'Ik zal het nooit meer doen.'

Nu stond ik bevend van het tweezitsbankje op. Tranen en zweet prikten in mijn ogen. Mijn moeder had gelijk gehad. De mensen wilden me inderdaad stenigen. Mijn handen vlogen naar mijn borst. Ik voelde de stenen van de Grubers, de man met de eierkop in *The Rita Cypriot Show*, de akelige opticien, de auteur die helderzienden vervolgde, en van de kijkers thuis die ik niet eens kende. Ik voelde zelfs de stenen van Rory en Cara.

Bubbie moest het gevoel hebben gehad dat ik een steen naar haar gooide toen ik op televisie kwam. Was ik maar in mijn werkkamer gebleven, waar niemand me kende, in plaats van aan dat programma mee te doen. 'Doe het nooit op een kermis,' had Bubbie me gewaarschuwd.

'O, Bubbie, het spijt me zo,' huilde ik. Ik rolde mijn ogen naar rechts en omhoog en wachtte. 'Bubbie, Bubbie, waar ben je?'

19

De volgende dag belde Iris Gruber. 'Je hebt wel lef, wat gazon-versiering betreft,' zei ze vals.

'Wat bedoel je?' vroeg ik.

'Kijk maar bij je voordeur, dan weet je het,' zei ze.

Ik was bang dat iemand een brandend kruis in mijn voortuin had gezet. Ik ging naar beneden, deed de ketting op de deur en opende hem op een kiertje. Het gras werd geheel bedekt door een reusachtig bloemenhart. Ik zou het niet eens naar binnen kunnen krijgen. Vince, dacht ik.

'Proficiat, popje,' stond er op het kaartje. 'We spreken heel snel weer af. Beroemdheden winden me op.'

Ik begon met mijn handen aan het hart te trekken, rukte aan de rozen, aan het gipskruid. Ik plukte het kaal tot op het piepschuim en sprong erop tot het in korrels uiteenviel. Het kon me niet schelen wie het zag, al reden er geen auto's voorbij. Toen ik klaar was, was ik uitgeput en bezweet, maar voelde ik me beter. Ik pakte een paar vuilniszakken en een hark en ruimde alles zo goed mogelijk op. Daarna ging ik naar binnen om een dutje te doen. Het huis kraakte. Ik voelde me opgejaagd en dacht aan al de mensen die me hadden gebeld om te zeuren over helderzienden en de gekken die mijn nummer verwarden met een nummer voor telefoonseks. Ik dacht aan Vince en zijn bullebak. Ik wilde niet alleen en onbeschermd zijn. We hadden geen alarmsysteem. Ik besloot naar RadioShack te gaan om te zien of ik iets kon kopen om indringers af te schrikken. Ik sloop weer naar beneden en keek of ik iemand op straat zag voor ik in de auto stapte.

Er lagen zoveel elektrische apparaatjes te knipperen en te piepen bij RadioShack dat mijn zintuigen van slag raakten. Ik kocht een alarm op batterijen dat ik aan mijn sleutelhanger kon bevestigen, maar werd er niet rustiger van. Het zweet stond in mijn handen toen ik naar school reed om Cara op te halen.

Bij de school aangekomen, zag ik een menigte leerlingen om haar heen staan. Er stond een jongen bij met YIPES in de haren op zijn achterhoofd geschoren. Ik draaide mijn raampje omlaag en hoorde hem tegen Cara zeggen: 'Voorspel me mijn toe-komst.' Hij jouwde haar uit. Ik zag Courtney en Darcy stuurs naar haar kijken.

'We dachten dat we je beste vriendinnen waren,' zei Darcy. 'Weet je nog dat ik je tijdens die basketbalwedstrijd vroeg of je moeder helderziend was?'

'Wat heb je ons nog meer niet verteld?' vroeg Courtney. 'Hoe kunnen we je nog vertrouwen?'

De Yipesjongen zag mij en kwam naar de auto. Hij boog zich over mijn motorkap, zijn gezicht zo dicht bij de voorruit dat zijn adem er condens op veroorzaakte. 'Yo, mama medium,' zei hij. 'Wat staat mij te wachten?'

'Ik zie dat je heel snel van mijn motorkap af zult komen, omdat je diep in je hart een heer bent.'

Hij barstte in lachen uit en bleef op de motorkap hangen. Toen merkten ook anderen me op. Een paar van hen bleven staan, porden elkaar met hun ellebogen en wezen naar mij in mijn blauwe Honda. Een paar kwamen dichterbij. Cara stapte in de auto. 'Wegwezen!' zei ze tegen me, maar de Yipesjongen hing nog steeds op de motorkap. Toen realiseerde ik me dat het Clarence was, die als klein jongetje met ons meereed naar en van de peuterspeelzaal. Hij had een keer op onze achterbank in zijn broek geplast. Om hem te sparen had ik gedaan alsof ik het niet gezien had, maar nu riep ik: *'Pisjerke!'*

'Mam!' riep Cara tegen me, maar mijn opmerking had wel effect. Clarence gleed plotseling van de auto alsof ik hem verbrand had. Ik voelde me opgelucht. Maar eenmaal op de doorgaande weg, zag ik Cara met hangend hoofd en rode wangen van schaamte naast me zitten. Ik haalde een hand van het stuur en raakte haar schouder aan. Ze schudde mijn hand eraf.

'Je hebt helemaal geen gave,' zei ze. 'Een gave brengt iets goeds. Wat jij hebt is een vloek, en je hebt mijn leven ermee verpest.'

Ik vroeg me af of mijn moeder Cara had gehoord en zich in het gelijk gesteld voelde.

'Haal me niet meer van school. Je maakt het alleen maar erger.'

'Het spijt me zo, Cara,' zei ik. 'Dit was wel het laatste wat ik wilde dat er zou gebeuren. Ik wilde gewoon een beter leven voor ons allemaal. Ik wilde dat ik je alles kon geven wat je miste.'

'Ja, ja,' zei Cara. 'Daar heb ik wel veel aan gehad.' Ze begon zachtjes te huilen.

Ik vroeg me af of mijn moeder en Bubbie voor deze ene keer samenspanden om mij te laten boeten voor mijn tv-optreden, maar toen vermande ik me. Hou op jezelf gek te maken, hield ik mezelf voor. Als mam en Bubbie me een lesje wilden leren, zouden ze dat nooit zo doen dat Cara erdoor gekwetst werd. Toch bleef ik de hele weg naar huis het gevoel houden dat ik vervloekt was. Thuisgekomen sloot Cara zichzelf op in haar kamer. Ik bleef voor haar deur staan luisteren naar de bladzijden die ze omsloeg. Ik hoorde even haar muziek en toen werd het weer stil, wat wilde zeggen dat ze haar koptelefoon had opgezet.

De telefoon ging. Het was Rory. 'Mijn moeder had gelijk,' zei ik huilend. 'Mijn gave is een vloek.'

'Hoezo een vloek?' vroeg hij. 'Mirror heeft in jaren niet zo'n goede dag gehad. Fred heeft iedereen in de buurt verteld dat jij het was, gisteravond op tv, en nu komen er mensen binnen om naar je te informeren en ze laten mij meteen hun recepten klaarmaken. We hebben er hoe dan ook profijt van.'

Doet Fred tegenwoordig ook al de pr? 'Nou, ik ben blij dat jij gelukkig bent,' zei ik, 'maar Cara voelt zich ellendig.'

245

'Na nog een paar optredens trekt dat allemaal wel bij. Het geld zal voor ons allebei binnenstromen en de mensen zullen aan het idee gewend raken. Er wonen een hoop beroemde mensen in Great Neck. Alan King woont op Kings Point en niemand valt hem lastig.'

'Rory, ik ga nooit meer optreden!'

'Maar je hebt een contract getekend.'

'Laat Phyllis me maar aanklagen. Het kan me niet schelen. Ik geef alleen om Cara.'

'En ik niet dan?' zei Rory.

'Natuurlijk wel,' zei ik.

'We hebben het er vanavond wel over,' zei hij, en hing toen op.

Ik begreep niet waarom Rory zou willen dat zijn vrouw publiekelijk vernederd werd voor geld. Waarom had hij niet al met een advocaat gebeld, om te proberen me onder dat contract uit te krijgen?

Ik liep terug naar Cara's deur en leunde er met mijn hoofd tegenaan. Hoe boos we nu ook op elkaar waren, we waren nog steeds een gezin, zo verzekerde ik mezelf. Rory droeg Cara als baby 's nachts door de kamer als ze huilde en klopte dan zachtjes op haar rug. Telkens als hij zich omdraaide, zag ik haar gezichtje over zijn schouder. Ik wilde dat hij haar nu kon troosten. Ik luisterde naar het geblèr van haar muziek. Ze had de koptelefoon afgedaan. Nirvana zong: 'Territorial Pissings'. Ik klopte aan. 'Ik ga even gebraden kip halen voor het avondeten,' riep ik.

'Je doet maar,' zei ze. Ik hoorde het sarcasme in haar stem.

Ik trok mijn jas aan en liep naar de voordeur, maar durfde die niet goed open te doen. Als mijn oude cliënte, Noreen, me nou eens op tv had gezien en weer in de rododendronstruiken naar me zat te loeren, klaar om op me af te springen? Ik ademde diep in, deed de voordeur open en stapte in de auto. Bij de Poultry Mart stond een lange rij. Ik voelde me als een van de kippen die aan het spit hingen. Ik kocht aardappelpuree, broccoliroosjes en een kilo drumsticks. Op de terugweg kocht ik een lot bij Fredrick's, de broodjeszaak aan de andere kant van het parkeerterrein. Al die tijd keek ik argwanend over mijn schouder. Ik stapte weer in de auto, deed alle portieren op slot en hield de ramen dicht.

Thuis nam ik de zak met kip mee naar boven. Vanaf de overloop hoorde ik Cara zeggen: 'Het is toch niet verkeerd als we van elkaar houden, of wel?' Ik liet de zak met kip bijna uit mijn handen vallen toen ik me naar haar deur haastte. Die stond gedeeltelijk open. Ze was aan de telefoon, stond met haar rug naar me toe te wiegen alsof ze een langzame dans deed met Lance.

'Ik weet het niet,' zei ze. 'Ik denk dat ik gewoon bang ben om het te doen.'

Mijn hart sloeg over. Ik opende de zak om Cara te verleiden met de geur van de kip. Al sinds haar tweede was ze dol op de drumsticks van de Poultry Mart. 'Het eten is er,' zei ik.

'Ik heb geen honger,' zei ze over haar schouder.

'Het is je lievelingseten,' zei ik.

'Ik ben aan de telefoon,' zei ze, haar hand over de hoorn houdend.

Ik zuchtte. Zolang Cara het er nog thuis aan de telefoon over had dat ze bang was om 'het te doen', nam ik aan dat ze theoretisch nog veilig was. 'Oké, dan eten we straks wel samen als pap er is,' zei ik, en ik liep naar beneden en legde de kip in de koelkast.

Rory kwam om halftwaalf thuis en ging regelrecht naar bed. Cara had haar eten meegenomen naar haar kamer. Rory bewoog toen ik naast hem in bed kroop. Ik hoorde zijn hersenactiviteit – een gonzend geluid, als een tornado die op me afkwam. Er zat een knoop in mijn maag. Ik wist niet zeker of ik hem wel een stuiver voor zijn gedachten wilde geven.

'Ik heb nagedacht over dat contract met Phyllis Kanner,' zei hij. 'Als ze je nog steeds wil vertegenwoordigen is dat een heel goed teken. We moeten openstaan voor elke mogelijkheid die zich voordoet.'

'Ik breng dat boek met affirmaties terug naar de bibliotheek, voor het nog meer schade aanricht,' zei ik.

'Denk er eens over na, Mim. We zouden allebei kunnen uit-breiden en gaan samenwerken. Jij zou bijvoorbeeld... eh... ad-junct-directeur kunnen worden van mijn bedrijf, en ik van het jouwe.'

Het was zo ongeveer het tegengestelde van wat Rory altijd had gewild. Mijn hoofd tolde. 'Ik dacht dat jij juist alles apart wilde houden. Scheiding van Kerk en Staat, weet je nog wel?'

Rory schudde zijn hoofd. 'Dat was voorheen. Ik had het mis.'

'Waar komt dit opeens allemaal vandaan?' Ik keek naar Rory, probeerde zijn aura te zien. Er zaten veel gele strepen in, bijna als haren. Het was alsof ik een blonde haar op de schouder van zijn pak had gevonden. Ik raakte, zoals Cara het zou zeggen, *freaked out.*

Rory ging verliggen, haalde zijn armen onder zijn hoofd vandaan en keek me aan. 'Ik heb nu je hulp nodig, Mim. Wat wil je dat ik doe? Smeken? Kun je me niet vertrouwen?'

Ik dacht aan hoe we tijdens onze huwelijksreis met een vlot de rivier waren afgezakt en het vlot bij een stroomversnelling was gekanteld. Ik was in het water gevallen en Rory was zon-der aan zijn eigen veiligheid te denken achter me aan gespron-gen en had me gered.

Rory ging rechtop in bed zitten. 'We moeten meer geld verdienen, anders kan ik het wel vergeten.' Hij keek bezorgd. Ik kuste zijn zorgenrimpel, maar hij wendde zich van me af en begroef zijn hoofd onder het kussen. Het was alsof er een krachtveld om hem heen hing dat mij buiten hield. Vervolgens was ik degene die rechtop in bed zat, met de nacht om me heen drommend als een menigte honende geesten.

Toen ik wakker werd, was ik echter vastbesloten om nooit meer een aanbod van Phyllis Kanner aan te nemen. Ik zou wel andere wegen vinden om geld te verdienen. Ik maakte adver-tentiebriefjes met mijn telefoonnummer op strookjes eronder-aan zodat de mensen het eraf konden scheuren, en hing die op de prikborden in elke reformwinkel in de buurt, zelfs bij Health Nuts in Little Neck. Zodra ik thuiskwam, ging de tele-foon in mijn werkkamer.

'Hallo,' zei een vrouw, 'bent u de helderziende van het prik-bord bij Health Nuts?' Ze was de eerste van vijf die belde om een afspraak te maken. Ik kon geld verdienen zonder dure advertenties of mailings. Wie had gedacht dat het zo gemakkelijk zou zijn?

Ik had zoveel cliënten dat ik niet voor tien uur mijn werk-kamer uit kwam. Rory zat in de slaapkamer aan de telefoon, met zijn handen om de hoorn gevouwen.

'O, ik moet gaan,' zei hij, en hij hing zonder gedag te zeggen op. Waarschijnlijk verdedigde Fred zich weer tegen de klachten van klanten die de hun beloofde medicijnen niet hadden gekregen. Even werd ik weer kwaad, maar Rory zag er zo neerslachtig uit dat ik hem mijn goede nieuws wilde vertellen om hem op te vrolijken. 'Ik heb een hoop nieuwe klanten,' zei ik. Zijn uitdrukking veranderde niet. Ik nam aan dat hij me over weer een tegenslag voor zijn zaak wilde vertellen. Ik had dit al zo vaak meegemaakt – dat mijn grotere winst tot groter verlies bij hem leidde – dat het me niet had moeten verbazen, maar mijn benen voelden zo zwak aan dat ik naast hem op het bed moest gaan zitten. 'Wat is er deze keer gebeurd?' vroeg ik met enig sarcasme in mijn stem.

'Niets,' zei hij zuchtend.

Ik herinnerde me een cliënte die woedend was geweest om-dat haar man zich in de schulden had gestoken. Om haar niet te hoeven vertellen dat hij weer in de rode cijfers stond, was hij naar een woekeraar gegaan. Toen hij die niet op tijd terug kon betalen, hadden ze hem vermoord. Ik drukte mijn gezicht tegen Rory's schouder. We hadden al in geen drie weken de liefde bedreven. Ik verwachtte dat hij me op het bed zou duwen, zijn mond op de mijne zou drukken en mijn borsten in zijn handen zou pakken, maar hij bleef stijf rechtop zitten.

'Ik ben gewoon zo van slag, Mim. Ik kan het niet.'

Ik zuchtte. 'Herinner je je nog de lange wandelingen die we altijd maakten?' zei ik, alsof ik een klein kind een verhaaltje voor het slapengaan vertelde. 'Die keer dat we een achterge-laten winkelwagentje vonden en jij me daarin door de straten van Rockaway duwde? En die keer dat we vlak voor een orkaan naar het strand gingen en de wind me van het zand optilde en jij me bij mijn armen pakte en we bijna hysterisch waren van het lachen?'

Hij haalde zijn hand over zijn gezicht. 'Dat lijkt wel eeuwen geleden,' zei hij.

'Zo zal het weer zijn als we hier eenmaal uit zijn,' beloofde ik, maar hij gaf geen antwoord; hij was helemaal uitgeput. Zijn borst ging nauwelijks op en neer als hij ademhaalde. En toch voelde ik me afgewezen. We hadden nog nooit zo lang geen seks gehad. Ik ging liggen en rolde me op. Ik voelde me kriegel, gespannen. Ik schudde diverse keren mijn kussen op. Ik ging op mijn buik liggen, daarna op mijn zij. Ik duwde mijn haren uit mijn nek, het dekbed van mijn schouders. Uiteindelijk viel ik toch in slaap.

Later had ik het gevoel dat er iemand naar me stond te kijken. Toen ik mijn ogen opendeed, stond Rory naast het bed. Hij keek naar me. 'Rory?'

'Ik moet alleen even naar de wc,' zei hij, en even later was hij weg.

Ik lag een poosje te doezelen en werd weer wakker. Rory was nog steeds niet terug. Ik hoorde beneden de vloerplanken van de woonkamer kraken. Er was iets niet in orde. Ik probeerde op te pikken wat hem dwarszat. Ik sloot mijn ogen, maar alles wat ik zag was een kleurloze leegte, alsof iemand een gordijn voor mijn derde oog had dichtgetrokken.

20

Het sneeuwde in Great Neck. Ik droeg stevige rubberlaarzen, een dikke trui onder een donsparka en een wollen sjaal. Ik was ingepakt als een kind. Sneeuw herinnerde me altijd aan mijn vader, die me op een slee door de straten trok, maar vandaag kon ik alleen maar aan de kilte tussen mij en Rory denken.

Toen ik over straat liep, riep Dick Gruber uit zijn voordeur: 'Je moet wel gek zijn om met dit weer naar buiten te gaan!'

'Het is prima,' zei ik, en hij deed de deur dicht. De Grubers gingen in de Alpen skiën, maar zetten geen voet op een besneeuwde stoep. Aan de overkant van de straat hadden kinderen een sneeuwpop gemaakt en een trui van Gucci om zijn nek geknoopt. Ik liep de stad in en legde bij Bruce's, een combinatie van een bakkerij en een restaurant, aan voor de lunch. Er waren barbiegebakjes met gerimpelde jurkjes van glazuur, en vruchtenvlaatjes die bijna art deco leken. De geuren van al dat zoets vermengden zich met de scherpe geur van ui en rogge en van warme pompernikkels. Voor een besneeuwde dag stond er een lange rij. Iedereen leek daar te zijn met zoveel energie en doelgerichtheid – om iets te kopen of iemand te ontmoeten – dat ik me doelloos voelde.

Aan de toonbank kibbelden twee vrouwen over wie het eerst aan de beurt was. Een man beklaagde zich erover dat de naam van zijn zoon op diens verjaardagstaart in het roze geschreven was. Ik kon de jongeman die hem hielp horen denken: waarom hebben ze dat joch dan verdorie ook Leslie genoemd?

Terwijl ik stond te wachten zag ik Darcy's moeder Barbara aan een tafeltje bij het raam zitten. Ze was samen met een vriendin. Ik zwaaide en dwong mezelf tot een glimlach.

Na tien minuten leidde een serveerster me naar een tafeltje in de hoek en gaf me de uitgebreide menukaart. 'Ik weet al wat ik wil hebben,' zei ik. 'Geroosterd roggebrood met tonijn.'

De serveerster liep met piepende rubberzolen weg. Terwijl ik een miniatuurpruimengebakje van het schaaltje op de tafel in mijn mond stak, had ik het gevoel of er muggen door mijn hoofd rondvlogen. Barbara zat haar vriendin waarschijnlijk alles te vertellen over mijn mislukte tv-optreden. Ik draaide me even om naar Barbara. De vriendin zat met haar rug naar me toe en gebruikte haar spiegeltje om me te bespioneren. Toen hoorde ik Barbara aan de ober vragen of hij de rest van haar club sandwich wilde inpakken. Ik deed alsof ik het te druk had om te kletsen en bestudeerde mijn placemat alsof die het interessantste voorwerp op aarde was. Even later bracht de serveerster mijn sandwich, die zeker vijftien centimeter hoog was. Ik deed mijn mond zo ver mogelijk open en nam een hap.

'Miriam,' hoorde ik Barbara zeggen, en toen stond ze al aan mijn tafeltje.

'Hoi,' zei ik, met de tonijn tussen mijn tanden.

'En?' zei Barbara. Ze keek me afwachtend aan. Er lag een vreemde schittering in haar ogen, als van een slang die zijn tijd afwacht alvorens toe te slaan.

'Gary en ik waren afgelopen woensdag in de Rainbow Room om onze trouwdag te vieren,' zei ze ten slotte, 'en Rory was er ook, met een blonde vrouw. We hebben nog naar hem gezwaaid.' Ze zweeg, wachtte. 'Met een blonde vrouw,' zei ze nog eens nadrukkelijk.

Ik dacht plotseling weer aan de blonde haren die ik in zijn aura had gezien. Ik duwde de tonijn met mijn tong naar mijn rechterwang. 'Woensdagavond? Weet je dat zeker?'

Ze fronste gemaakt bezorgd haar voorhoofd. Ik wist dat ze chemische peelings liet doen om haar voorhoofd glad te houden. Ze zou er dus nooit rimpels in trekken, tenzij ze echt iets goeds te vertellen had. 'We wilden nog naar hen toe gaan om gedag te zeggen, maar ja, je weet wel...' Haar stem stierf weg.

Ik probeerde het me te herinneren. Vorig week had Rory me op een avond, misschien woensdag, gebeld vanaf Mirror om te zeggen dat hij een verslag moest schrijven voor Medicaid. Hij zei dat ze misschien een onderzoek zouden komen doen als hij het niet op tijd inleverde. Hij zei dat het de hele avond zou duren. 'Wacht maar niet op me,' had hij gezegd. Ik had me bezorgd zitten afvragen hoe ik hem kon helpen... en hij had in de Rainbow Room gezeten met een blondine!

Ik was niet van plan Barbara haar plezier te gunnen. 'O, dat was de inkoopster van injectiespuiten,' zei ik.

'Nou, dan ben ik toch blij dat ik niet naar zijn tafeltje ben gegaan,' zei Barbara terwijl ze haar leren handschoentjes aantrok. 'Omdat het zakelijk was en zo.' Toen glimlachte ze. 'Waar je ook heen gaat, je treft overal Great Neckers. We komen echt overal.'

'Nou en of,' zei ik. Ik probeerde mijn tonijn door te slikken, maar die bleef steken in mijn keel en ik begon te hoesten.

'Kijk nou toch,' zei Barbara. 'Ik zeg altijd tegen de kinderen dat ze niet moeten praten met hun mond vol en nu is het mijn schuld dat jij je verslikt. Ik bel je gauw. We moeten eens wat afspreken.' Daarop vertrok ze met haar vriendin en haar ingepakte club sandwich.

Ik dacht als een razende na. Rory in de Rainbow Room? Daar was ik zelfs nog nooit geweest. Ik had over de draaiende vloer gehoord, het adembenemende uitzicht. Was hij daar zonder mij heen geweest? En belangrijker nog, met wie? Ik sloot mijn ogen, maar zag opnieuw alleen maar wit. Ik werd misselijk. 'De rekening, alstublieft.' Voor de serveerster ermee klaar was, had ik al geld op de tafel gelegd en was ik vertrokken.

Buiten bleef ik nadenken over wat Barbara had gezegd. Ze moest Rory met iemand anders verward hebben, besloot ik. Er keken altijd wel vrouwen naar hem, maar hij had hen nooit aangemoedigd. Daar was hij het type niet voor. Een keer was een vrouw die op Sophia Loren leek naar hem toe gekomen voor een pessarium en ze had hem gevraagd voor te doen hoe ze het moest inbrengen. 'De gebruiksaanwijzing zit in de verpakking,' had hij gezegd, maar ze bleef om hem heen hangen en zeggen dat ze zijn persoonlijke hulp nodig had. Toen hij haar eindelijk kwijt was, had hij naar huis gebeld en het me lachend verteld. 'Ik kan je ook nergens alleen laten,' zei ik, ook lachend.

Nee, zo hield ik me voor, Barbara had het mis. Ik had gefaald in het tv-programma, maar niet in mijn huwelijk. Ik liep door, mijn hart kouder dan het weer. Toen ik thuiskwam en me bukte om mijn natte laarzen op de mat te zetten, zag ik een luciferboekje liggen. Ik raapte het op en keek naar de voorkant. RAINBOW ROOM. Ik kwam zo snel overeind dat ik er duizelig van werd. Kalm aan, zei ik tegen mezelf. Er moet een andere verklaring voor zijn. Soms namen medicijnenvertegenwoordigers Rory mee uit. Maar dan gingen ze alleen maar eten. Ik begon me zorgen te maken dat Rory misschien geen van de avonden dat hij zo laat thuis was in Mirror had doorgebracht, dat hij al die tijd al in de armen van een andere vrouw had gelegen. Ik weerstond de aandrang om hem meteen te bellen en een verklaring te eisen. Dan zou ik zijn gezichtsuitdrukking niet kunnen zien, en erger nog, het zou hem de tijd geven om een alibi te bedenken.

Ik sloot mijn ogen en ademde een paar keer diep in, en zag weer alleen hetzelfde wit, maar er kwam langzaam vorm en kleur in. Het beeld was wazig, maar ik kon Rory zien dansen met een blondine in zijn armen. Ik zag alleen haar rug. Hoe had ik dat gemist, dat hij was gaan dansen? Nu Barbara hem had gezien zou algauw heel Great Neck het weten. Ik kon me voorstellen dat ze het rondvertelde: natuurlijk zou hij bij me weggaan nu ik mezelf zo voor gek had gezet op de televisie. Ik moest weten wie die vrouw was.

Opnieuw riep ik het beeld op. Ik zag haar blonde haren, haar glanzende jurk met spaghettibandjes, haar vlezige rug. Ik wachtte tot de vloer zou draaien zodat ik haar gezicht kon zien, maar het beeld flitste op en werd zwart, als een kapot peertje. Ik dacht aan de blondines die ik kende. Bijna elke vrouw in Great Neck was blond.

Bubbie zou het antwoord weten. 'Bubbie?' riep ik, en ik wachtte. Er kwam geen geluid, geen geur, geen glimp. Ik was geschokt dat ze me dat tv-programma nog steeds kwalijk nam. Had ik nog niet genoeg geboet voor mijn fout? Ik ademde een paar keer diep in en wachtte op de geur van lavendel, op een glimp van haar gevlochten haren, op een Jiddisch woord, maar ik was nog steeds alleen.

Ik moest zelf mijn strategie bepalen en overdacht mijn opties. Ik kon Rory's kleerkast en laatjes doorzoeken. Ik kon hem laten volgen. Ik had nooit eerder aan zulke dingen gedacht, maar mijn ontmoeting vandaag met Barbara rechtvaardigde het. Mijn ledematen voelden loodzwaar. Ik probeerde in actie te komen, maar kon niets anders dan op mijn bed gaan zitten en me zorgen maken.

Die avond was Cara in de kamer met MTV keihard aan. Door het kabaal heen hoorde ik haar nog steeds aan Lance denken. *Zijn mond krult aan een kant meer op dan aan de andere als hij glimlacht.* Zucht. *Zijn ogen kijken recht door me heen.* Weer een zucht. Voor één keer was ik blij dat ze zo met Lance bezig was en dat de muziek zo hard stond. Ik wilde niet dat ze iets zou horen van wat er misschien gezegd werd als Rory thuiskwam.

Ik stond door de glazen tochtdeur naar buiten te kijken. Onder de straatlantaarns leken de sneeuwhopen langs de weg op neergevallen wolken. Op de trottoirs waren smalle paden schoongeveegd. Onze oprit was grauwgroen door de kattenbakkorrels die Rory er die ochtend op had gestrooid voor de grip. Hij beweerde dat het beter werkte dan strooizout. Die ochtend was de sneeuwschuiver wel langsgekomen, maar op de straat lag weer een verse sneeuwdeken.

Eindelijk zag ik Rory's witte Taurus aankomen. De sneeuw schoof van zijn dak en motorkap. Hij zette de auto langs de stoeprand stil. Ik hing mijn jas om en liep op mijn slippers naar buiten. 'Rory,' riep ik.

255

Hij schrok op toen hij me op mijn slippers in de sneeuw zag staan. 'Hoi,' zei hij. Zijn glimlach leek geforceerd. 'Ik kan maar beter het pad vrijmaken voor ik naar binnen kom,' zei hij, en hij opende zijn kofferbak om er zijn sneeuwschep uit te halen.

Ik was niet van plan hem de kans te geven zich te herstellen voor ik hem ter verantwoording had geroepen. Ik liep naar hem toe en keek hem in zijn ogen, die heen en weer gingen alsof hij me niet recht aan kon kijken.

'Wat?' zei hij, de schep in een hoop sneeuw vooraan op de oprit stekend.

Ik wilde niet zien wat ik zag, maar ik kon er niet omheen. Zijn aura was spichtig als het diagram van de leugendetector-test van een schuldige. 'Wie was de blonde vrouw met wie Barbara Traubman je zag dansen in de Rainbow Room?' vroeg ik, met het luciferboekje zwaaiend.

Hij gooide een volle schep sneeuw op het witte gazon en schepte verder. Hij kon me niet aankijken. 'O, dat?' zei hij, en beet op zijn lip.

'Wie was het?'

Hij blies zijn adem uit. 'Phyllis Kanner.'

Phyllis? Mijn knieën knikten. Phyllis, van wie Rory zo graag had gewild dat ik haar contract tekende? Phyllis, van wie hij me had verzekerd dat ze voor mijn groter goed in mijn leven was gekomen? Ik had de vele uitlaatkleppen gezien die ze gebruik-te, haar vele affaires. 'Er is een jongere man naar je op weg.' Wie had geweten dat die jongere man mijn echtgenoot zou zijn? Ik had het gevoel buiten mijn lichaam te treden. 'Hoe lang is dat al gaande?' vroeg ik.

'Je zit er helemaal naast,' zei Rory. 'Laten we naar binnen gaan en het daar uitpraten.' Hij probeerde mijn arm vast te pak-ken, maar ik rukte die los.

Hoe kon Rory me dit aandoen? En Cara? Wat zou Cara doen als ze erachter kwam? Ik huiverde, maar drukte mijn slip-pers in de sneeuw. 'Ik ga nergens heen voordat ik precies weet wat voor idioot ik ben geweest.' De tenen van mijn slippers werden donker.

Rory stak de schep rechtop in een sneeuwhoop en liet hem los. 'Niet jij bent de idioot,' zei hij, 'maar ik. Ik had haar bedoelingen moeten doorzien. Ze kwam eerst naar Mirror om me te vragen haar te helpen jou te contracteren.'

'Hoe wist ze waar je werkte?' vroeg ik.

'Tijdens je eerste telefonische sessie met haar heb je haar ons adres gegeven.'

'Alleen maar zodat ze haar visitekaartje kon sturen,' zei ik.

'Nou ja, toen ze eenmaal wist waar we woonden, is ze gaan rondvragen en heeft iemand haar verteld dat Mirror mijn eigendom was. Ze kwam naar de winkel gereden en vertelde me dat ze een fantastisch zakelijk voorstel met me wilde bespreken en dat we dat wel bij een etentje konden doen. Ik vroeg haar waar het over ging en ze zei: 'De carrière van je vrouw.' Toen zei ik: 'Daar bemoei ik me niet mee.' Maar ze hield vol dat het heel belangrijk was en dat ik er geen spijt van zou krijgen, dus ging ik met haar dineren bij La Baraka.'

'Ben je ook met haar naar dat Franse restaurantje in Little Neck geweest?' riep ik.

'Gewoon om het over haar voorstel te hebben,' zei Rory. 'We hebben alleen maar over jou gepraat, Mim.'

Ik voelde mijn hart in mijn keel bonzen. 'Je bedoelt dat je haar al kende voordat ze bij ons thuis kwam met het contract en je deed alsof je haar voor het eerst zag?'

Zijn gezicht kleurde rood. Ik voelde dat zijn bloeddruk torenhoog werd. Hij knikte alleen maar.

'En natuurlijk moest je ook nog met haar gaan dansen,' zei ik.

'Dat was na het tv-programma,' zei hij. 'Ze wilde dat je je aan het contract hield. Ze zei dat één tegenvaller er niet toe deed, dat ze nog steeds je carrière kon opbouwen.'

'Dus nam je haar mee naar de Rainbow Room?'

'Dat was op haar kosten,' antwoordde Rory zacht. 'En zíj vroeg míj ten dans. Wat had ik moeten doen, nee zeggen? Ik was alleen maar daar omdat ik wanhopig zocht naar een manier om uit de financiële problemen te komen. Ik dacht dat ik jou en Cara had teleurgesteld. Ik kon niet met mezelf leven!'

'En om daar verandering in te brengen moest je met Phyllis neuken?'

'Wat?' zei Rory, zo verbaasd dat zijn hoofd met een ruk naar achteren ging. 'Wat zei je daar?'

'Phyllis neuken, Phyllis neuken!' tierde ik.

'Rustig nou,' zei hij, 'straks hoort Cara je nog.' Maar ik wist dat Cara naar haar muziek luisterde.

De sneeuwschuiver kwam weer de straat in rijden. De zijdeur van de Grubers ging open om Baron uit te laten en het duurde vreselijk lang voor die weer dichtging. Mevrouw Hassam, die haar poedeltje had geleerd zijn behoefte op een krant te doen, zodat hij niet naar buiten hoefde, probeerde de hond nu mee de sneeuw in te krijgen zodat zij ons beter zou kunnen zien. Rory en ik stonden te kijk, maar het kon me niet schelen wat iedereen dacht.

'Phyllis neuken, Phyllis neuken!' bleef ik tieren.

Rory pakte mijn arm beet. 'Wat mankeert je?' brulde hij. 'Vertrouw je me niet? Phyllis kwam met een idee en kreeg toen een ander idee. Zodra ze ophield over jou te praten en het over haar en mij begon te hebben, zei ik: "Geen sprake van! Ik hou van mijn vrouw!" Ik heb alleen met Phyllis afgesproken omdat jij en ik geldzorgen hebben. Ik had het niet achter je rug moeten doen, maar ik was bang dat je nee zou zeggen en ik was wanhopig. Ken je me niet goed genoeg om te weten dat ik nooit seks zou hebben met een andere vrouw dan jij, Mim?'

'Nee, ik ken je helemaal niet. Je hebt tegen me gezegd dat je de hele avond bij Mirror zou zitten om een verslag te schrijven om onder een onderzoek uit te komen. Je hebt tegen me gelogen, Rory. Wat voor leugens heb je me nog meer verteld?'

'Hoor eens, het spijt me. Ik had moeten zien wat Phyllis in gedachten had,' zei hij. 'Ik wilde niet dat jij de kans van je leven zou mislopen.'

'Een kans voor jou, niet voor mij. Jij probeerde mijn zaken te regelen. Je walste over mijn bezwaren heen en drong erop aan dat ik het contract van Phyllis ondertekende, maar toen ik

Fred bij het wedkantoor zag, was het weer "scheiding van Kerk en Staat". We zouden partners zijn. MirRor. Mirror. Jij en ik!'

Hij stak zijn kin naar voren. 'Toen je Fred zág bij het wedkantoor! Kom op, Mim.'

'Herinner je je niet meer dat we bij dat Italiaanse restaurant vierden dat we een maand verkering hadden en ik je vertelde dat ik helderziend was, en jij zei dat ik bijzonder was? "Als ik een gave had als de jouwe, zou ik geen genoegen nemen met een gewoon baantje," zei je. Jij en Bubbie waren de enigen die me aanmoedigden en nu doe je alsof ik gek ben. Als je niet gelooft dat ik Fred heb gezien bij dat wedkantoor, dan geloof je dus niet in mij.'

Ik bukte, pakte een handvol sneeuw op en gooide die in zijn gezicht.

Hij keek me geschokt aan. 'Wat ik heb gedaan was verkeerd, Mim,' zei hij, met zijn mouw over zijn gezicht vegend. 'Ik wou dat ik het terug kon draaien, maar er is niets gebeurd tussen mij en Phyllis. Je moet me geloven.'

Ik dacht aan de afgelopen drie weken, dat ik in bed tegen hem aan gekropen was, maar dat hij te moe was of te gespannen om de liefde met me te bedrijven. Ik herinnerde me hoe heerlijk hij het altijd had gevonden met zijn tong over mijn hals te gaan, mijn oogleden te kussen.

'Je hebt haar geneukt!' zei ik.

Hij rukte de schep uit de sneeuwhoop en gooide hem neer. 'Nee, dat heb ik niet, maar misschien had ik het wel moeten doen,' zei hij boos. 'Zij was tenminste aardig tegen me.'

'Aardig?' schreeuwde ik.

'Ja, Phyllis zei dat ik echt een kerel was.'

'Is Phyllis al eenentwintig jaar met je samen?' riep ik. 'Gaat zij met je mee naar het graf van je ouders? Heeft zij het leven geschonken aan je enige kind? Heeft zij alles op het spel gezet, zelfs haar bubbe, om op te treden in een tv-programma zodat jij je zaak niet zou verliezen? Je bent inderdaad echt een kerel als je achter mijn rug vreemd gaat!' spuugde ik eruit.

Rory trok een gezicht. 'Mim, dat had ik niet mogen zeggen.

Het spijt me dat ik tegen je gelogen heb, maar je beschuldigt me van iets wat ik niet heb gedaan.'

Hij stak zijn hand naar me uit, maar ik week terug. Ik zag zijn linkerwenkbrauw trillen, een teken dat hij bijna begon te huilen. 'Denk aan Cara,' zei hij.

'Waar maak je je zorgen om? Dat ze zal horen dat jij aan de rol was met een andere vrouw?'

Ik draaide me om en liep voor hem uit naar het huis. Cara kwam ons bij de deur tegemoet. 'Hé, waar waren jullie?' vroeg ze.

Ik kon niet doen alsof alles in orde was. 'Kom maar niet te dicht bij me,' zei ik. 'Ik denk dat ik de griep heb.'

'Ja,' zei ze. 'Je ogen zijn helemaal dik. Waarom sta je op je slippers in de sneeuw?'

'Dat is een van Bubbies remedies,' zei ik, en ik vluchtte naar onze slaapkamer. Ik begon Rory's kleren uit de kast te gooien. De verwarde hoop deed me aan mijn huwelijk denken. Ik zag het shirt van Ralph Lauren dat Rory waarschijnlijk had gekocht om indruk op Phyllis te maken. Ik knipte eerst de mouwen eraf, knipte toen de pony van het borstzakje en gooide de hele troep in de prullenbak. Ik voelde een snik opwellen in mijn keel.

Er werd op de deur geklopt. 'Mam, gaat het wel met je?'

'Ja, hoor. Ik heb alleen wat slaap nodig.'

'Waarom maakt pap beneden de bank op?'

'Ik wil niet dat hij door mij aangestoken wordt.'

'O,' zei ze.

Ik kroop uitgeput in bed en huilde mezelf in slaap.

Ik bleef de hele volgende dag in bed. Ik werkte niet. Ik kookte niet. Ik lag daar maar, en zag Phyllis voor me in Rory's armen op de ronddraaiende dansvloer. Nu kon ik wel haar gezicht zien, haar grote ogen, haar tong die langs haar lippen ging. Ze keek naar Rory alsof hij een doos luxe chocolaatjes was. Opeens wist ik zeker dat Phyllis vier van haar vriendinnen had gevraagd een sessie bij me te boeken en op het laatste moment weer af te zeggen. Ze wilde dat ik van slag zou raken, zodat ik haar contract zou tekenen.

Toen Cara thuiskwam uit school, bracht ze kippensoep met wat soepstengels erbij voor me naar boven op een dienblad. Dat soort dingen had ze als kind ook gedaan. Ik slikte mijn tranen weg. 'O, schatje, dank je wel,' zei ik.

Ze raakte mijn voorhoofd aan. 'Je hebt geen koorts.'

'Het zal door jouw liefdevolle verzorging komen. Waarschijnlijk ben ik morgen weer op de been.'

Maar de volgende dag zegde ik al mijn afspraken af en bleef weer in bed. Ik moest steeds in mijn ogen wrijven om de beelden kwijt te raken van Rory die naakt boven op Phyllis Kanner lag.

Hoe kon ik weten of die beelden echt waren of een product van mijn angst? Toen Cara eens op zomerkamp was, kreeg ik een visioen van haar waarin ze ergens af viel. Ik belde naar het kamp om te vragen of er iets gebeurd was. Ze bleek bezig te zijn met turnen en net haar lichaam om de hoge ligger te draaien toen de directeur, die zichzelf nogal een komiek vond, via de luidsprekers omriep: 'Cara Kaminsky, je moeder maakt zich zorgen over je.' Ze schaamde zich zo dat ze bijna viel. Ze weigerde de rest van de week mijn brieven te beantwoorden. Maar wat ik mezelf ook voorhield, de vreselijke beelden van Rory en Phyllis bleven komen. Ik begon te denken dat hij Phyllis al jaren kende, dat hij juist degene was geweest die haar had voorgesteld mij te bellen.

De dagen regen zich aaneen. Wanneer Rory thuiskwam, kwam hij naar de slaapkamerdeur en zei: 'Mim?' Waarop ik riep: 'Laat me met rust.' Ik hoorde hem tegen Cara zeggen dat ik gewoon heel veel rust nodig had.

Na vier dagen bedrust waarin ik nauwelijks opstond, behalve om naar het toilet te gaan, hoorde ik Cara op de overloop aan Rory vragen: 'Waarom breng je helemaal geen medicijnen mee voor mam?'

'Het is een virus,' zei hij. 'Het moet vanzelf overgaan.'

'Dat is bijna altijd zo,' zei ze. 'Maar dan breng je toch hoestpastilles of VapoRub of zoiets mee? Pap, wat is er aan de hand? Jij en mam doen de laatste tijd zo raar.'

261

'Afgezien van het virus van je moeder is alles in orde,' zei Rory te hard. En om zijn woorden kracht bij te zetten liep hij fluitend de trap af. Ik vroeg me af waar hij de energie vandaan haalde om die tevredenheid te veinzen.

Zeven dagen later ging ik 's nachts om twee uur naar beneden om een kop rustgevende thee te zetten. Buiten deed de wind de takken van de olm kreunen. Ik keek door de kleine ruitjes van de tuindeur naar buiten en zag iemand. Ik bleef heel stil staan, dacht eerst dat het een geest was, maar herkende toen de gestreepte pyjama. Rory stond daar buiten in de kou tegen de muur geleund, zijn handen voor zijn gezicht.

Ik deed de tuindeur open en hoorde de sneeuw tussen de sneeuwvangers op de rand van het dak door glijden en omlaag vallen. 'Het helpt niet als je ziek wordt,' zei ik.

'Ik had degene moeten zijn die je bloemen stuurde, niet die Vince,' zei hij, zijn handen naar me uitstekend.

'Niet doen!' zei ik.

'Mim,' zei hij, nog steeds zijn handen naar me uitgestrekt.

Ik dacht aan zijn handen op de vlezige rug van Phyllis. 'Ik kan je aanraking niet verdragen,' zei ik.

'Wat ben je van plan?' vroeg hij, en hij liet zijn handen langzaam zakken.

'Ik weet het niet,' zei ik, en dat was waar. 'Ik kan nu niet eens aan de toekomst denken.' Zodra ik dat zei, had ik het gevoel dat ik het licht had aangedaan in een donkere gang in mijn hoofd, en gedachten had gevonden die zich daar heel lang verborgen hadden gehouden. Ik wist plotseling dat ik helemaal geen vragen meer wilde horen over de toekomst, van niemand. Ik was het moe om te wachten tot de cliënt verbaasd naar adem hapte of me afwees. Ik was het moe dat cliënten me vroegen om het koosnaampje dat hun moeder voor hen had gebruikt terwijl ik al had verteld wat die moeder had gezegd toen de cliënt vijf was en wat ze op haar begrafenis droeg. En allemaal voor niets. Waar was mijn Rainbow Room?

'Ik heb het gehad, Rory. Ik wil niet meer als helderziende werken.'

Hij zweeg even. 'We kunnen toch nog wel bij elkaar blijven, of niet?' vroeg hij zacht.

Ik wilde nee zeggen. Tot ik zeker wist dat hij niet met Phyllis had geslapen, tot ik hem weer helemaal kon vertrouwen, wilde ik het liefst mijn spullen pakken en vertrekken. Ik ademde diep in. 'Dat weet ik echt nog niet,' zei ik, en wendde me af.

De volgende morgen toen ik nog in bed lag, belde Phyllis. 'Hoi,' zei ze opgewekt. 'Ik heb al zo vaak naar je werkkamer gebeld. Ik dacht dat je misschien weg was.'

Ik dacht aan de keer dat ik binnen was gekomen en dat Rory iets in de telefoon fluisterde en toen snel ophing. Hij had toen met Phyllis gepraat, niet met Fred! Hij had haar sinds onze ruzie waarschijnlijk niet meer gesproken, anders zou Phyllis mij nu niet bellen. 'Nee,' zei ik, 'ik zat gewoon in mijn eigen huis in mijn kristallen bol te kijken.'

'Nou, ik ben heel blij dat je er bent.' Ik voelde vonken van verlangen van haar huid springen. Het was waarschijnlijk al te lang geleden dat ze in Rory's armen had gelegen. 'Ik heb een paar heel goede suggesties voor je,' zei ze.

Het was niet te geloven hoeveel lef ze had. 'Luister eerst maar even naar mij,' zei ik. 'Ik heb gezien dat je mijn man probeerde te verleiden in de Rainbow Room, in je blauwe jurk met blote rug en lovertjes langs de zoom.'

'Waar heb je het over?'

'Phyllis,' zei ik, 'je kunt je niet verbergen voor Miriam de helderziende.' Ik voelde dat ze zich geen raad meer wist. Ik wist niet of dat kwam door het besef dat ze mij kwijtraakte als cliënt of doordat ze haar band met Rory kwijtraakte.

'Ik wil niets meer met je te maken hebben,' zei ik. 'Ik verscheur ons contract en als ik ook maar iets van een advocaat hoor, dan hoort jouw man van mij.'

Het bleef lange tijd stil. 'Oké,' sputterde ze toen, 'maar dan zou ik maar snel de arm van mijn oom Jake terugsturen.'

'Die arm is al onderweg,' loog ik, en ik hing op. Ik stond op en haalde het contract van Phyllis uit mijn dossiermap. Toen haalde ik de arm van haar oom Jake uit de kast. Ik wilde net zo graag van die arm af als van het contract. Ik wilde Phyllis gewoon voor altijd uit mijn leven. Ik verscheurde het contract en deed de stukken in de bloemendoos waarin de arm was gearriveerd. Daarna plakte ik die opnieuw dicht en pakte hem in bruin papier.

Een halfuur later stond ik bij het postkantoor en gaf ik de arm van oom Jake af. Ik bedacht dat Phyllis de doos had aangeraakt en schudde met mijn handen in de lucht om me van al haar energie te ontdoen. Ik liep snel het postkantoor uit. Op de hoek van Bond Street, waar de stoeprand verlaagd was om die toegankelijk te maken voor rolstoelen, viel ik. Al die woede was inderdaad zo gevaarlijk voor me als Bubbie had gezegd. Ik dwong mezelf langzaam Grace Avenue door te lopen en stond even stil om naar de pocketboeken en de nepjuwelen in de etalage van een schoonheidssalon te kijken.

Bij het winkelcentrum renden kinderen naar buiten in hun karatepakken. Bij het fitnesscentrum ernaast kwamen vrouwen in elastische bodysuits naar buiten.

Ik deed een kwartje in de gleuf van een van de vastgeketende winkelkarretjes en liep de supermarkt binnen. Ik liep voorbij de fruitpiramiden, de bakkerij, de delicatessenafdeling en de Goudse kazen. Bij de visafdeling hoorde ik plotseling: 'Spiegeltje, spiegeltje aan de wand.' Het was mijn vaders stem, maar hij had het niet over Sneeuwwitje. Hij probeerde me iets duidelijk te maken. 'Spiegeltje, spiegeltje aan de wand,' zei hij weer. Spiegeltje, Mirror, de apotheek, dacht ik. Mijn vader wilde dat ik daarheen ging.

Ik liet mijn winkelkarretje staan, rende terug naar mijn auto, reed de ventweg langs Horace Harding op en sloeg af naar Springfield Boulevard. Ik parkeerde een stukje van de apotheek vandaan, zette mijn zonnebril op en zakte onderuit in mijn stoel, als een undercoveragent. Ik was misselijk van angst. Ik had geen idee waarom mijn vader me hierheen had gestuurd en was bang voor wat ik misschien te zien zou krijgen.

Het raam van Mirror hing vol speciale aanbiedingen. Rory

gaf de maagzuurremmers en aambeienzalf bijna gratis weg. Ik zag de oude mevrouw Felcher de winkel uit komen aan de arm van haar zeventigjarige zoon Ernest, die haar nog steeds mammie noemde. Voor het Egyptische restaurantje naast Mirror dat de hele nacht openbleef, omhelsden een paar Egyptenaren elkaar. Rory had me verteld dat als hij in de kleine uurtjes van de ochtend bij Mirror arriveerde, de mannen daar openlijk hasj stonden te roken uit een waterpijp. Dit was Rory's wereld, waar iedereen hem kende. Ik bleef daar een hele tijd in mijn auto zitten. Het was winter, maar de zon scheen flink, daarom draaide ik het raampje open. Toen tochtte het echter in mijn nek. Ik deed het raampje weer dicht en zat al snel te zweten. Er was niets ongebruikelijks te zien. Het was bijna middag en ik zat mijn tijd te verspillen. Ik startte de motor en zette de auto in de versnelling.

Opeens zag ik Fred, die twee grote vuilniszakken over de stoep sleepte. Het vuilnis zou pas aan het eind van de dag worden opgehaald. Fred keek een paar keer heen en weer. Even later kwam er een Jeep aanrijden, die voor Mirror stopte. Fred zette de vuilniszakken achterin en de Jeep reed weg. Geschokt draaide ik het contactsleuteltje weer om en bleef nog een poos zitten, terwijl ik probeerde te bedenken wat er aan de hand was.

Fred liep Mirror weer binnen en precies waar hij had gestaan verscheen mijn vader. Hij knikte telkens weer, alsof hij wilde zeggen: ja, dit bedoelde ik.

'Wat betekent het?' riep ik naar hem, maar zijn gezicht vervaagde, daarna zijn lichaam en vervolgens verdween hij helemaal.

Moest ik de politie bellen? Wie zat er in de Jeep? Ik had de chauffeur niet gezien en sloeg me nu voor mijn hoofd omdat ik de nummerplaat niet had genoteerd.

Ik ging naar huis en probeerde iets te doen, maar kon dat beeld van Fred met die vuilniszakken niet uit mijn hoofd krijgen. Tegen de tijd dat Rory thuiskwam, om elf uur, stond ik op springen. Terwijl hij in de gang zijn schoenen uittrok, zei ik al: 'Rory, ik moet met je praten.'

Hij kwam overeind, keek me hoopvol aan en deed toen een stap in mijn richting.

Ik bleef waar ik was. 'Het gaat over Fred,' zei ik.

Hij bleef abrupt staan.

'Ik zag hem vanochtend om vijf voor twaalf twee grote, volle vuilniszakken achter in een Jeep laden.'

Rory haalde zijn schouders op. 'Misschien waren het zijn spullen. Fred slaat van alles op in de kelder van Mirror. Zijn verzameling stripboeken ligt er, zijn bowlingbal en wie weet wat nog meer? Hij beschouwt Mirror als zijn tweede huis.'

'Gratis opslagruimte,' mompelde ik. 'Alsof hij dat nodig heeft.'

Rory fronste zijn voorhoofd. 'Hoe heb je gezien dat Fred vuilnis in een Jeep laadde? Met je gave?'

'Nee, ik zat daar in mijn auto.'

'Wat deed je op dat tijdstip in je auto voor mijn zaak?'

'Ik wachtte om te zien of Phyllis Kanner je kwam ophalen om bij de Twenty-One Club te gaan lunchen,' beet ik hem toe.

'Hou je nou eens op?' zei hij. 'Ik heb één keer met die vrouw gedanst, en dat was zakelijk, en jij maakt er meteen overspel van en denkt dat je het recht hebt me te bespioneren.'

Op dat moment herinnerde ik me alle keren dat hij me had verraden. Ik herinnerde me dat hij me had gevraagd meer sessies te doen, net nadat we seks hadden gehad. Ik herinnerde me dat hij had gedaan alsof hij Phyllis niet kende, toen ze naar ons huis kwam om me het contract te laten tekenen. Ik herinnerde me mijn visioen waarin hij met Phyllis danste. 'Ik haat je!' gooide ik eruit.

'Sst,' zei hij met een blik naar boven.

Cara stond halverwege de trap en hield zich met open mond aan de leuning vast.

'Cara,' zei ik, en ik wilde achter haar aan gaan toen ze terug naar boven holde.

Rory pakte me bij mijn arm. 'Laten we eerst afspreken wat we tegen haar zeggen, voor we het nog erger maken,' opperde hij.

Ik rukte me los en haastte me naar boven. Voor haar slaapkamerdeur zei ik: 'Maak je niet te veel van streek.'

De deur ging open. Cara keek me aan met een blik vol pure haat. 'Al die dagen was ik bezorgd omdat je ziek was en je was helemaal niet ziek. Jij en pap hadden gewoon ruzie. Je bent gewoon nep! Een nephelderziende en een nepmoeder. Laat me met rust.' Daarop smeet ze de deur dicht.

Ik had het gevoel dat mijn borst inzakte; dat ik stikte. Ik bleef bij haar deur staan, mijn hand op de deurkruk, mijn hartslag voelbaar tot in mijn vingertoppen. Ik probeerde iets te bedenken waardoor ze zich beter zou voelen, maar dat lukte niet.

Weer beneden probeerde Rory me vast te pakken. 'Dit loopt helemaal uit de hand,' zei hij. 'Wil je alsjeblieft naar me luisteren?'

Ik week terug. 'Phyllis luistert wel naar je,' zei ik. 'Waarom bel je haar niet?'

Hij stormde naar het souterrain, waar ik hem de slaapbank hoorde uittrekken. Ik opende het kastje waar de drank in stond en schonk mezelf een glas whisky in. Ik kneep mijn ogen dicht en dronk het glas leeg. Mijn gedachten tolden nog steeds door mijn hoofd. Ik schonk er nog een in en goot die ook achterover. Gevoelloosheid verspreidde zich over mijn gezicht en armen. Te beneveld om nog de trap op te kunnen lopen, viel ik op de bank in slaap.

21

Ik werd wakker, verbaasd dat ik op de bank lag en dat de zon in mijn gezicht scheen. De whisky had me even doen vergeten dat ik Barbara was tegengekomen die Rory met een blonde vrouw in de Rainbow Room had gezien. Even was ik het luciferboekje vergeten, en vergeten dat ik Rory ermee had geconfronteerd en had ontdekt dat het om Phyllis ging, en dat Cara onze ruzie van de vorige avond had gehoord. De waarheid toonde zich echter in mijn beslagen tong, mijn stijve spieren, mijn pijnlijke slapen. Ik kwam voorzichtig overeind op de bank en keek naar de klok. Het was tien over halfelf. Cara was al tweeënhalf uur geleden naar school gegaan.

Ik sleepte me naar boven, naar mijn werkkamer, zegde al mijn afspraken af en sprak een nieuw bericht in op mijn voicemail: 'Ik neem een lange vakantie.' Voor altijd, dacht ik. Ik vroeg de bellers niet een telefoonnummer in te spreken, of een tijd waarop ik hen het beste kon terugbellen. Ik zei alleen: 'Dank u en een fijne dag.'

Ik ging weer naar beneden, naar de keuken, opende een pakje chocoladesojadrank en dronk het op door het rietje met lussen erin waarvoor Cara jaren geleden ooit een Boscolabel had opgestuurd. 'Het schattigste meisje dat ik ooit heb gezien,' zong ik destijds voor haar, 'drinkt Bosco door een rietje.' Ik kreeg tranen in mijn ogen. Ik was zo kwaad geweest op Rory, dat ik mezelf had afgesloten voor Cara. Of je moeder nu leefde of dood was, als je het gevoel had dat ze niet aan jouw kant stond, voelde je je altijd als een los contact in de schakelkast van het universum.

En nu ik het laatste slokje van mijn sojadrank opslurpte, voelde ik me misselijk. 'Voor een kater,' had Bubbie eens tegen een klant gezegd, 'is niets zo goed als een bad in Epsomzout.' Nou, ik had iets wat Bubbie vast nog beter zou vinden. Dode Zeezout uit Israël. Ik liep de trap op naar de badkamer, draaide de badkraan open en schudde een handvol van het zout in het bad. Ik wilde dat het zout een deel van de alcohol en de pijn uit mijn poriën trok. Misschien, dacht ik, heeft Rory gewoon een midlifecrisis. Een van mijn cliëntes was met een uitermate zuinige man getrouwd. Haar man werd veertig en verloor in één keer al hun geld aan een plannetje om een schat uit een gezonken schip naar boven te halen.

Het badwater kwam tot aan mijn schouders. Ik boog me voorover en draaide de kraan dicht. Ik dacht aan al mijn cliëntes die zo graag wilden trouwen. Iemand zou hun de waarheid moeten vertellen, dacht ik, terwijl ik flink met het washandje over mijn nek wreef. Iemand zou hun moeten vertellen dat je 'Ja, ik wil' zegt en twintig jaar later denkt: ik wil niet meer!

Ik zuchtte. De Dode Zee begon zijn werk te doen. Ik voelde me getroost, gekalmeerd. Het enige wat nog steeds aan me knaagde was dat ik na de ruzie tussen mij en Rory niet op tijd wakker was geweest om Cara naar school te zien vertrekken.

De telefoon ging. Niets had me uit het bad kunnen krijgen, behalve het idee dat het misschien Cara was. Ik kwam eruit, wikkelde een handdoek om me heen en haastte me naar de telefoon.

'Hoi, Miriam. Met Nancy Curson. Hoor eens, ik bel je om te zeggen dat Cara vandaag niet op school is verschenen. Is ze ziek?'

'Nee, ik weet zeker dat ze naar school is gegaan,' zei ik, ook al was ik in diepe slaap geweest. Ik keek om me heen. Haar rugzak hing niet op de gebruikelijke plaats en ook haar favoriete jack was weg. 'Ze is naar school,' zei ik.

'Niet volgens de presentielijst,' zei Nancy.

'Het moet een vergissing zijn,' zei ik tegen haar.

'Ik vergis me echt niet. Cara is niet hier. We hebben een nieuw beleid. Als een leerling twee keer of meer gespijbeld heeft, bellen we de ouders bij elke afwezigheid.'

Mijn hoofd begon weer te bonken. 'Hartelijk bedankt,' zei ik, en ik hing op.

Ik keek in Cara's kamer, maar die was leeg, haar beddengoed lag door elkaar over het kussen. Ik werd boos. Deze keer was ze echt te ver gegaan.

Ik ademde drie keer diep in en sloot mijn ogen. Ik kon zelfs geen glimp opvangen van Cara's gezicht. Ik stelde me Courtney en Darcy voor. Mijn helderziende blik werd langzaam ruimer en er verschenen meer details. 'Mijn nagels!' klaagde Courtney. Toen probeerde ik Lance te vinden. Als een camera ging ik in gedachten het schoolterrein af, de gangen, de toiletten, elk hoekje en gaatje. Ik zag Lance nergens, maar ik had sterk het gevoel dat hij en Cara ergens samen waren. Soms kreeg je paranormale informatie in de vorm van instinct, niet als een visioen. Daar moest je op vertrouwen. Ik voelde het inmiddels nog sterker. Of ik het nou kon zien of niet, ze waren waarschijnlijk bij Lance thuis, pal onder de neus van zijn dronken moeder. Er verstrakte iets in mijn binnenste. Ik probeerde meer te zien, maar mijn zicht was troebel. Ik maande mezelf me te concentreren, maar ik zag alleen bomen. Nou, er waren ook andere manieren om aan informatie te komen.

Ik belde de receptie van de school. 'Nancy, ik heb heel hard een dienst van je nodig. Ik moet weten of Lance Stark vandaag op school is.'

'Het spijt me heel erg, Miriam, maar dat mag ik je niet vertellen. Maar onder ons, je zou niet geloven hoeveel moeders me al diezelfde vraag hebben gesteld.'

Nancy was een alleenstaande vrouw. Ze kon het niet riskeren haar baan te verliezen, maar ik drong aan. 'Nancy, alsjeblieft, kun je niet voor één keer wat soepeler met de regels omgaan en me iets vertellen?'

Het was even stil. 'Ik heb hem voor het eerste lesuur op de trap zien lopen,' fluisterde ze uiteindelijk.

Ik was niet anders dan de andere moeders die belden om meer te weten te komen over hun dochters. Als Cara toch niet bij Lance was, dan wist ik het niet meer. Ik voelde me alsof mijn ankers waren losgeslagen. Ik liep door de woonkamer te ijsberen, draaide rondjes om de tafel in de eetkamer, ging terug naar de woonkamer en daarna de trap op en af. Mijn voeten begonnen pijn te doen, maar in plaats van op te houden, trok ik gemakkelijker schoenen aan en ijsbeerde door. Na een uur was mijn huid nat van het zweet en voelde die aan als het Dode Zeezout waarin ik gebaad had. Ik nam een douche, heet en verpletterend als mijn boosheid op Rory, en nu ook op Cara. Terwijl ik me aankleedde begon ik de preek te bedenken die ik haar zou geven als ze thuiskwam.

'Wat mankeert je?' vroeg ik hardop. Nee, dat is wat mijn moeder zou zeggen.

Ik schakelde over op: 'Hoe kun je je familie dit aandoen?' Dat klonk te veel als mijn vader.

Mijn innerlijke woordenstrijd werd onderbroken door het geluid van de bel. Toen ik opendeed gaf een bezorger me een grote bos bloemen in een glazen vaas. Vince weer, dacht ik. Hij moest eens ophouden met me bloemen te sturen! 'Neem ze maar mee terug,' zei ik tegen de bezorger, maar hij zette de vaas gewoon voor de deur en reed weg. Ik liet hem staan en keek op mijn horloge. Zevende lesuur. Ik reed naar de school om te kijken of Cara zich misschien had bedacht en toch nog was gegaan. Het merendeel van de sneeuw was gesmolten, er lagen alleen nog vieze witte slierten in de goot. Ik draaide het raampje open om de lenteachtige lucht binnen te laten.

In de auto voor het schoolgebouw overdacht ik wat ik zou doen. Ik probeerde me op Cara in te stellen, maar kreeg nu helemaal niets door. Na een kwartier besloot ik naar binnen te gaan. De zwarte plaatjes van vliegende vogels op de ramen gaven me het gevoel dat ik door een vogelkooi liep. Ik hoorde harde muziek en deed de deur naar de aula open. Cara's vriendin Darcy danste over het podium, half naakt in een haltertopje en een heel korte broek. Haar blonde haren zwiepten heen en weer met de bewegingen van haar hoofd. Twee meisjes in gestippelde bikini's dansten de shimmy aan weerskanten van haar. Een jongen in een openhangend shirt en wijde hiphopbroek zei in een microfoon: 'Darcy and the Sunshines tonen u de Club Medlook van het voorjaar.'

Twee leraren stonden tegen de muur geleund te kijken. Ik ging naar een van hen toe en vroeg: 'Wat is dit?'

'Repetitie voor de jaarlijkse modeshow,' riep hij boven de luide muziek uit.

Ik keek om me heen en zag Cara niet. Ik ving Darcy's blik op, maar ze wendde snel haar ogen af. Ze had Cara ook genegeerd sinds ik op tv was geweest. Mijn blik was echter volhardend genoeg en wist de hare naar mij terug te trekken. 'Waar is Cara?' vroeg ik geluidloos. Ze haalde een paar keer haar schouders op om me duidelijk te maken dat ze het niet wist, maar bleef wel in de maat van de muziek. Nou, als Cara's vriendinnen het niet wisten, wist Lance het misschien. Ik baalde van het idee dat ik die knul moest gaan zoeken om het hem te vragen, maar het was mogelijk dat hij iets wist. 'Lance?' vroeg ik weer geluidloos, maar Darcy schudde haar hoofd.

'Hij is weg,' zei ze net zo geluidloos.

Ik ging rechtstreeks naar Cara's decaan. De secretaresse van dr. Zannikos was aan de telefoon. Ik liep haar gewoon voorbij en zijn kantoor binnen. Door zijn baard leek hij net een rabbi.

'Ik ben op zoek naar Cara,' zei ik. 'Ze is niet op school. En ze is de laatste tijd nogal van streek.'

Dr. Zannikos zette zijn bril af, veegde de glazen schoon met een tissue en keek me aan. 'Ze zal nog steeds van streek zijn over de afwijzing op haar vervroegde inschrijving bij Cornell.'

Ik voelde mijn mond openvallen. 'Ik wist niet dat ze had geprobeerd zich vervroegd in te schrijven,' zei ik.

'Natuurlijk wel. U hebt het formulier ondertekend in november. Anders had ik het nooit ingestuurd.'

'Ik heb dat formulier niet eens goed gelezen,' bekende ik. 'Ze zei dat u het alvast hier wilde hebben liggen.'

Hij schudde zijn hoofd.

'Wat zal ze teleurgesteld geweest zijn,' zei ik.

'Vertel haar maar dat ze stug moet volhouden,' zei hij. 'Cara is een pientere meid. Ze wordt heus wel op een goede universiteit toegelaten, dat zult u zien. Ga maar naar huis. Waarschijnlijk zit ze daar al op u te wachten. En zeg haar dat ze niet nog meer lessen moet missen.'

Ik reed naar huis. 'Cara?' riep ik toen ik naar binnen liep. Er kwam geen antwoord. Boven was haar kamer nog steeds leeg.

Om halfacht 's avonds was Cara nog niet thuis en ging mijn bezorgdheid over in boosheid. Ik belde Courtney. 'Heb je enig idee waar Cara is?'

'Cara?' Ik hoorde haar een lange trek van haar sigaret nemen terwijl ze probeerde te beslissen wat ze zou zeggen.

'Ja, je vriendin van school met wie je al zes jaar in de zomer gaat kamperen. Weet je nu weer wie ik bedoel?'

Courtney werd even tot zwijgen gebracht door mijn sarcasme. 'Misschien is ze naar Plaza Billiards,' zei ze langzaam.

'Een biljartlokaal?'

Courtney lachte. 'Zo noemt mijn vader het ook. Hij noemt Cara een biljarttalent.'

Even was ik stomverbaasd. 'Ik wist niet dat Cara kon biljarten,' zei ik.

'Ik heb een biljarttafel in mijn recreatiekamer,' zei Courtney.

'O?' Ik was nooit in Courtneys recreatiekamer geweest. Talloze keren had ik bij hen aangebeld om Cara op te halen en moest ik buiten in de regen blijven staan tot de dienstmeid Cara had gehaald.

'Bel me meteen als je iets van Cara hoort,' zei ik.

'Oké.'

Buiten liep de oude moeder van Iris Gruber met een wandelstok het pad naar haar voordeur op. Toen ik in mijn auto stapte, ging mijn sleutelhangeralarm per ongeluk af en Iris' moeder schrok zo dat ze op het gras viel. Ik holde naar haar toe, bang dat ze misschien iets gebroken had. Terwijl ik haar van het natte gras opraapte, zwaaide Iris de voordeur open. 'Je bent een gevaar voor andere mensen, jij!' riep ze naar me.

'Het spijt me heel erg,' zei ik. Ik voelde mijn gezicht rood kleuren. Het ging per ongeluk, hield ik mezelf steeds voor terwijl ik naar de stad reed.

Bij Plaza Billiards parkeerde ik voor de deur van Yogurteria en haastte me het glazen atrium binnen, de wenteltrap op en de zaal in. Omdat Cara haar haren zwart had geverfd, waren er minstens drie meisjes die op haar leken. Ik ging naar binnen om te kijken, hoewel ik al wist dat Cara er niet bij was.

Terug op het parkeerterrein leek iedereen in het winkelcentrum plotseling op Cara. Een vrouw in een denim jack. Een huisvrouw in een strakke spijkerbroek. Ik liep achter een meisje met een lange paardenstaart aan. Ze draaide zich geïrriteerd om. 'Wat wilt u van me?' beet ze me toe. Ik knipperde een paar keer met mijn ogen en iedereen werd weer zichzelf, maar mijn hart kromp ineen. Waar is mijn dochter? Het was inmiddels donker. Het is niet zo erg, probeerde ik mezelf op de weg terug naar huis voor te houden. Cara is wel vaker laat thuis geweest. Maar ze was al weg sinds vanochtend vroeg en had nog nooit eerder een hele dag gespijbeld.

Ik reed rechtstreeks naar het politiebureau dat weggestopt zat achter de ingang van Macy's aan de Community Drive in Manhasset. Ik ging door de hoofdingang naar binnen en kwam in een grote ruimte waar het naar boetseerklei rook. Aan de balie zat een politieman met grijze ogen en een bruine snor. Zijn naam stond op een klein bordje: AGENT FREUND.

'Mijn dochter wordt al sinds vanochtend vroeg vermist.'

'Hoe oud is ze?'

'Zeventien.'

Hij keek naar me op en schudde kalm zijn hoofd. 'Sorry. We gaan niet op zoek naar een kind van die leeftijd zolang het niet minstens vierentwintig uur vermist wordt.'

God verhoede dat Cara vierentwintig uur vermist zou zijn!

'Het is al angstaanjagend als je dochter zelfs maar een kwartier vermist wordt,' zei ik. 'Ik voel dat ze in gevaar is.' En toen, om hem tot actie aan te sporen: 'Ik ben helderziende.'

Hij rolde met zijn ogen.

'De politie werkt samen met helderzienden om zaken op te lossen,' vertelde ik hem.

'Niet op dit bureau.' Hij schoof me een kaartje toe waar het telefoonnummer van het bureau op stond.

Bevend pakte ik het aan. Ik moet gaan, dacht ik. Ik moet iets doen.

Terwijl ik wegliep, zag ik dat agent Freund een andere agent aankeek en met zijn vinger rondjes naast zijn slaap draaide.

Terug in de auto sloot ik mijn ogen en ademde een paar keer diep in. 'Bubbie?' riep ik. Ik wachtte. Er gebeurde niets. Ik deed een oog open om te kijken of ze bij me was. Dat was niet zo.

Toen ik weer thuis kwam, was Cara er nog niet. Uiteindelijk belde ik Rory in de apotheek. Na al die tijd belde ik hem nu pas. Dat ik hem niet meteen had gebeld, gaf aan hoe fout het ging met ons huwelijk. Misschien had Cara hem wel gebeld op de zaak. Ik had hem meteen moeten bellen.

'Ik ben zo blij iets van je te horen,' zei hij zodra hij mijn stem hoorde. Hij dacht dat ik niet langer zonder hem kon leven.

'Cara is vandaag niet op school geweest en ze is nog niet thuis,' zei ik. 'Ik heb geen idee waar ze is.'

'Misschien is ze bij Lance,' zei hij.

'Nancy Curson van de administratie zegt dat Lance wel op school was.'

'Mim, ik weet zeker dat alles goed is met Cara,' zei Rory nu vastberaden en wat gehaast. 'Ik ben om halftien thuis. Zeg dat ze op me wacht, zodat ik haar eens precies kan vertellen wat ik ervan vind dat ze ons zo in de zorgen heeft laten zitten.'

Ik probeerde me op Rory's preek te concentreren. Het idee dat Cara thuis zou zijn om die aan te horen bood me enige troost.

Er waren tien berichten ingesproken op mijn zakelijke lijn. Geen ervan was van Cara.

Rory kwam pas om tien uur thuis. Hij bracht de bloemen van Vince mee naar binnen die ik buiten had laten staan, liep meteen door naar de keuken, goot het water uit de vaas door de afvoer en gooide toen de bloemen in de vuilnisbak. 'Waar is ze?' snauwde hij.

'Ik weet het niet,' zei ik.

Hij knipperde met zijn ogen.

'Ik heb haar overal gezocht. Lance was vandaag op school, maar zij niet. Ze is niet bij Darcy of bij Courtney. Ik ben erachter gekomen dat Cara's vervroegde inschrijving bij Cornell is afgewezen. Wie weet wat ze ons allemaal nog meer niet verteld heeft.'

Rory haalde zijn hand door zijn haar. Hij keek me aan alsof het mijn schuld was, alsof ik haar uit de lucht moest kunnen plukken als een konijn uit een hoge hoed. Opeens wist ik ook waarom ik Rory niet meteen had gebeld. 'Ik wist dat er zoiets zou gebeuren,' zei hij. 'Die knul Lance. Jouw vriend Vince!'

'Vince?' Ik deed een stap terug en keek Rory aan alsof zijn lichaam door een buitenaards wezen was overgenomen. 'Ben je gek geworden? Wat heeft Vince hiermee te maken?'

Rory werd steeds kwader. 'Hoe weten we dat jouw Vince Cara niet heeft ontvoerd om jou naar hem toe te lokken?'

'Hoe weten we dat Phyllis Kanner het niet heeft gedaan?' pareerde ik. 'Misschien belt ze je straks wel om te zeggen dat ze Cara teruggeeft in ruil voor jou.'

'Wat?' vroeg hij stomverbaasd. 'Wat?'

'Dat is niet krankzinniger dan wat jij zegt,' zei ik.

Hij hief allebei zijn handen. 'Genoeg. Heb je de politie gebeld?'

Ik vertelde hem over de vierentwintig uur die de politie aanhield.

'We weten niet precies hoe lang Cara al weg is,' zei Rory. 'Ik zeg gewoon wat ik moet zeggen om hun hulp te krijgen.'

'Ze zullen naar een apotheker wel beter luisteren dan naar een helderziende,' zei ik met iets van een sneer.

'Begin niet weer,' zei hij. Rory belde het politiebureau en na een paar minuten zei hij: 'Er komt meteen een agent hierheen.'

Een uur later zat agent Freund op een van onze tweezitsbankjes met een klembord in zijn handen. Hij keek mij aan en hield zijn hoofd schuin. 'Hé, u zei toch dat uw dochter pas sinds vanochtend vermist werd.'

'We hebben nog eens gekeken,' zei Rory. 'En we denken niet dat ze thuis heeft geslapen,' loog hij. Rory begon uit te leggen dat hij krankzinnige uren werkte, en ik onregelmatig. Hij zwaaide met zijn handen en praatte snel over ons komen en gaan. Hij was net zo'n man die met een balletje onder drie bekertjes heen en weer stond te schuiven. Toen gaf hij agent Freund een foto van Cara.

'Mooie meid,' zei agent Freund. 'Gebruikt ze drugs?'

'Nee,' zeiden Rory en ik tegelijk.

'Zou ze zwanger kunnen zijn?' vroeg hij.

O, mijn god, dacht ik. Cara had geen anticonceptiepil of pessarium. Waarom was ik niet met haar naar de kliniek voor geboortebeperking gegaan?

'Natuurlijk is ze niet zwanger,' zei Rory luid.

'Problemen tussen u, hier thuis?' vroeg agent Freund.

We keken elkaar aan. 'Nee,' zei ik.

Agent Freund zei dat we thuis moesten wachten tot we wat van hem hoorden.

Toen hij weg was vroeg Rory aan mij: 'Denk je dat alles weer in orde is tussen ons?'

'Wat zou er in orde kunnen zijn, Rory? Onze dochter wordt vermist. Dat moet ik op de eerste plaats stellen. Ik kan nu niet over ons nadenken.'

'Ik weet zeker dat ze Cara zullen vinden,' zei hij, op het puntje van zijn stoel naar de telefoon starend.

Ik pakte een pen en papier uit de la van het bijzettafeltje en deed de lamp uit. 'Wat doe je?' vroeg Rory.

De pen losjes vasthoudend begon ik te krabbelen. 'Waar is Cara?' riep ik.

'Tegen wie heb je het?' vroeg Rory.

Ik gaf geen antwoord. Ik herinnerde me dat Cara in haar kinderstoel zat en een voor een alle erwtjes op de grond gooide. 'Alles weg,' had ze gezegd.

'Waar is Cara?' vroeg ik weer. De pen schreef iets wat bijna leesbaar was. Ik had moeite de woorden te herkennen. Ik hoopte op een adres of een straatnaam, alles wat me een aanwijzing zou kunnen geven. 'Alles weg' stond er. 'Alles weg.'

Ik zat het grootste deel van de nacht op het bankje. Mijn rug leek wel van staal. Rory zat op het andere tweezitsbankje tegenover me met een oog half open te slapen, zoals mijn vader wanneer die over de pogrom droomde. Ik begon zachtjes te huilen. Rory had me altijd zo goed aangevoeld dat het bijna paranormaal leek, maar nu verroerde hij zich niet eens.

Toen was het ochtend en opende Rory allebei zijn ogen. Hij keek op zijn horloge. 'Ik ga iemand bellen om voor me in te vallen bij Mirror. Ik moet erheen om mijn vervanger binnen te laten, maar ik blijf geen minuut langer weg dan nodig is.'

Ik was blij dat hij ging. Ik moest alleen zijn om met Cara in contact te kunnen komen. 'Ik bel je wel als ik iets hoor,' zei ik.

Toen hij weg was, ging ik in Cara's slaapkamer op haar bed liggen, in dezelfde houding als zij altijd lag. Wanhopig snoof ik de abrikozengeur van haar shampoo op het kussen op. Ik probeerde mezelf tot rust te brengen, zodat ik haar trillingen zou kunnen opvangen, maar het enige wat ik voelde was mijn eigen bloedstroom. Ik kon maar beter gaan zoeken. Ik hield me voor dat dit iets was wat elke normale moeder in deze situatie zou doen. Ik opende haar kast. Die was rommelig als altijd. Ik trok de bovenste la open en vond een wirwar van beha's en strings. In de onderste la lagen alleen brieven van penvriendinnen, buttons met foto's van Darcy en Courtney erop, en de zilveren ring met het glazen oog die ze tijdens haar eerste uitstapje naar Greenwich Village had gekocht. Ik kon niet vaststellen hoeveel ze mee had genomen, als ze al iets had meegenomen. Ik wist dat ze haar dagboek bewaarde in de bergruimte in het hoofdeinde van haar bed. Ik haalde de lamp eraf en tilde het deksel op. Onder haar extra beddengoed lag haar dagboek. Mijn hand beefde toen ik het wilde pakken. Dit was wel een heel zware schending van haar privacy. Dit was mijn moeder die mijn post openstoomde, die met een potlood over mijn kladblok wreef om te zien wat ik op het vorige blaadje had geschreven. Ik legde het dagboek terug, liep haar kamer uit en deed de deur stevig achter me dicht.

Zodra ik dat deed werd ik beloond met een flits. Ik zag Cara's gezicht naast dat van Lance alsof ze foto's lieten maken in een pasfotohokje. Wat Nancy ook had gezegd, ik wist nu zeker dat Cara bij hem was.

De telefoon ging en ik haastte me erheen. 'Hoi, Miriam, met Nancy.' Ze zuchtte. 'Het spijt me te moeten zeggen dat ik weer bel omdat Cara niet op school is, en ik heb nog meer slecht nieuws.'

Ik was helemaal verkrampt van angst.

'Lance was gisteren alleen het eerste uur hier,' vervolgde Nancy. 'De rest van de dag is hij niet meer gezien. En hij is er vandaag ook niet.'

Heel even was ik opgelucht dat ze niet alleen was, maar toen begon mijn hart nog harder te bonken. O, god, Lance, dacht ik. Ik had op mezelf af moeten gaan. Plotseling herinnerde ik me het briefje van Lance: 'Ik hou van je tot in de dood.' Ik huiverde.

'Als er iets is wat ik kan doen,' zei Nancy, 'wat dan ook...' Ze ging zachter praten. 'Wil je het nummer van Lance' moeder en dat van zijn vaders zaak?'

'Ja,' zei ik. Zodra ik de nummers had belde ik Pepper Stark. Ze klonk slaperig.

'Neem me niet kwalijk,' zei ik, 'maar is mijn dochter Cara toevallig daar?'

'Wie?'

'Cara. Mijn dochter.' Ik kon mezelf er niet toe brengen haar Lance' vriendinnetje te noemen.

'Nee, en mijn zoon Lance is er ook niet. Ik hou zijn vriendinnetjes niet in de gaten,' zei Pepper. Ik kon aan haar stem horen dat ze dronken was. 'Zijn vriendinnetjes wisselen van dag tot dag. Ik weet niet eens waar hij uithangt. Hij is achttien. Als hij weg is, hoef ik me geen zorgen om hem te maken, toch?'

'Ja, dat moet u wel. Hij is samen met mijn dochter weg en we moeten hen vinden.'

'Ik ken u niet eens,' zei ze. 'Ik moet helemaal niets.' Ze hing op.

Daarop belde ik Lance' vader. 'Stark Enterprises,' zei de telefoniste. 'We garanderen u dat u zo slank kunt zijn als in uw dromen.'

'Kunt u me doorverbinden met meneer Stark, alstublieft?' vroeg ik.

'Hij is in bespreking. Wie kan ik zeggen dat er gebeld heeft?'

'Miriam Kaminsky.'

'Belt u omdat u de extra pondjes op uw dijen en taille kwijt wilt?'

'Nee, ik bel over Lance.'

'O-o,' zei ze. 'Ik verbind u meteen door.'

Tijdens het wachten kreeg ik muzak te horen.

'Wat heeft dat waardeloze joch nu weer uitgehaald?' blafte meneer Stark.

Ik schrok even. 'Ik geloof dat hij er met mijn dochter vandoor is gegaan.'

'Nou, hij zal vast geen geweer tegen haar slaap hebben gezet.'

'Nee, daar ga ik ook niet van uit,' zei ik, mijn best doend de woede uit mijn stem te weren.

'Sorry,' zei hij. 'Ik ben kwaad op mijn zoon. Dat moet ik niet op u afreageren.'

'Hebt u Lance een creditcard gegeven? Die kan hij gebruikt hebben bij een benzinestation of misschien' – ik kon het woord nauwelijks over mijn lippen krijgen – 'een motel.'

'Jawel, maar hij neemt altijd contant geld op bij de automaat, zodat ik niet weet wat hij uitvreet. Maakt u zich geen zorgen. Ik blokkeer zijn creditcard onmiddellijk, en dan zult u eens zien hoe snel ze naar huis komen.'

'Ik geef u mijn telefoonnummer,' zei ik, en hij noteerde

het. 'Belt u me alstublieft als u iets hoort? Mijn man en ik zijn vreselijk ongerust. Cara wordt al meer dan vierentwintig uur vermist.'

'Dat zal ik doen,' zei hij.

'Dank u,' zei ik.

Zodra ik had opgehangen ging de telefoon. Hopend dat het Cara was, nam ik zo snel op dat ik de hoorn tegen mijn kin stootte.

'En, wat ben je te weten gekomen?' vroeg een vrouw.

'Met wie spreek ik?'

'Barbara.'

Het was Darcy's moeder. Natuurlijk wist die het al. 'Bedankt voor je belangstelling,' zei ik. 'We hebben nog niets gehoord, maar ik laat het je weten als ik informatie heb. Tot het zover is moet ik deze lijn vrijhouden.'

Ze ratelde gewoon door. 'Leurt Lance' vader nog steeds met dat vloeibare dieet? Hij is niet eens medicus. Hij verkocht vroeger koperen pijpen. Hij zit overal in.'

'Neem me niet kwalijk, Barbara, maar ik moet ophangen.'

'Ze zeggen dat Pepper om hem aan de drank is geraakt. Ze zeggen dat hij steeds andere vrouwen had. Slanke vrouwen. Hij moet ze dubbel genaaid hebben... hun een hoop geld rekenen voor zijn dieetplan, en daarna met ze naar bed.'

'Bedankt voor je hulp, Barbara, maar ik moet de lijn vrijhouden,' herhaalde ik.

'Ik bel straks nog wel een keer,' zei ze.

De telefoon ging weer. Gretig nam ik op. 'Cara?' zei ik met mijn vingers over elkaar.

'Nee, met Joyce.'

'Joyce?'

De moeder van Courtney. Ik wilde weten hoe je vaart.'

'Hoe ik vaar?' herhaalde ik. Ze had al zoveel cruises gemaakt dat het nautisch taalgebruik in haar vocabulaire doordrong. 'Ik vaar prima.'

'Ik zou mezelf overboord gooien als Courtney een dergelijke stunt uithaalde.'

Ik verbeet mijn woede. Ik had alle medewerking nodig die ik kon krijgen. 'Ik bel je wel als ik iets weet,' zei ik. 'Zeg ondertussen alsjeblieft tegen iedereen dat ik de lijn vrij moet houden. Zeg maar dat ze me alleen mogen bellen als ze informatie over Cara hebben.'

'Natuurlijk,' zei ze. 'Ik bel je straks nog wel om te vragen of er iets boven water is komen.'

'Prima,' zei ik, en hing toen op. Het leek wel of ze allemaal doof waren.

De telefoon ging weer. 'Alles komt altijd in drieën,' zei mijn vader altijd, maar ik was zo nerveus dat ik niet meer wist of het nou goede dingen of slechte dingen waren die in drieën kwamen. Ik nam de hoorn op.

'Dag, pop, heb je tijd voor me?' hoorde ik.

Het was Vince Guardelli, die me belde op mijn privélijn. Ik was bang dat hij ergens in de buurt in zijn limousine zat te wachten, maar hoorde toen het gekletter van kristal en tafelzilver op de achtergrond. 'Het spijt me. Dat kan echt niet.'

'Wat is er aan de hand. Zing je niet meer voor Vince? Strangers in the night,' zong hij. 'Two lonely people.'

Ik legde mijn hoofd in mijn hand.

'Ben je nog steeds boos op me omdat ik je hand wilde vasthouden?' vroeg hij. 'Vergeet het maar. Jij bent de heilige Maria-am voor mij,' zei hij. 'Dankzij jou heb ik mijn ex gebeld. Daarom had ik je de bloemen gestuurd. We hebben met elkaar afgesproken. Samen gelachen. Ik voelde me weer tweeëntwintig. We hebben een geschiedenis samen. Als ik "pap" zeg, ziet zij mijn vader meteen voor zich, inclusief zijn platte duim. En als ik "Mulberry Street" zeg, ziet ze mijn grootmoeder op de vensterbank zitten, die naar beneden roept: "Haal een pakje Lucky's voor me." Ik hoef niet alles uit te leggen.'

Ik was blij dat ik hem had geholpen zijn hart open te stellen, maar wat kon zijn leven me op dit moment schelen? 'Ik kan nu geen sessie met je doen. Ik kan me niet concentreren.'

'Wat kan er nou interessanter zijn dan ik?' vroeg hij.

'Mijn dochter is weggelopen met een jongen.' Ik had er al

spijt van zodra ik het gezegd had. Bubbie had me gewaarschuwd klanten nooit in vertrouwen te nemen. Ook al zou ik zelf Lance wel willen vermoorden, ik was bang dat Vince het echt zou doen. Er zat even een vreemde statische ruis op de lijn. Daar heb je het al, dacht ik. Het is afgelopen.

'Ik zou de politie bellen,' zei hij.

'Jij?' vroeg ik.

Vince brieste. 'Hé, waar zie je me voor aan? Je hoort Italiaans, jongen van de straat, veel poen, en je denkt meteen aan de maffia, zeker? Don Harkness, de politiecommissaris van Nassau County, is een vriend van me. Ik kan hem voor je bellen en de zaak aan het rollen brengen. Ik beschouw je als een persoonlijke vriendin en ik zou alles voor je doen.'

Ik had tranen in mijn ogen. 'Dank je,' zei ik.

'Maak je geen zorgen,' zei hij. 'Vince regelt het allemaal wel.'

'Dat waardeer ik echt enorm, maar nu moet ik ophangen,' zei ik, en voegde de daad bij het woord.

Ik liep door het huis heen en weer, probeerde me te herinneren wat Cara de afgelopen dagen tegen me had gezegd. 'Ik haat je!' was het enige wat ik me kon herinneren. Ik liep nog een poosje rond. Toen ik Lance voor het eerst bij Darcy voorbij had zien rijden op zijn motor, had ik een beeld gehad van Cara die vervaagde, alsof ze werd uitgegumd. Nu begreep ik wat dat had betekend: dat ze samen met die jongen zou verdwijnen.

Ik hoorde een auto op de oprit en haastte me naar beneden. Het was Rory. 'Heeft Cara gebeld?'

'Nee.'

Zijn gezicht betrok. 'Geen nieuws is misschien goed nieuws,' zei hij beverig.

Ik ging naar mijn werkkamer om mijn voicemail weer af te luisteren, voor het geval Cara om de een of andere reden daarheen had gebeld. 'H-hal-lo, met Arlene,' hoorde ik. Het was Orthodoxe Arlene. 'Ik heb bedacht dat zolang jij me niet over de doden en de toekomst vertelt,' zei ze, 'ik gerust een sessie bij je kan boeken zonder mijn rabbi daarmee te beledigen.' Ze had haar nummer ingesproken. Ik wiste het bericht en luisterde naar het volgende. 'Met Kim. Je kunt geen vakantie nemen. Ik heb "Macht, macht, macht" gezongen, zoals je me gezegd hebt. Waarom bel je me niet terug?'

Ik controleerde de rest van de berichten. Ze waren allemaal van Kim.

Rory verscheen in de deuropening. 'Ik ga naar haar school,' zei hij. 'Ik vraag gewoon aan al die kinderen of ze iets weten.'

'Bel me als je iets hoort,' zei ik. 'Al is het maar een gerucht.'

Toen hij weg was, stak ik mijn handen in de lucht alsof ik een antenne was en zei: 'Cara Kaminsky, bel naar huis.'

Er verstreken twintig minuten en de telefoon ging niet. Ik zat onder op de trap, met mijn rug tegen de muur. 'Ohm, ohm,' zong ik gespannen. Om vier uur, het tijdstip waarop Cara thuisgekomen zou zijn als ze met de schoolbus was gegaan, ging de bel. Ik holde erheen, deed open en zag Nancy Curson staan. Ik kreeg hoop. 'Je weet iets,' zei ik opgewonden.

'Ja, dat Munchkins helpen in een crisis.'

Toen zag ik pas dat ze een zak bij zich had van Dunkin' Donuts, en twee grote bekers koffie. Te oordelen naar haar figuur nam ik aan dat ze de donuts voor veel crises gebruikte.

'Dank je,' zei ik, mijn best doend mijn teleurstelling te verbergen. Ze stond al met één voet binnen. 'Wil je even binnenkomen?'

'Ja.'

Ik ging haar voor naar de keuken en we gingen aan de keukentafel zitten. Misschien is het goed dat ze hier is, dacht ik. Een moederlijke, troostende aanwezigheid.

Rory kwam binnenlopen, diepe rimpels in zijn voorhoofd. 'Niets,' zei hij. 'Geen van die kinderen weet iets.' Hij huiverde, en merkte toen pas Nancy op.

Ik stelde hen aan elkaar voor. 'Nancy Curson heeft donuts gebracht,' zei ik. Ze gaf hem de koffie die waarschijnlijk voor haar bedoeld was geweest. Rory stopte beleefd een Munchkin in zijn mond.

'Toen mijn man Bill ervandoor ging met de babysitter,' zei

Nancy, 'heb ik een week lang alleen maar Munchkins gegeten. De babysitter was een Filippijnse, pas negentien. Ik betrapte hen in het bed van mijn dochter Susan.'

Terwijl ze dat vertelde werden in mijn gedachten de babysitter en Bill vervangen door Phyllis en Rory. Ik werd misselijk. Wat een troostende aanwezigheid! Rory mompelde een verontschuldiging en stond op van tafel. De poten van zijn stoel schraapten over de tegels.

'O, ik weet niet waarom ik daarover begin,' zei Nancy. 'Ik neem aan dat de tragedie van een ander je altijd aan je eigen tragedie doet denken.'

Ik stond ook op. 'Je zult ons moeten verontschuldigen,' zei ik wat kortaf.

Eindelijk stond Nancy op. 'Ik bel je nog wel,' zei ze terwijl ik haar bijna de deur uit duwde.

Zodra ik haar kwijt was, stak ik een stokje jasmijnwierook aan. Mijn moeder was dol geweest op Cara. 'Mijn Cara' noemde ze haar altijd. Als mijn moeder nog had geleefd, zou Cara nooit weggelopen zijn. Mijn moeder zou Cara niets laten overkomen. Zij zou me zeker helpen. Ik herinnerde me hoe ze op de blauwe satijnen voering van haar doodskist had gelegen. Haar make-up was perfect aangebracht en de pruik van echt haar die ik per se voor die gelegenheid voor haar had moeten kopen, lag donker uitgewaaierd. Schone Slaapster, had ik gedacht, maar toen ik dichterbij kwam zag ik onder haar make-up de aders als bevroren rivieren. Haar geest had haar verlaten, maar was daar nog wel ergens.

'Mam?' riep ik. 'Het is niet voor mezelf dat ik je hulp vraag. Het is voor jouw Cara.'

Er gebeurde niets. Ik liep naar de spiegel aan de muur. Ik voelde aan mijn haar zoals mijn moeder dat altijd had gedaan om te controleren of elke pluk wel op zijn plaats zat. Ik pakte mijn tas, haalde er mijn lippenstift uit en bracht die op mijn lippen aan zoals zij dat altijd had gedaan. Ik stak mijn handen op om mijn nagels te controleren. Het hielp om een geest te imiteren, iets te doen wat diegene vaak had gedaan toen die nog leefde. 'Mam?' riep ik weer. Er kwam geen antwoord. Ik had het gevoel te worden verpletterd door de stilte; ik sloot echter mijn ogen en probeerde voor me te zien dat mijn hersengolven verder het universum in dreven dan ooit tevoren. Ik kreeg hoofdpijn, er verschenen zweetdruppels op mijn bovenlip, maar ik ging door. Ik werd duizelig. Ik deed mijn ogen open, ging zitten en boog voorover, liet mijn hoofd tussen mijn knieën hangen. Daarna ging ik weer recht zitten en sloot opnieuw mijn ogen. Het enige wat ik zag waren nabeelden, sporen kaarslicht en vage strepen zonlicht tussen de luiken door. Als ik bleef proberen contact te krijgen met mijn moeder, zou ik nergens anders meer energie voor overhouden, wist ik.

Mijn vader zou wel helpen. Alleen al de gedachte aan hem bracht mijn energie terug. 'Pap,' riep ik. Ik luisterde aandachtig. De takken van de olm kreunden. Ik liep naar de kast om de jas aan te trekken die hij altijd naar zijn werk gedragen had. Dat zou me dichter bij hem brengen. 'Alsjeblieft, papa.' Ik hoorde een sissend geluid en dacht dat mijn vader iets fluisterde. Ik opende mijn ogen en zag dat mijn tranen in de hete was van de kaars drupten. 'Papa, je waarschuwde me dat Alicia Gordon haar neus zou breken tijdens de basketbalwedstrijd en nu je eigen kleindochter misschien in levensgevaar is heb je me niets te vertellen?' Het was nog steeds stil. 'Wat is dit, een kosmische boycot?'

'Bubbie,' riep ik, 'vergeef me alsjeblieft dat ik voor het geld ging en op televisie kwam. Vergeef me dat ik zei dat ik soms voorrang moet geven aan de levenden. Ik zal de oude manieren nooit meer door de plee spoelen. Help me Cara te vinden, dan zal ik alleen nog maar aan de doden denken.'

Er kwam geen antwoord. Ik ademde diep in om alle blinddoeken en oordoppen af te schudden en wachtte. 'Bubbie, ik sta weer op een richel. Ik heb je nodig.' Mijn oude huis kwam zacht krakend tot rust. Baron blafte. Geduld, zo hield ik mezelf voor, en ik wachtte nog een poosje, maar er kwam niets, niets, niets.

Ik keek op mijn horloge. Cara was al minstens vijfendertig uur weg, misschien zelfs wel veertig als ze 's nachts was weggeglipt. Eindelijk, uren later, gingen Rory en ik naar bed. We konden niets anders doen.

Zodra ik wakker werd begon ik weer te zingen. Ik zag de groene ogen van mijn dochter en langzaam kwam ook de rest tevoorschijn. Haar haren wapperden naar achteren. Ik voelde haar vibraties door me heen gaan.

Rory kwam ongeschoren naar beneden. 'Kun je daar alsjeblieft mee ophouden? Ik moet weten wat er in de echte wereld gaande is. Ik moet kijken of er iemand gebeld heeft.'

Ik was niet van plan te stoppen. Dit was een onderdeel van mijn 'echte wereld', misschien wel het belangrijkste onderdeel. 'Nee-ee-ee,' zong ik. Hij liet zich op de bank neervallen, zijn hoofd in zijn handen. Zijn ademhaling klonk verstikt, alsof hij vocht tegen zijn tranen. Ik wilde niet weer wegzinken in wanhoop. Ik moest het blijven proberen. 'Ohm, ohm.' Ik stelde me een kaart voor met dikke rode lijnen zoals de routebeschrijvingen van de AAA.

Opeens zag ik het. Cara zat achter op Lance' motor, die met rokende uitlaat naar het noorden reed. Ik moest me concentreren en werd weer naar haar kamer toe getrokken. Ik liet Rory beneden, liep de trap op en ging in haar schommelstoel zitten, waarin ik haar als baby had gevoed. Ik zong haar favoriete kinderliedjes en begon te schommelen. Mijn derde oog ging open. Ik zag Lance de snelweg af rijden, door een dorp heen. Hij reed hard en ik kon geen borden onderscheiden. Toen zag ik hem een smal pad op rijden.

Ik rende naar beneden. 'We moeten de auto in,' zei ik tegen Rory. 'We moeten naar de Throgs Neckbrug. We moeten Cara gaan zoeken.'

'Agent Freund heeft gezegd dat we hier op nieuws van hem moesten wachten.'

'En hebben we al iets van hem gehoord?'

'Nog niet,' zei Rory. 'Toch moeten we hier blijven. Je kunt

ook wel proberen haar met je gave te vinden, maar we moeten doen wat de politie zegt.'

Zijn aura vervaagde toen hij zei dat ik Cara met mijn gave kon proberen te vinden en werd helderder toen hij het over de politie had. Het was duidelijk dat hij meer vertrouwen in hen had dan in mij.

'Doe jij maar wat je wilt,' zei ik, 'maar ík ga.'

Hij volgde me naar de keuken. 'Ik laat je niet alleen weggaan. Dan maak ik me zorgen om jou én Cara. Ik ga mee.'

Ik vulde een thermoskan met zwarte koffie en pakte wat boterhammen in. Rory stopte de meest recente foto van Cara in zijn portefeuille en zijn mobiele telefoon in zijn jaszak.

Op dat moment ging de bel. 'Ze is terug,' zei Rory, en hij sprintte op zijn lange benen naar de deur. Toen hij opendeed stond Vince daar in een overhemd met zijdedraad erin geweven en een witte wollen broek. Hij zag eruit alsof hij zo van een cruiseschip was gestapt. Hij was ook gebruind.

'Bent u de echtgenoot?' vroeg Vince, Rory van top tot teen bekijkend.

'Ja,' zei Rory. 'En wie bent u?'

'Vince Guardelli,' zei ik, en ik ging snel voor Rory staan. 'Vince, wat doe je hier?' Ik zag Rocko in de witte limousine zitten wachten.

'Ik heb Don al voor je gebeld,' zei Vince, 'hij werkt eraan.'

'Wie hebt u gebeld?' zei Rory fel. 'De Don?'

Vince keek hem aan alsof hij achterlijk was. 'Don Harkness,' zei hij, 'de politiecommissaris.'

Rory keek hem dreigend aan. Dacht hij nou echt dat ik een verhouding had met Vince, of dat zelfs maar overwoog?

Vince sloeg Rory op zijn schouder. 'Normaal gesproken zou ik zeggen: u bent een gelukkig man. Met wat er nu gaande is, zeg ik alleen: u moet me laten helpen.'

'Vince, dat is ontzettend aardig van je,' zei ik, 'maar we wilden net weggaan om onze dochter te gaan zoeken.'

'Wil je dat ik hier blijf en de telefoon beman?' vroeg Vince. 'Ik kan je mobiele nummer opschrijven en bellen als er iets te melden valt.' Hij streek met zijn hand over de slotplaat van de voordeur. 'Als ik de deur op het nachtslot doe voor ik wegga, hoef je me de sleutels niet te geven.'

'Wat?' zei Rory.

Ik wist dat ik Vince ons huis kon toevertrouwen. Met zijn diamanten pinkring en zijn limousine was hij er niet op uit iets van ons te stelen. Hij probeerde gewoon op zijn eigen manier een heer te zijn. Maar Rory's energie schuurde langs me heen als staalwol. Als ik Vince in ons huis achterliet, zou de rit naar het noorden ondraaglijk worden. Ik wilde Vince echter niet op zijn tenen trappen. Ik moest hem een rol laten spelen. 'Dank je wel, Vince,' zei ik, 'maar waar je me echt mee zou helpen, is als je de stad in ging en aan de mensen vroeg of iemand iets van Cara Kaminsky gehoord of gezien heeft.'

'Huh?' zei Rory zacht.

'Komt voor elkaar,' zei Vince.

Toen we in de auto stapten, zag ik al voor me hoe Vince door Great Neck rondliep, de limousine achter hem aan. De mensen zouden vast denken dat hij een undercoveragent was, dacht ik, en hij had iets over zich waar je geen nee tegen zei. Ik stelde me voor dat hij bij Bloomsbury Plants binnen zou stappen en dat mevrouw Rogers zich achter haar potplanten zou verschuilen. Ik stelde me voor dat hij 'Hé, *paesan*' zou zeggen tegen Charles Fravola van Marine Fisheries en dat Charles hem een royale portie gebakken oesters zou geven, gratis. Als we niet met een vreselijk noodgeval zaten, zou ik erom hebben moeten lachen. Nu ademde ik een paar keer diep in en uit om mijn hoofd leeg te maken.

Toen we de Cross Island Highway af reden, stond het verkeer voor de Throgs Neckbrug helemaal vast. Ik had het gevoel alsof mijn hart ook stilstond.

'Verdorie, ik had de verkeersinformatie aan moeten zetten,' zei Rory, en hij zette alsnog de radio aan.

'Blijf uit de buurt van de Throgs Neck. Een ongeluk met drie auto's en een olievlek op de weg,' zei de omroeper. 'Zeker twee uur vertraging.'

'Kunnen we achteruit?' vroeg ik Rory.

'Kijk eens achterom,' zei hij.

We zaten al ingesloten. 'Als we eens afslaan bij de eerste parkeerplaats en de auto daar achterlaten. Dan kunnen we teruglopen naar de vorige afrit en een auto huren.'

'Dat duurt langer dan hier wachten,' zei Rory, en hij schakelde de motor uit en klemde zijn kaken op elkaar. Ik wist dat hij dacht dat ik het alleen maar erger had gemaakt, dat ik naar hem had moeten luisteren en thuis had moeten blijven wachten. Een deel van me was het daarmee eens, maar ondanks deze tegenvaller wilde het andere deel nog steeds per se doorgaan.

Ik keek uit het raampje. Meeuwen vlogen krijsend voorbij. Een uur verstreek. Mensen stapten uit hun auto's, sommigen verdwenen even in de bosjes om hun behoefte te doen. Ik schonk wat koffie voor ons in uit de thermoskan. We zaten daar maar, warmden onze handen aan de koffie, ieder verloren in onze eigen gedachten. Toen het verkeer eindelijk in beweging kwam, liep het al tegen zessen, en we waren nog maar net onderweg. Op de Throgs Neckbrug sloot ik mijn ogen en zong: 'Ohm.'

'Laat me niet in het duister tasten,' zei Rory. 'Vertel me dan tenminste wat je denkt te zien.'

'Cara zit bij Lance achter op de motor,' zei ik gespannen.

'Heeft ze een helm op?' vroeg hij.

'Nee.'

Hij drukte het gaspedaal verder in en ging te dicht op de auto voor ons rijden. Hij moest echter rustig blijven, anders kon ik me niet concentreren op Cara. 'Kalm aan,' zei ik, maar hij had me al te nerveus gemaakt.

Aan het eind van de brug gingen mijn ogen heen en weer als de naald van een kapot kompas. 'Pak de snelweg,' zei ik.

'Allemensen, een motor op deze wegen met deze snelheid!' zei Rory.

We reden meer dan een uur over de snelweg. We passeerden Yonkers Raceway en de afslag naar Dobbs Ferry. Omstreeks halfacht staken we de Tappan Zeebrug over naar de New York

Statesnelweg. Daar reed Rory in onze verhoudingsgewijs kleine Ford zelfs de snelste SUV's voorbij. Ik hoorde gepiep in mijn hoofd als van een radardetector. 'We naderen een snelheidscontrole,' zei ik. 'Neem gas terug.' Hij deed het en we zagen een verdekt opgestelde politiewagen staan. Ik voelde dat mijn helderziende energie zich scherp stelde. Het was alsof ik een bril had opgezet voor mijn derde oog en mijn zicht was nu helder en krachtig.

Verder naar het noorden passeerden we New Paltz en Kingston. Het leek kouder te worden. Het water dat van de rotsen omlaag kwam was bevroren. De lisdodden langs de weg waren stijf bevroren. De natuur was in shock geraakt.

'Bel naar huis,' zei Rory. 'Misschien heeft iemand inmiddels een bericht ingesproken.'

'Ik heb geen bereik op mijn mobieltje,' zei ik. 'We zullen een telefooncel moeten zoeken.'

Om halftien stopten we bij een servicestation dat eruitzag als een rustiek hotelletje. Ik haastte me naar binnen. Er waren diverse eettentjes, snackautomaten en een ijskiosk. Ik keek om me heen in de souvenirwinkel. Ik zag stenen waarin gegraveerd stond dat ze uit de Catskills kwamen. Rory gaf me zijn telefoonkaart en verdween in het herentoilet. Er was inderdaad een bericht ingesproken thuis. 'Met Don Harkness, politiecommissaris,' zei een man. 'Ik wilde u laten weten dat ik persoonlijk naar het bureau in uw wijk heb gebeld en agent Freund heb geïnstrueerd een uitgebreid opsporingsbevel voor uw dochter uit te vaardigen.' Godzijdank voor Vince. Harkness had zijn rechtstreekse nummer ingesproken voor het geval ik nog vragen had.

Ik belde nogmaals naar de moeder van Lance. 'U spreekt weer met Miriam Kaminsky,' zei ik. 'Ik ben onderweg, op zoek naar Cara. Kent Lance iemand in het noorden van de staat? Ik bedoel, hebt u daar ergens een vakantiehuis of ging hij wel eens kamperen in dat gebied?'

'Neu,' zei ze onduidelijk. Ze was nog erger dronken dan gisteren. Toen begon ze te huilen. 'Waar is m'n kleine jongen?' jammerde ze.

'Ik bel u wel zodra we hem gevonden hebben,' zei ik.

Rory kwam naar me toe. Hij beet op zijn onderlip. 'Iets gehoord?' vroeg hij.

'De commissaris van politie heeft gebeld. Hij heeft een uitgebreid opsporingsbevel uitgevaardigd.'

'We zouden terug moeten gaan,' zei Rory.'We hadden thuis moeten blijven, zoals de politie zei. Dan zouden we nu iedereen kunnen bellen, ook de kranten. Misschien hebben Cara's vriendinnen inmiddels iets van haar gehoord.'

'Er is vast wel een treinstation in de buurt, daar kan ik je afzetten,' zei ik bits.

Hij gaf geen antwoord, maar toen hij weer in de auto zat, sloeg hij van kwaadheid heel hard op de claxon.

'Je moet míj vertrouwen, niet de politie,' zei ik zacht.

Rory strekte zijn armen en drukte zijn rug in de stoel, maar bleef wel in noordelijke richting rijden. Om elf uur passeerden we Albany.

Uit het raam kijkend was ik het er half mee eens dat het waanzinnig was om door te gaan. Het duister wiste de bergen uit, en de rotsachtige berm. De kale takken waren donkere vingers die naar alle kanten wezen. Rory bleef telkens naar me kijken. Ik had het gevoel dat ik heel snel met iets moest komen om deze speurtocht te rechtvaardigen. Ik wist niet eens zeker of ik haar wel kón vinden. Maar ik moest haar vinden. Dat moest gewoon.

Hij keek weer naar me. 'Hou daarmee op!' zei ik. 'Ik moet me concentreren.' Ik sloot mijn ogen. Alles was pikdonker, en langzaam ontwaarde ik Cara en Lance. Ik hoorde boomtakken breken. De motor maakte niet meer zo'n bulderend lawaai, maar sputterde en viel toen stil.

'Wat zie je?' vroeg Rory.

Ik kon niet antwoorden. Ik moest me op Cara blijven richten. Ik zag haar weer. Lance zat op zijn knieën en probeerde zijn motor te maken. Hij rilde. Cara sprong op en neer en sloeg met haar armen. Ze droeg een spijkerbroek en een kort jack.

'Ik hoop dat je iets door krijgt,' zei Rory.

'Het vriest,' zei ik. 'Cara staat te bibberen.' Toen zag ik haar op haar plunjezak zitten, met haar hoofd op haar knieën.

'Verder nog iets?' vroeg Rory.

Ik schudde mijn hoofd. Ik wilde niet dat hij net zo bang zou worden als ik zelf was. Hij moest rijden. Hij moest zich goed houden.

'Doe harder je best,' zei hij.

Bubbie? smeekte ik in stilte. Ik heb je nodig. Cara heeft je nodig.

Er kwam geen reactie.

Pap? Ik wachtte. Mam? Ik stond er nog steeds alleen voor. Ik had mijn ogen gesloten, maar voelde dat Rory naar me keek en wachtte tot ik meer beelden door zou krijgen. Zelfs als zijn blik op de weg gericht was, voelde ik nog dat hij zich op mij richtte.

'Heb je al enig idee waar we heen gaan?' vroeg hij.

'Rij nou maar door,' zei ik. Ik zag vage wolken en strepen, wat iedereen zou zien als hij onderweg in de auto zijn ogen dichtdeed. Ik opende mijn ogen. 'Waar is Cara?' vroeg ik.

Rory keek me bezorgd aan.

'Let jij alsjeblieft op de weg,' zei ik, en herhaalde toen zacht: 'Waar is Cara?' Ik hoorde gesuis. Toen zag ik in plaats van Cara een oude dame met wit, recht haar die ik vaag herkende. Met afschuw realiseerde ik me dat ik het zelf was. Mijn haar was te oud geworden om nog te krullen. Ik had een grote zaklamp in mijn hand en liep mank. Betekende dat dat ik de rest van mijn leven naar Cara op zoek zou blijven? Ik werd doodsbang. Ik ademde drie keer diep in en probeerde mijn geest tot rust te brengen. Even zag ik niets. Daarna zag ik een feestje. PROFICIAT MET JE 70E VERJAARDAG, MIRIAM stond er op een spandoek. De gasten waren vreemden, mensen die ik nog niet had ontmoet. Ik keek de kamer rond. Ik kon Cara niet vinden. Misschien was ze laat, zei ik bij mezelf, maar ik sperde vol afgrijzen mijn ogen open.

'En?' vroeg Rory voor naar mijn gevoel de duizendste keer.

'Heb geduld,' zei ik, en ik deed mijn ogen weer dicht. 'Ohm,

ohm,' zong ik. Mijn huid begon te tintelen en ik deed mijn ogen open. Er hing opeens een dichte mist. Geleidelijk zag ik dat de mist bestond uit fijne stuifsneeuw. Omdat we met de wind mee reden, kwam de sneeuw van schuin achter ons zonder op de voorruit te blijven plakken.

Toen we een klein kerkhof links van de snelweg passeerden, dacht ik opeens aan Mount Hebron, waar mijn ouders begraven waren. Pap had voor hij stierf voor ons allemaal ruimte gereserveerd. Ik sloot mijn ogen weer en zag mezelf over het pad naar het graf van mijn ouders lopen. Ik had stenen in mijn zak om op hun graf te leggen. Ik volgde het pad, keek voor me uit, en bleef plots staan. Ik was bang dat ik een grafzerk zou vinden met Cara's naam erop.

Ik keek uit het raam. De wolken rustten op de bergen. We passeerden caravanterreinen. Een wit paard met een donkere deken dat aan een paal vastgebonden stond. Een appelboomgaard met kale takken die eruitzagen als prikkeldraad.

Ik sloot mijn ogen weer, maar zag verder niets.

Toen zag ik in gedachten Cara en Lance, die zo moe waren dat ze voortstrompelden, met knikkend hoofd, de ogen gesloten.

'Krijg je iets door?' vroeg Rory.

'Nou en of.' Mijn maag stuwde gal naar mijn keel. Ik schommelde naar voren, alsof de auto daardoor sneller zou gaan. Cara, vertel me waar je bent, smeekte ik stilzwijgend. Cara, dacht ik. Cara. Ik concentreerde me sterker op haar dan ik ooit ergens op had gedaan. Ik probeerde ervoor te zorgen dat ze mij voelde. Ik stelde me voor dat mijn hart zich vulde met roze licht dat haar omhulde met zijn warmte.

Rory en ik reden zwijgend door. We passeerden Little Falls. In de stilte hoorde ik Cara plotseling 'Och!' zeggen. Ik schoot overeind. Bubbies woord, waarvan ik had gezegd dat Cara het moest roepen als ze in moeilijkheden zat. 'Och!' zei ze weer, luider nu. Daarna zei ze het in haar hoofd. Ik kreeg een visioen van een hart. Hart, zei ik bij mezelf. Ik pakte de wegenkaart en keek naar de index. Hartfield, Hartford, Hartland, Hartsdale. Hartsville... en toen zag ik een gloeiend licht rondom de volgende plaatsnaam. Hartwick. 'Hartwick!' riep ik. 'Ik weet waar Cara is! Hartwick!'

Rory sloeg met zijn handpalm op het dashboard. 'Godzijdank,' zei hij. 'Daar zijn we niet ver vandaan.'

Mijn handen trilden zo dat ik nauwelijks de kaart kon vasthouden. G-12, G-12. Daar was het. Hartwick. 'Je moet afrit 28 hebben,' riep ik. 'Dat is de volgende afslag. Haast je.'

We reden verder over de snelweg. Ik zat ver voorovergebogen in mijn stoel alsof ik zo de auto kon dwingen sneller te gaan. We reden Hartwick binnen. Een poosje later kwamen we langs een universiteit, een kostschool, gesloten winkels, een kleine ijzerwarenhandel en een warenhuis.

Als van grote afstand hoorde ik Cara roepen: 'Och!' Cara gebruikte Bubbies woord. Ik kreeg tranen in mijn ogen, die halo's rond de paar straatlantaarns veroorzaakten, zoals op Van Goghs *Sterrennacht*.

Bij een vertakking in de weg wist ik van welke kant Cara's stem kwam. 'Daarheen,' zei ik, naar rechts wijzend.

'Och!' riep Cara weer.

'Plankgas,' zei ik tegen Rory, en ik zag de naald van de kilometerteller in mijn richting komen.

'Na een poosje neemt de kou je bij de neus,' herinnerde ik me dat Bubbie ooit tegen me had gezegd. 'Ze is als een deken die je om je heen wilt slaan. Ze is als een slaapliedje. "*Shlaf kinder, shlaf,*" zingt ze.' Lieve god, dacht ik. Laat Cara niet doodvriezen.

We raasden door de slingerende straten. De twijgjes aan de takken werden ijskristallen, maar ik kreeg het steeds warmer. Het was als wanneer kinderen iets moeten zoeken en vragen of ze 'heet' of 'koud' zijn. We reden langs dichte bossen. Bij een kleine open plek voelde ik een golf hitte door mijn aderen gaan. Nadat we er voorbij waren, kreeg ik het kouder. 'Draai om, Rory.'

Roekeloos keerde hij de auto over een dubbele doorgetrokken streep. Toen we weer bij de open plek kwamen, vroeg hij: 'Weet je het zeker? Er is niet eens een fatsoenlijke weg.'

'Och!' hoorde ik weer.

'Ik weet het zeker,' zei ik.

Rory reed de open plek op en we bukten instinctief voor de takken die tegen de voorruit zwiepten. Het was alsof we een wassalon van bevroren struiken in reden. Toen we over een afgevallen tak reden mopperde Rory, maar hij reed wel door. De auto hobbelde over de oneffenheden en soms slipten de wielen op stukken ijs. Na een paar minuten stopte hij de auto en zei hij: 'Ben je gek? We kunnen niet meer verder. Er is niet genoeg ruimte.'

Ik pakte de zaklamp uit het dashboardkastje en opende mijn portier. 'Dan moeten we te voet verder,' zei ik.

Rory pakte mijn arm beet. 'Mim, we kunnen daar wel verdwalen.'

Ik schudde zijn hand van me af. 'Blijf dan maar hier,' zei ik. 'Als ik over een uur niet terug ben, rij dan maar ergens heen om hulp te halen.'

Ik voelde dat Cara in de buurt was, het was alsof ze als een magneet aan me trok. Ik voelde Rory achter me toen ik de auto verliet. Toen stond hij plotseling voor me. 'Ik wil niet dat jou iets overkomt,' zei hij, en hij duwde de zware boomtakken opzij. We klommen over een dood hert heen, dat ons met bevroren ogen aanstaarde. Ik bleef me op Cara concentreren. Rory's handen waren geschramd en bloedden van de takken. Hij was altijd al te koppig geweest om handschoenen te dragen. Ik verloor elk idee van tijd en kon niet op mijn horloge kijken. De kou brandde in mijn neus, mijn longen. 'Cara!' riep ik. 'Cara!'

'Och!'

'Hoorde jij iets?' zei Rory.

'Hoorde jij het dan ook?' vroeg ik.

'Ja. Ik zou zeggen dat het een vogel was, maar het klonk Jiddisch.'

'Dat is Cara!' zei ik. 'Dat is onze dochter!'

We begonnen te joggen, onze gezichten afschermend voor de takken, mijn zaklamp heen en weer zwaaiend. Plotseling scheen het licht op een vreemde kleur: het rood van Cara's plunjezak. En toen op Cara en Lance, die onder een blauwspar tegen elkaar gedoken zaten, de armen om elkaar heen, bibberend, als verdwaalde kinderen in een sprookje.

'Cara!' riep ik, en ik rende naar haar toe.

'Mammie!' huilde ze. 'Ik heb wel duizend keer "Och!" geroepen. Ik dacht dat je me niet hoorde.' Haar neus was rood en gezwollen. Ze had Lance haar das gegeven om die om zijn half kaalgeschoren hoofd te wikkelen. Ik nam haar in mijn armen, wreef met mijn handen over haar oren, rook de abrikozengeur van haar shampoo. Ze klampte zich aan me vast zoals ze als kind had gedaan. Rory omhelsde haar vanaf de andere kant. Zijn armen streken langs de mijne. Het was voor het eerst in weken dat we elkaar aanraakten.

'Ik ben helemaal verkleumd,' zei Cara met een bevende stem. 'Ik voel mijn handen en voeten niet meer.'

Terwijl ik haar vasthield, voelde ik een beetje van mijn warmte in haar overgaan. 'Laten we snel naar de auto gaan,' zei ik.

We lieten elkaar los en Rory pakte Cara op en droeg haar. Ik hielp Lance overeind.

'Het spijt me,' zei Lance. 'Het spijt me zo.' Zijn lippen waren blauw. 'Ik was op zoek naar een boerderij. Mijn vriend had het voor me uitgetekend.' Op de grond lag de kaart die ik voor me had gezien toen Rory en ik aan onze zoektocht begonnen. 'Toen het laat werd, nam ik een kortere weg door de bossen,' vervolgde hij. 'Maar we kwamen zonder benzine te zitten en konden de weg niet meer terugvinden. We bleven steeds rondjes lopen en kwamen telkens weer bij mijn motor terug.'

'Luister,' zei Rory, 'jij doet niet aan ouders, ik doe niet aan tuig. Hou je mond en begin te lopen.'

Lance probeerde een stap te zetten. 'Ik heb mijn enkel verzwikt,' zei hij hinkend. In plaats van de dekhengst, de delinquent, de opstandige hartenbreker waar ik zoveel over had gehoord, zag ik een bange knul met een schaduw over zijn aura die aangaf welke schade het leven hem al had toegebracht. Even was ik wat milder gestemd. Ik trok zijn arm over mijn schouder heen en hielp hem.

'Hoe wist u waar u ons moest zoeken?' vroeg Lance.

Ik gaf hem geen antwoord. Ik dacht aan Bubbie die in de kou aan de pogrom ontsnapt was. Ik herinnerde me dat ze had gezegd: 'Ik wilde alleen maar Amerika bereiken, en mijn man. Zo heb ik het overleefd.'

Ik ploeterde voort, wilde alleen maar de auto bereiken, Rory de motor horen starten en de warmte uit de ventilatieopeningen voelen blazen.

Toen waren we bij de auto. Rory zette Cara op de achterbank en Lance ging naast haar zitten. Ik haalde de stranddeken uit de kofferbak, schudde het zand eruit en pakte Cara erin. Rory gaf Lance een oude jas om over zijn benen te leggen.

De koffie in de thermoskan was nog een beetje warm. Ik schonk een beker voor hen in om samen te delen en bewaarde de rest voor later.

'Het is hier kouder dan buiten,' zei ik tegen Rory.

Hij blies in zijn handen en wreef ze daarna tegen elkaar. 'Ik kan de verwarming niet aanzetten voordat de motor goed warm is, anders loopt de accu leeg en komen we hier helemaal niet weg.'

'Mijn motor,' jammerde Lance.

'Als jij denkt dat ik onze levens ga riskeren om uit te zoeken hoe we die verrekte motor van jou thuis moeten krijgen,' zei Rory, 'dan heb je het toch echt mis. En ik waarschuw je, blijf uit de buurt van mijn dochter daar op de achterbank.'

Lance hield zijn mond. Er was niet genoeg ruimte om de auto te keren, dus reed Rory achteruit tot we de weg bereikt hadden.

We reden door twee steden zonder een woord te spreken. Toen zei Rory: 'We moeten maar even bellen om iedereen te laten weten dat Cara veilig is.' Hij gaf me het mobieltje.

'De batterij is bijna leeg,' zei ik.

Bij een benzinestation dat dag en nacht open was belde ik de politie om hun te zeggen dat we Cara gevonden hadden. Ik vroeg hun Lance' moeder te bellen. Met mijn laatste beetje kleingeld belde ik Vince. Ik was blij dat ik zijn voicemail kreeg in plaats van hemzelf. 'Ik heb mijn dochter gevonden. Bedankt voor alles,' zei ik.

Onderweg keek Rory telkens in zijn achteruitkijkspiegel, kennelijk wachtend tot Cara zich zou realiseren dat Lance niet haar prins op het witte paard was, wachtend tot ze bij hem vandaan zou schuiven. Maar toen ik achteromkeek, zag ik dat ze onder Cara's deken elkaars hand vasthielden.

Zes uur later reden we door Kings Point, enkele minuten van Lance' huis vandaan. Het was de rijkste buurt van Great Neck. De kale takken van de reusachtige bomen ontmoetten elkaar midden boven de straat als de punten van ridderzwaarden.

Het huis van Lance was een imitatievilla met een torentje en tegen de muur groeiende klimop, en op het enorme gazon stonden twee marmeren standbeelden van naakte godinnen met fruitmanden op hun hoofd.

Zonder een woord strompelde Lance gedesoriënteerd uit de auto. Hij draaide zich om en keek triest naar Cara, maar ze wist wel beter dan naar hem te kijken, met haar boze vader voor in de auto.

Rory draaide zich om, sloot het achterportier en reed weg. Cara trok de deken tot aan haar kin op en sloot haar ogen. Toen we langs de zeevaartschool reden, legde Rory zijn hand op mijn bovenbeen. Ik wilde mijn been al wegtrekken, maar dacht: ondanks zijn twijfels volgde hij toch de aanwijzingen op die ik hem gaf. Hij was de enige op aarde die net zoveel om Cara gaf als ik. Ik legde mijn hand op de zijne en voelde me plotseling heel rustig en kalm.

In het spiegeltje zag ik dat Cara's ogen weer open waren. Ze keek naar ons.

Om vijf uur in de ochtend reden we door het oude centrum. Het prieeltje in het park tegenover Kolsen Korenge IJzerwarenhandel leek wel een altaar.

Zodra we ons huis binnenstapten vroeg Rory boos aan Cara: 'Wat bezielde je?'

Ze schudde haar hoofd.

'Die jongen is een ramp!' zei Rory. 'Ik wil niet dat je hem nog ziet, en je komt elke dag direct uit school naar huis, tot je moeder en ik zeggen dat het anders mag. Weet je wel hoe bezorgd we waren? Besef je wel aan welk gevaar hij je heeft blootgesteld? Je zou je moeder op je knieën moeten danken dat ze je gered heeft.'

Cara ging op haar knieën zitten.

Rory staarde haar aan.

'Bedankt,' zei Cara met trillende onderlip. 'Jullie allebei.' Er rolden tranen over haar wangen en ze veegde met haar hand over haar ogen.

Rory en ik staken allebei een hand uit om haar overeind te helpen. Ik zag hem milder worden.

'Waarom wilde je weglopen?' vroeg Rory. 'Was het om Cornell?'

Cara's schouders schokten onder haar snikken. 'Als jullie gaan scheiden, kan ik helemaal niet meer gaan studeren. Dan ben ik nog slechter af dan Raj Patel. Ik heb geen getrouwde zus bij wie ik kan gaan wonen.'

'Scheiden?' zei Rory. 'Geen sprake van.'

'Maar een of andere kerel stuurde mam steeds bloemen.'

'Die bloemen waren van een dankbare klant,' zei ik gebelgd.

Cara haalde haar vingers door haar haren. Ze keek naar de vloer toen ze zei: 'Darcy hoorde haar moeder tegen vriendinnen zeggen dat pap was gezien met een blonde vrouw.'

Dus zelfs Cara wist het, dacht ik.

'Dat was voor zaken,' zei Rory.

Cara hief haar hoofd op en keek ons allebei aan. 'Ik wist dat jullie alleen maar bij elkaar probeerden te blijven tot ik naar de universiteit zou vertrekken. Ik dacht het jullie gemakkelijker te maken door zelf weg te lopen. Dan hoefden jullie niet zo lang te wachten met je scheiding, en hoefden jullie niet te wensen dat ik alvast het huis uit was. Ik dacht dat ik maar beter kon gaan werken en mijn eigen gezin stichten.'

Ik probeerde de gedachte van me af te zetten dat Cara een gezin had willen stichten met die gekwelde Lance.

'Waarom kwam je niet naar ons toe om te praten over wat je voelde?' vroeg ik.

'Omdat ik al wist wat jullie voelden. Je had tegen pap gezegd dat je hem haatte.' Haar groene ogen schitterden.

Ik keek naar Rory, zijn gezicht grauw van de stress, zijn schouders gebogen, zijn aura nog steeds stekelig van boosheid. Ik kende zijn verdriet. De geesten van zijn ouders hadden nog steeds de blauwe nummers op hun onderarmen getatoeëerd staan. Ik kende zijn vreugden. Hij vond het heerlijk om op een grassprietje te fluiten, schelpen in de zee te gooien en over het oppervlak te zien kaatsen, en de pluvieren heen en weer te zien schieten boven de waterrand.

'Ik zou nooit bij je vader weggaan,' zei ik. Zodra ik het had gezegd wist ik dat het waar was, dat het al die tijd waar was geweest.

Cara kwam naar ons toe en sloeg haar armen om ons beiden heen. 'O, mam, pap, het spijt me, het spijt me zo,' snikte ze. Ik streek over haar haren, over haar rug, over elke ruggenwervel, zoals ik dat ook had gedaan toen ze net geboren was.

In onze slaapkamer sloeg Rory zijn armen om me heen en vielen we als een blok in slaap. Toen we wakker werden was het tien uur. Het leek wel vakantie. We kwamen uit bed en gingen tegenover elkaar staan. 'Ik hou van je,' zei Rory.

'Nou, dat mag ook wel,' zei ik. 'Ik heb je dochter gevonden.' Ik keek hem aan. 'Het was niet de politie, ík heb haar gevonden. Ik had zelfs geen hulp van Bubbie of andere geesten.'

Hij knikte.

'En je dacht niet dat ik het kon, is het wel?' Ik keek naar zijn gezicht, zijn uitdrukking die overging van schaamte in opluchting.

'Mim, godzijdank is het je wel gelukt!'

Ik dacht aan hoe mijn moeder had gemaakt dat ik me schaamde voor mijn gave, daarna Rory en Cara, de Grubers, cliënten, Rita Cypriot. 'Ik heb me heel lang niet zo sterk gevoeld, maar nu is dat wel zo,' zei ik. 'Niemand kan er nog voor zorgen dat ik me schaam voor mijn gave.' Ik was vreemd kalm, bijna alsof ik een toespraak hield die ik in een ander leven van buiten had geleerd.

Ik herinnerde me Bubbie die op haar doodsbed 'vertrouw' in mijn oor fluisterde, waarna haar adem stokte. Ik herinnerde me dat ik haar huilend had gevraagd wie of wat ik moest vertrouwen. Ik ademde diep in en vervolgde: 'Voor we Cara vonden, vertrouwde ik niet op mezelf. Nu wel. Voor het eerst van mijn leven vertrouw ik echt op mijn instinct. Ik ben zo zeker van mezelf als iemand maar zijn kan. En ik wil voortaan altijd zo zijn… als ik tosti's maak, als ik boodschappen doe. Zo veel als ik kan.' Ik keek hem aan. 'En het kan me niet schelen als iemand dat niet prettig vindt. Niet meer. Zelfs niet als het om jou gaat.'

Hij deed een stap naar me toe en pakte mijn hand vast. 'Ik ben zo stom geweest,' zei hij. 'Al die flauwekul over Kerk en Staat. We zijn geen Kerk en Staat. Jij bent mijn Mim en ik ben jouw Rory.' Hij bukte zich en kuste me. Zijn lippen waren warm en hij had baardstoppels.

Glimlachend maakte ik de knoopjes van zijn shirt open. Met mijn ogen half gesloten zag ik zijn aura. De rode pieken werden zachter, kleurden naar het roze van de liefde. Het duurde even voor ik me realiseerde dat het roze van mijn aura kwam, die zich vermengde met de zijne tot je niet meer kon zien wat wiens aura was.

22

Cara sliep bijna de hele zaterdag. Ik liet de deur open zodat ik haar elke keer als ik langs haar kamer liep kon zien, haar wang in het kussen gedrukt, haar oogleden fladderend door dromen. Ik sloop haar kamer binnen en zat naast haar bed te luisteren naar haar ademhaling. De volgende ochtend toen ik langsliep zat ze op de rand van haar bed, met de leren halsband met sierspijkers die ik Lance had zien dragen tegen haar hart gedrukt. Ik verstarde. Ik had moeten weten dat haar dromen over Lance gingen.

Zover ik kon zien gebruikte ze de telefoon niet om iemand te bellen. Ze sliep alleen maar. Zondagavond, net toen ik me begon af te vragen of ze de volgende dag wel naar school zou kunnen, hoorde ik muziek uit haar kamer komen die klonk alsof er met kettingen tegen vuilnisbakken geslagen werd. Nadat ik tevergeefs op haar deur had geklopt ging ik naar binnen. Cara zat in haar schommelstoel, dicht bij haar luidsprekers, haar gezicht in vervoering.

Ze schrok op toen ik haar schouder aanraakte.

'Het volume!' riep ik.

Toen ze de stereo zachter zette, zag ik het handgeschreven etiket op het plastic cd-doosje. 'Mijn favorieten' stond er met balpen geschreven. Ik herkende het spichtige handschrift van Lance van het briefje dat ik in Cara's broekzak had gevonden.

Hoe hartverscheurend het ook was om Cara pijn te zien lijden, ik wilde dat ik schrikdraad om haar heen kon spannen die Lance een schok zou geven als hij te dicht bij haar kwam.

Maandagochtend wachtte ik Cara beneden op toen ze uit haar kamer kwam. 'Morgen,' zei ik.

'Morgen, mam.'

Ze had haar haren geföhnd en zich opgemaakt en zoveel patchoeli gebruikt dat mijn ogen ervan gingen tranen. We hadden haar net uit de klauwen van Lance gered, en nu gebruikte ze parfum voor hem.

'Cara, zie je niet in dat Lance je in gevaar heeft gebracht?'

'Maar dat deed hij niet expres, mam.'

'Kom uit school regelrecht naar huis,' zei ik tegen haar, 'anders moet ik je weer komen ophalen.'

Ze kromp ineen. Ik zag waar ze aan dacht: Clarence die op de motorkap sprong en 'Yo, mama medium' zei.

'Ik kom zelf wel naar huis,' zei ze, en kuste me op mijn wang.

Zodra ze weg was, begon ik me zorgen te maken dat ze misschien niets goeds van plan was, dat ze in plaats van in de klas, met Lance in een bezemkast zou zitten. Ik ging naar haar kamer om haar wasgoed te halen. Ik schudde pennen uit haar kussensloop, boeken uit lakens en raapte toen haar schrift op. Behalve de hartjes met Cara en Lance ernaast die ze er al in had geschreven toen ze pas verliefd op hem was, zag ik op de achterkant een lange rij 'Mevr. Lance Stark' in een bloemrijk handschrift, met daarnaast een rij 'Mevr. Cara Stark' en gewoon 'Cara Stark'.

Beneden in het washok controleerde ik de zakken van de kleren. Ik vond een lijstje in Cara's broekzak. 'C. Stark', 'C. S.', 'Cara S'. Het leken wel wiskundige permutaties. Die naam, Lance Stark, zat me al maanden dwars.

Ik probeerde me op andere dingen te concentreren, maar kon het niet. Lance Stark lid van mijn gezin? Ik huiverde. Een wandeling naar de stad zou me misschien goeddoen. Toen ik Starbucks naderde, zag ik Cara daar alleen aan een tafeltje zitten. Zat ze op Lance te wachten? Ik ging naar binnen om haar erop aan te spreken, maar bleek tegenover een vreemde te staan. Ze had lang zwart haar, net als Cara, maar haar ogen waren roodomrand en haar lippen trilden.

Ik nam een latte en ging aan een tafeltje naast het hare zitten. Terwijl ik vanuit mijn ooghoek naar haar keek, hoorde ik een mannenstem zeggen 'Het ligt niet aan jou. Het ligt aan mij', en ik wist dat haar vriendje het had uitgemaakt. Opeens zag ik links van haar in een korte flits een nieuwe man. Ze lag in zijn armen. Ik wilde haar zeggen dat er een betere man voor haar in het verschiet lag, maar ze was niet mijn cliënte.

Ik keek weer naar de verdrietige jonge vrouw. Tranen drupten over haar wangen. Ik nam een te grote slok van mijn latte en brandde mijn mond. Ik wist heel goed hoe lang een moment van pijn kon lijken te duren. Ik wilde haar vertellen wat ik in haar toekomst zag, maar maakte me zorgen om haar reactie. Toen hoorde ik weer Cara's 'Och!'. Ik zette een stap naar de jonge vrouw toe, maar hield toch weer in. Hou je tanden op elkaar, dacht ik bij mezelf. Nee, redetwistte ik. Ik zou die informatie niet hebben gekregen als ik niet geacht werd hem door te geven. Wat kon het mij schelen als de mensen me excentriek vonden? De tijden waren veranderd sinds tante Chaia.

Ik schraapte mijn keel. 'Er komt een nieuwe man op je pad,' zei ik zacht. 'In oktober.'

Ze keek me verbaasd aan. 'Neem me niet kwalijk,' zei ze uiteindelijk. 'Ken ik u?' Ze stond abrupt op en stootte daarbij haar koffie om.

'Het spijt me,' zei ik. 'Ik wilde u alleen maar helpen.' Ik begon de gemorste koffie op te deppen met een servetje, maar het meisje was al naar buiten gelopen.

Door het raam zag ik haar even stil blijven staan, haar hand aan haar kin alsof ze nadacht over wat ik had gezegd. Terwijl ze wegliep zag ik haar aura lichter worden en mijn hart zwol van trots. Ik had vernedering geriskeerd om haar te helpen. Voor ik Cara had gered, zou ik het gevoel hebben gehad dat ik me onder de tafel moest verstoppen.

Cara kwam op tijd maar met betraande ogen thuis. 'Hoe was je dag?' vroeg ik.

Ze schudde haar hoofd. 'Afschuwelijk. Je hebt geen idee wat ze allemaal over me zeggen, inclusief Courtney en Darcy. Dat ik een slet ben. Dat ik weg was gelopen om abortus te laten plegen. Leerlingen fluisterden en wezen naar me.'

'Weet je het zeker?' zei ik. 'Dat zouden je vriendinnen toch niet doen.'

'Juist. Echte vriendinnen niet, nee. Ik heb geen echte vriendinnen meer. Ze zijn walgelijk.'

'Waarom zouden ze zich tegen je keren?' vroeg ik, maar ik kreeg plotseling een visioen van Darcy, haar ogen glimmend als die van haar moeder wanneer ze roddels verspreidde.

'Ik denk dat ze me terug willen pakken omdat ik hun niets had verteld,' zei Cara.

'Wisten ze niet dat je er met Lance vandoor ging?' vroeg ik, mijn stem scherper dan ik bedoeld had.

'Of dat jij helderziend bent,' zei ze mat. Ik voelde de beschuldiging in haar woorden. 'En iedereen heeft het over een of andere gangster die in een witte limousine werd rondgereden en overal vragen over me stelde,' vervolgde ze.

Ik slikte.

'En Lance was er niet eens om me te verdedigen,' zei Cara.

'O? Waar is hij dan?' Ik hoopte dat hij van school getrapt en naar de militaire academie gestuurd was.

'Iemand vertelde dat zijn oma bij hen in huis is gekomen en daar nu de baas speelt. Ze heeft hem van school gehaald en een privéleraar ingeschakeld.

Het was niet zo goed als een slotgracht met hongerige krokodillen, maar zou het voor Cara wel moeilijker maken hem te ontmoeten. 'Je mag hem toch niet meer zien,' zei ik tegen haar.

Ze zuchtte en sjokte de trap op.

De rand van Cara's aura was donker en diffuus. Ze stond nog steeds open voor negatieve invloeden. Ze stond nog steeds open voor Lance. Ik was vastbesloten haar te beschermen. Ik kon het me niet veroorloven opgesloten te zitten in mijn werkkamer. Het bericht over een lange vakantie bleef dus op mijn voicemail staan.

Boven hoorde ik Cara bellen. 'Hallo, is Lance er misschien?' vroeg ze. Ze luisterde even en voegde er toen aan toe: 'Wilt u alstublieft tegen hem zeggen dat Cara heeft gebeld?'

Ik voelde mijn nekharen overeind gaan staan, maar realiseerde me toen dat Rory en ik niet hadden gezegd dat ze hem niet mocht bellen. Daar zouden we het vanavond met haar over moeten hebben.

Toen ik later schone handdoeken in de badkamer legde, hoorde ik haar weer bellen: 'U spreekt met Cara.' Ze zweeg even. 'Ja, ik heb al eerder gebeld, maar ik vroeg me af of u misschien was vergeten dat aan Lance door te geven.' Ze zei geen gedag. Ik was ervan overtuigd dat Lance' oma gewoon had opgehangen. Misschien moesten Rory en ik ons er verder niet te veel mee bemoeien en Lance' oma de gemene rol laten spelen.

De drie dagen daarna zat Cara elk moment dat ze niet op school was in haar kamer naar de telefoon te staren. Telkens als die ging, graaide ze de hoorn van de haak. Ook al zou ik willen dat ze hem nooit meer zag, voor haar hoopte ik dat het Lance was.

Op vrijdag kwam Cara te laat uit school thuis. Toen ze binnenkwam beet ze op haar lip, als om een snik tegen te houden. 'Waar was je?' vroeg ik. 'Je vader belt al vanaf drie uur om te horen of je thuis bent.'

Ze hield haar ogen op het tapijt gericht, had haar armen over elkaar geslagen en hield haar ellebogen vast, alsof ze zichzelf overeind probeerde te houden. Ze ademde diep in. 'Ik weet dat je me verboden hebt hem te zien, maar ik ben naar Lance' huis geweest,' gaf ze met een haperende stem toe. 'Ik wilde gewoon weten hoe het met hem ging, maar zijn oma zei: "In mijn tijd liepen jongedames geen jongemannen achterna", en gooide toen de deur voor mijn neus dicht.'

Ik had boos moeten zijn, maar kon alleen maar medelijden met haar hebben. Ik streelde haar haren. 'Ach, schatje,' zei ik. 'Vat het niet persoonlijk op. Zo was het gewoon in haar tijd.

Het heeft niets te maken met wie jij bent.' Ze liep naar boven en ik ging haar achterna. Ze kroop in bed, met haar gezicht naar de muur, zoals ik had gedaan op de dag dat ik hoorde dat Rory in de Rainbow Room was geweest. Ze voelde zich net zo verloren als ze in de bossen was geweest en ik wist niet wat ik moest doen.

Toen Rory die avond thuiskwam zag hij er ook verloren uit. Hij pakte de krant op en legde hem meteen weer neer. Hij trok zijn jas uit en deed hem meteen weer aan. Ik voelde een steek in mijn hart. 'Wat is er?' vroeg ik.

Hij verplaatste zijn gewicht van de ene voet op de andere, draaide zich om alsof hij naar buiten wilde lopen, maar draaide toen weer terug. 'Mim, ik moet je wat vertellen,' zei hij uiteindelijk. Hij kreeg de woorden bijna niet uit zijn mond. Hij stond daar in de woonkamer, zijn handen diep in zijn zakken, zijn schouders opgetrokken.

'Sinds je me vertelde dat je Fred die vuilniszakken in een Jeep hebt zien laden, hou ik hem scherp in de gaten. Het was inderdaad geen zuivere koffie, wat hij deed,' bekende Rory. 'Ik wilde helemaal geen sigaretten gaan verkopen, maar Fred drong erg aan. Hij zei dat we klanten kwijtraakten, dat ze naar Rite Aid gingen voor hun sigaretten. Ik vroeg me af waarom we zoveel dozen binnenkregen.'

Ik trok mijn vingers driftig door mijn krullen. 'Sinds wanneer doet Fred de bestellingen?'

Rory wendde zijn blik af. 'Alleen de sigaretten,' zei hij. 'Ik kon niet alles doen. Ik kwam om in het andere werk, dus ik moest Fred iets laten overnemen. Maar vandaag zag ik hem stiekem een paar zakken naar buiten brengen en sprak ik hem daarop aan. Ik maakte een zak open. In de vuilniszak zat nog een plastic zak, vol met sloffen sigaretten. Die verkopen goed op straat.'

'Wacht eens even!' riep ik, me vasthoudend aan de rugleuning van de bank. Ik voelde me slap. Dus dat had het betekend toen ik Fred verkleed als de Kerstman met een zak over zijn schouder zag lopen! En mijn vader die aan de keukentafel geld zat te tellen was een waarschuwing dat er geld verdween! Ik was zo bezorgd geweest over alle rekeningen, dat het me blind had gemaakt voor de aanwijzingen.

'De persoon in de Jeep was Anita,' zei Rory nu.

'Anita?' Ik hapte naar adem. Ik herinnerde me dat haar bruine ogen oplichtten van trots toen ze Freds manuscript tegen zich aan hield. 'Ik weet zeker dat Fred het op een dag gaat maken,' had ze gezegd. Door ons te tillen, dacht ik nu. Toen ze haar arm om hem heen had geslagen en haar hoofd tegen zijn schouder had gelegd, zei ze dat ze pal achter Fred stond. Nu begreep ik dat ze bedoeld had dat ze tijdens een diefstal achter het stuur van hun Jeep zat. Het was maar goed dat Jeb niet praatte, anders had hij hen misschien verklikt. 'Ik had zo'n medelijden met Anita,' zei ik, 'en nu hoor ik dat ze al die tijd van ons gestolen heeft!' Ik schudde vol ongeloof mijn hoofd.

'Ja, ik had ook medelijden met haar,' mompelde Rory. 'Ik heb Fred badschuim meegegeven voor haar.'

Ik stelde me Anita en Fred voor, lachend tegenover elkaar in een bad vol met ons badschuim. Ik dacht aan hun grote tv, en hun kasten, zolder, kelder en garage vol spullen van Mirror. 'Heb je de politie gebeld?' vroeg ik.

'Ik heb besloten dat niet te doen. Dan zou ik namelijk dagen in de rechtbank zitten en dat is me te veel moeite – dan zou ik de winkel niet draaiende kunnen houden. Maar ik heb Fred wel op staande voet ontslagen. Het was genoeg voor me om hem weg te sturen uit Mirror en uit ons leven. En Anita ook.'

Ik stond daar maar, zwijgend. Als ik mijn mond opendeed, zouden er misschien raven uit vliegen die naar Rory's ogen pikten.

Rory keek naar me. 'Ik weet het, ik weet het,' zei hij. 'Je hoeft het niet te zeggen. Je hebt me verteld dat ik Fred de laan uit moest sturen. Je hebt het me wel duizend keer verteld, maar ik was zo in paniek over onze financiële situatie dat ik niet helder kon denken. Ik was te zeer verlamd om iets te veranderen. Maar jij bent mijn levenspartner, ik had je moeten vertrouwen.'

Het maanlicht scheen tussen de luiken door. Zijn apothekersjas leek gestreept als die van een gevangene in een strafkamp. Ik kon het bord boven de ingang zien: '*Arbeit macht frei*'. Dat was een leugen geweest in de tijd van zijn ouders, en het was nog steeds een leugen.

'Ik hoop dat je zelf-opgelegde straf weldra ten einde loopt,' zei ik.

Hij trok aan de kraag van zijn shirt. 'Wat bedoel je?'

'Je werkt te hard en te lang.'

Toen hij me aankeek, was er in zijn ogen iets veranderd. Ze leken helderder. 'Je hebt gelijk, Mim. Ik heb mezelf opgesloten in Mirror en jou en Cara buitengesloten. Ik werd zo eenzaam dat ik Fred ging zien als de jongere broer die ik nooit heb gehad. Ik behandelde hem meer als familie dan mijn eigen gezin,' zei Rory. Hij haalde zijn grote sleutelbos met alle sleutels van Mirror uit zijn zak en legde die op de salontafel, alsof hij te zwaar was om in zijn zak te houden. 'Ik dacht dat ik ons leven anders maakte dan dat van mijn ouders, maar ik deed uiteindelijk precies hetzelfde als wat zij hebben gedaan. En ik zag het niet eens.'

Rory schudde zijn hoofd. 'Maar weet je wat nog erger is?'

Ik wilde eigenlijk niet nog ergere dingen horen, hoewel ik blij was dat hij eindelijk praatte. 'Zeg het maar,' zei ik dus.

'Ik denk dat ik half en half altijd al wist dat Fred van me stal.' Rory trok zijn gezicht tot een grimas. 'Ik bedacht allerlei excuses voor hem. Ik wilde je niet geloven toen je zei dat Fred onder werktijd bij een wedkantoor was, ook al had ik hem formulieren van paardenraces zien bestuderen. Als hij tijdens het bezorgen weer eens verdween, legde ik de schuld bij het verkeer of zijn belabberde richtingsgevoel. En verdwenen handelswaar zag ik als inventarisatiefouten.'

Mijn longen weigerden lucht op te nemen. 'Waarom stond je toe dat Fred van je stal?' vroeg ik.

Hij zuchtte. 'Mijn ouders werkten zo hard en hadden niets wat daarvan getuigde. Ze hadden bubkes, zei mijn vader altijd. Ze gingen nooit naar de film of uit eten, laat staan op vakantie. Als ik winst maakte voelde ik me schuldig. Fred was als een bloedzuiger voor mijn schuldige geweten.'

Mijn eigen vader kwam altijd zo moe thuis dat als hij zijn blauwe jas in de kast hing, die meteen weer van het hangertje viel. Hij viel boven zijn eten in slaap terwijl mijn moeder mopperde dat ze nooit eens uitgingen. Ik herinnerde me hoe versleten zijn schoenen altijd waren, dat hij nooit iets voor zichzelf kocht. Het verdriet dat ik voelde om mijn vader ging over op Rory. Ik liep naar hem toe en rook zijn muntaftershave. Ik zag hem in elkaar zakken op de bank, zijn ogen nog steeds op mij gericht.

'Kom je alsjeblieft bij me zitten, Mim?'

Ik ging naast hem zitten en zonder dat ik erbij nadacht vond mijn hoofd zijn schouder en vond zijn hand de mijne. Ik bedacht hoe vreselijk het geweest zou zijn als we, God verhoede het, uit elkaar waren gegaan.

Bubbie had altijd gezegd: 'Een goede genezeres helpt een gezin bij elkaar te houden.'

Er gingen drie weken voorbij, en Lance belde niet. Ik kon zien dat Cara er gek van werd. Ze zag bleek en was zoveel afgevallen dat ze een schakeltje uit haar horlogebandje moest halen. Op een avond nam Rory de telefoon op toen die ging en zei dat het voor haar was. Cara's ogen sprankelden toen ze 'Hallo' zong. Maar toen werd ze stil. 'Nee, ik heb geen zin om uit te gaan,' zei ze ten slotte mat, en ik wist dat het Lance niet was.

'Wie was dat?' vroeg ik.

'De overloopsters,' zei ze. 'Darcy en Courtney zeggen dat ze er spijt van hebben. Ze zeggen dat ze me missen.' Even keken haar ogen heel ver weg. Ik zag Cara's herinneringen: zij en Darcy en Courtney die levensmiddelenkleurstof in een plas water goten en er toen in sprongen; zij drieën op hun rug in de sneeuw, met hun armen en benen zwaaiend om sneeuwengelen te maken; zij drieën op het strand, toen ze een keer zo'n diep gat hadden gegraven dat iemand van de reddingsbrigade hen eruit moest helpen. Cara beet op haar lippen. 'Ze vroegen of ik meeging naar de film, en toen ik nee zei, klonk Darcy gepikeerd. Het is altijd zo geweest dat ze mij belden, zelfs op het laatste moment, en dat ik deed wat zij wilden. Maar nu ga ik doen wat ík wil.'

Een maand geleden zou ik dat fantastisch hebben gevonden; nu leek het niet echt een verbetering, omdat Cara alleen maar thuis zat te treuren om Lance.

Het verdriet vrat aan haar. 's Avonds laat hoorden we haar door het huis lopen, niet in staat te slapen. Op een avond trof ik haar nog laat op de bank in de kamer aan, haar ellebogen op haar knieën, haar hoofd in haar handen. Ik kon het niet meer aanzien.

'Cara?'

Ze keek me aan, haar gezicht een en al ellende. 'Mam, als ik Lance was, dan zou ik hoe dan ook wel een manier gevonden hebben om mij te bellen. Ik denk dat het voorbij is.'

Ik probeerde mijn opluchting niet te laten blijken. 'Het is vreselijk om te zien dat je zo'n pijn hebt,' zei ik, en ik ging naast haar zitten. 'Je moet weer eens wat leuks gaan doen. Ik had nooit gedacht dat ik dit tegen jou zou hoeven zeggen, maar je zou weer aan buitenschoolse activiteiten mee moeten gaan doen.'

'Die clubs, daar was niets aan, en met al dat sporten was ik veel te druk,' zei Cara nerveus. Toen knikte ze. 'Toch heb je gelijk, mam. Ik moet weer eens wat leuks gaan doen.'

Ik had een heleboel suggesties – ga bij de toneelgroep in de bibliotheek, ga parttime werken bij Barnes & Nobles, ga vrijwilligerswerk doen in het ziekenhuis – maar ik sloeg gewoon mijn arm om haar heen, leunde met mijn hoofd tegen het hare en hield mijn mond. We moesten allebei onze eigen weg vinden.

Toen ik de volgende morgen het oud papier buiten zette, zwaaide Hattie Corrigan naar me vanaf haar oprit. Meestal deed ze alsof ze me niet zag. Ik zwaaide terug. Ik was nog veel verbaasder dat ze naar me toe kwam lopen, haar blonde haar als een helm plat op haar hoofd door de gel. Ze had bruine lippenstift op en droeg een beige broekpak.

'Hoi,' zei ze. 'Wat een toeval! Jij bent precies degene die ik wilde spreken. Ik ben in onroerend goed gegaan. Ik hoorde via het geruchtencircuit dat je wellicht je huis wilt verkopen. Misschien wil je mij daar opdracht voor geven.'

'Wie heeft je verteld dat ik mijn huis zou willen verkopen?' vroeg ik.

Ze grijnsde. 'Ik verraad nooit mijn bronnen.'

Ze had de ruzie gehoord die Rory en ik voor het huis hadden gehad over Phyllis. Woede en schaamte gierden door me heen.

'Rory en ik zijn dol op dit huis,' zei ik. 'We peinzen er niet over om te verhuizen.'

Hattie duwde haar kaartje in mijn hand. 'Voor het geval je van gedachten verandert,' zei ze.

Ik stopte haar kaartje in mijn zak. Misschien zou ik het toch nog nodig hebben. Rory had Fred dan wel ontslagen, maar die sigaretten scheelden slechts een paar honderd dollar per week. We hadden voor duizenden schuld. Zo erg is het niet, hield ik mezelf voor. We kunnen altijd ons huis verkopen. Het zou prettig zijn om Hattie Corrigan met haar blonde helm en haar visitekaartjes niet meer te hoeven zien.

Pas toen ik weer binnen was, herinnerde ik me dat Rory Hatties man had zien rijden met zijn arm om een andere vrouw heen. Hattie ging waarschijnlijk in het onroerend goed omdat ze wist dat ze zou gaan scheiden en dat haar inkomsten binnenkort gehalveerd zouden worden.

Ik baalde ervan dat Hattie opnieuw mijn verontwaardiging had opgewekt, alsof ze een fijnwasprogramma had omgeschakeld op een kookwasprogramma. Ik realiseerde me dat het jaren kon duren voor ik Rory weer echt vertrouwde.

Sinds ik vrij had genomen was geen hoekje van ons huis veilig voor mijn schoonmaakwoede. Ik had het souterrain tot het laatst bewaard. Nadat Cara geboren was, hadden Rory en ik duizenden dollars uitgegeven aan de afwerking van het souterrain, zodat ze er een heerlijke speelplek zou hebben. We hadden namaakeiken lambrisering aangebracht, goede lampen, zelfs een tapijt, maar Cara was er zelden te vinden. Ze beweerde dat het was omdat er geen telefoonaansluiting zat.

In de inloopkast werd ik bijna een archeoloog die een verloren stad blootlegde. Ik maakte stapels van de artefacten – een elektrische broodjesopwarmer die het nog steeds deed ging op de stapel 'onbeslist'. Een kampvuursetje dat Cara ooit had meegebracht van zomerkamp, oude sandalen van mij en een oude smoking van Rory die hij nooit meer droeg, kwamen allemaal op de stapel 'weggooien'. Het volgende was een rol smaragdgroene satijn die mijn moeder voor voering gebruikte. Het leek heiligschennis, maar ook de satijn moest eraan geloven. Er lagen nog truien en regenjassen die klanten jaren geleden hadden laten liggen, toen ik nog mensen bij me aan huis liet komen voor sessies. Hoewel ik hen gebeld had, waren ze hun spullen niet komen ophalen. Het meeste van wat ik vond bestempelde ik als rommel.

Ik voelde me zo uitgelaten alsof ik aerobics aan het doen was en wilde niet ophouden.

Ik hoorde de voordeur opengaan. 'Mam, waar ben je?' riep Cara.

'In het souterrain.'

Ze kwam naar beneden en ging met een arm voor haar taille, de andere erop steunend en haar kin op haar vuist naar mijn aanval op de kast staan kijken.

'Zin om te helpen?' vroeg ik, omdat ik wist hoe goed het voor een gebroken hart was om bezig te zijn.

'Ja, hoor,' zei ze, en ze begon alles te onderzoeken. Ze pakte een met kralen bezette trui op en keek er peinzend naar alsof ze erover dacht hem aan haar garderobe toe te voegen. 'Mag ik deze hebben?' vroeg ze.

'Hij is je minstens vijf maten te groot.'

'Ik wil hem gewoon graag hebben,' zei ze. 'En deze smoking ook.'

'Echt? Waarvoor?'

Ze aarzelde even. 'Dat weet ik nog niet.'

'Oké,' zei ik, blij dat ze naar iets anders verlangde dan naar Lance.

Ze zocht verder, groef door tot de afzonderlijke stapels één grote hoop waren geworden. Toen pakte ze een hele armvol van wat ze wilde hebben en zei: 'Ik leg het wel zolang op de tafel.'

'Dat is geen tafel, weet je.'

Ik trok het lange bruine dekkleed eraf dat mijn moeder voor haar Singer had gemaakt. 'Het is mijn moeders naaimachine,' zei ik, en ik zwaaide het mahoniehouten scharnierende blad naar opzij en haalde de zwarte ijzeren naaimachine naar boven.

'Hij is prachtig,' zei Cara.

'Ik vond die goudkleurige klimop aan de zijkant altijd zo mooi,' zei ik.

Cara volgde de klimop op de naaimachine met haar vinger. 'Waarom heb je hem nooit eerder opengemaakt?'

'Dat doe ik om de paar jaar,' zei ik. 'Dan druppel ik er wat olie in uit mijn moeders kleine flesje en ga ik met een van haar kleine borsteltjes over de onderdelen, maar telkens als ik erop probeerde te naaien, trok alle stof bij elkaar of brak de naald.'

'Het is raar dat ik hem nooit eerder heb gezien,' zei Cara.

'Je hebt hem wel gezien toen hij in mijn moeders slaapkamer stond,' zei ik tegen haar. 'Mijn moeder had altijd wel een naaiproject lopen. Het laatste wat ze erop heeft genaaid is een blauw strokenjurkje voor jou. Dat heeft ze nooit af kunnen maken,' zei ik, en mijn stem brak.

Cara keek vertederd.

Ik liet de machine weer zakken. Langzaam zwaaide Cara het mahoniehouten deksel terug en legde het kleed erover. We keken allebei zo plechtig alsof we bij een graf stonden.

Ik keek naar alle spullen die Cara op de bank had gelegd en ze ving mijn blik op.

'Ik ruim het later wel op,' beloofde ze. Toen gingen we samen naar boven.

23

Ik draaide de theebladeren in mijn kopje en wenste dat Bubbie zou verschijnen om ze te lezen. Ze hield zich nog steeds schuil. Ik herinnerde me heel duidelijk alles wat ze me over het lezen van theebladeren had geleerd toen ik klein was. Je moest naar de vorm en plaats kijken. Pijlen stonden voor de liefde, een poort betekende succes, een kikker duidde op gezondheid, een vogel op goed nieuws, een olifant herinnerde je aan iemands verjaardag, een schaar gaf aan dat er ruzie zou komen, een kasteel betekende dat een van je dromen zou uitkomen.

Ik keek naar de bladeren; ze vielen niet in een voor mij herkenbaar patroon. Ik kiepte mijn kopje om, maar de bladeren bleven gewoon in een natte klodder hangen.

Bubbie had me verteld dat zij en Bedya, de andere genezeres in haar shtetl, de theebladeren voor elkaar lazen als een van beiden niet zeker wist wat te doen. 'Voor jezelf,' zei Bubbie altijd, 'kun je het verschil niet zien tussen wat je wenst en wat er echt gaat gebeuren.' Tegenwoordig waren helderzienden veel dunner gezaaid. Ik kende niet eens een andere helderziende persoonlijk. Plotseling herinnerde ik me Isabel, de vrouw die ik achttien jaar geleden had gebeld. Ze had me verteld dat ik zwanger was. Ik had roze krulspelden en haar gebloemde kamerjas gezien. Zij was degene die me had doen beseffen dat ik mijn werk via de telefoon kon doen. Hoe was het mogelijk dat ik haar sindsdien niet meer had gesproken? Ze was mijn Spaanse bubbe.

Ik kon om een sessie vragen bij Isabel, dacht ik. Destijds was ze echter al oud geweest; misschien leefde ze niet meer. De krant waar ze in had geadverteerd was tien jaar geleden voor het laatst uitgegeven. Ik opende de kist aan het voeteneind van mijn bed en vond mijn oude adresboekje. Isabels naam stond naast die van mijn vaders oude cardioloog. Dr. Iskowitz zou nu ook wel dood zijn. Met ingehouden adem belde ik Isabels nummer.

'Hola,' hoorde ik een stem die kraakte van ouderdom.

Ik probeerde haar voor me te zien, maar het lukte niet. Het enige wat ik zag waren donkere schaduwen en vormen. Toen realiseerde ik me dat ze blind geworden was en dat ik door haar ogen keek. Niets deed me het verstrijken van de jaren beter beseffen dan dat.

'Hola,' zei Isabel weer.

'Hallo,' zei ik eindelijk. 'Ik ben Miriam. Ik betwijfel of u zich mij kunt herinneren, maar u hebt me achttien jaar geleden de toekomst voorspeld. Ik heb uw advertentie al lang niet meer gezien.'

'Ik doe mijn werk nog wel,' zei ze. Ze begon te hoesten. 'Ik zoek het alleen niet meer op.'

Ik wilde niet dat ze dacht dat ik een van die mensen was die een sessie boekten en dan meenden dat ze de rest van hun leven recht hadden op gratis gesprekken. 'Ik wil graag een sessie,' zei ik.

'Normaal laat ik mensen eerst een cheque sturen,' zei ze. 'Maar je klinkt alsof ik je kan vertrouwen.'

Dat had ze de eerste keer ook tegen me gezegd. Het bracht nostalgie in me boven naar de jonge vrouw die ik was geweest toen ik haar de eerste keer belde. Mijn ogen werden vochtig. 'Wat ziet u voor me?' vroeg ik.

Ze hoestte weer. 'Je hebt iemand die overleden is, iemand die niet wilde dat je dit werk deed.'

'Mijn moeder,' zei ik. 'Mijn bubbe, ik bedoel mijn grootmoeder, moedigde me aan mijn gave te gebruiken, maar mijn moeder was erop tegen. Mijn vader zat er altijd tussenin.'

'Je droeg de schaamte die je moeder je oplegde,' kraste Isabel. 'Maar niet lang geleden heb je je gave gebruikt en is de schaamte weggevallen.'

Het gaf zo'n goed gevoel om Isabel dat te horen zeggen. Het was alsof ze me mijn hele leven al kende. Ik dacht er even over naar Mirror te vragen, maar ik maakte me meer zorgen over Cara. 'Mijn dochter is verdrietig en depressief over een fout vriendje.'

'Ik zie een dieper verdriet,' zei Isabel. 'Ik zie dat ze verdrietig was omdat ze niet jouw gave heeft. Nu probeert ze haar eigen gave te vinden, maar dat is haar nog niet gelukt.'

'Voor Cara geboren werd, zei u tegen me: "Veel geluk als ze de gave heeft, en veel geluk als ze hem niet heeft." Ik weet niet wat ik moet doen om haar te helpen gelukkig te zijn. Ze moet zichzelf vinden, en snel ook.'

'Geduld,' zei Isabel, en ze schraapte haar keel. 'De gave van je dochter zal mettertijd worden onthuld, zodra ze haar voet op het pedaal zet.' Isabel hoestte. 'Sst,' zei ze toen. 'Ik hoor iets. Een stem. Zo zacht... Wacht. Het is iets over je moeder. Ik kan het niet verstaan.'

Ik zuchtte. 'Ik probeer al jaren contact te krijgen met mijn moeder, maar haar geest is me nooit verschenen, heeft nooit een woord tegen me gesproken.'

'Misschien heb je te hard je best gedaan,' zei Isabel. 'Schrijf je moeder gewoon een brief en vraag om haar zegen. Gebruik het vuurpotlood.'

Vuurpotlood? dacht ik, maar plotseling realiseerde ik me wat ze bedoelde. Mijn moeders groengemarmerde potlood met de sigarettenaansteker erbovenop!

'Ga dan naar buiten in het maanlicht als er niemand anders bij is,' vervolgde Isabel, 'en verbrand de brief onder de kreunende boom.'

Dat was de olm met de woekerende knobbel in onze achtertuin.

'Terwijl de rook opstijgt,' zei Isabel, 'zeg je vijf keer "Mama, ik wacht op je zegen" en gaat dan meteen naar bed.'

Ik had wel voor altijd met haar aan de telefoon willen blijven, maar Isabel begon weer te hoesten, een bulderende hoest onderbroken door het happen naar lucht. Het was alsof ze al voor de helft een geest was, met een beperkte hoeveelheid tijd om met de levenden te praten. Ik maakte me zorgen dat ze alleen was, maar hoorde op de achtergrond een jonge vrouw. 'Gaat het, *abuelita*?'

Ik was opgelucht dat er iemand voor Isabel zorgde en wilde haar niet langer ophouden. 'God zegene u,' zei ik. 'Ik stuur de cheque meteen op.'

Ik ging naar de buffetkast in de eetkamer en opende de lade waarin het tafelzilver lag. Mijn moeders groene potlood-aansteker lag op een blauwfluwelen bedje. Ik probeerde de aansteker, maar die vonkte niet eens. Ik nam hem mee naar de keuken en het lukte me er met een pipetje een paar druppels van de aanstekervloeistof in te krijgen die we gebruikten voor de barbecue. Ik maakte het potlood schoon en probeerde de aansteker opnieuw. Deze keer deed hij het meteen. Toen ging ik naar boven en schreef aan mijn bureau deze brief op mijn gebloemde briefpapier:

Beste mam,
Je wilde niet dat ik een baboesjka werd. Ik herinner me nog steeds dat je me sloeg omdat ik over juffrouw McNamees abortus had gekletst. Ik weet nu dat je me alleen maar probeerde te beschermen. Je was bang dat ik niet in deze wereld zou passen. En je had gelijk!

Je waarschuwde me toen ik naar Great Neck verhuisde dat ik de buren niet moest laten weten dat ik helderziend was, en toen ik dat vergat en het aan Iris Gruber vertelde, gooide ze de deur voor mijn neus dicht. Ze belde de politie om mijn klanten weg te jagen. En de ultieme vernedering was dat tv-optreden!

Ik begrijp waarom je wat ik doe nooit hebt goedgekeurd. Is dat de reden dat je nooit aan me bent verschenen? Het doet me pijn om je niet te zien.

Mam, ik heb Cara gered, 'jouw Cara', toen niemand anders

dat kon, dus ik hoop dat je er nog eens over na wilt denken en
me je zegen wilt geven. Maar of je dat doet of niet, ik zal altijd
trots zijn op mijn gave.
Ik heb altijd van je gehouden en zal dat altijd blijven doen.

Liefs voor altijd,
Miriam

Toen ik die avond in bed kroop, gaapte Rory en kroop hij
dicht tegen me aan. Ik bleef wakker en lag vol opwinding te
luisteren tot de laatste auto's in de straat op hun oprit stonden.
Langzaam maakte ik me los uit Rory's omhelzing en stond op.
Om de stilte in huis niet te verstoren liep ik op mijn tenen naar
beneden. Ik had de brief aan mijn moeder, haar aansteker-potlood en een lege koffiekan op de bovenste plank van de kast in
de gang gezet. Ik trok mijn regenjas over mijn nachthemd aan
en ging naar buiten. Daar rook ik de hyacinten. De bloem-
blaadjes van de sneeuwklokjes bewogen in de zachte bries en
de narcissen wiegden met hun kopjes. De forsythia's bloei-
den al en ik wist dat zodra ze verwelkten, de lelies en rozen het
zouden overnemen. Als geesten die na de dood komen. Het
maanlicht tekende de bomen in silhouet af. Het was zo stil dat
ik de kerkklok aan de andere kant van de stad kon horen slaan.
De olm kreunde zacht.

Met mijn regenjas opgetrokken tot boven mijn knieën,
knielde ik op de aarde neer zoals mijn moeder altijd had gedaan wanneer ze haar rozenstruiken verzorgde. Ik zette de koffiekan neer. Na nog een laatste blik op de brief stak ik het aansteker-potlood aan, hield de vlam bij een hoekje van de brief
en liet vervolgens de brief in de koffiekan vallen. Terwijl de
rook opsteeg zei ik: 'Mam, ik wacht op je zegen.' Ik zei het opnieuw, met bevende stem. Bij de vijfde keer zat ik te snikken.
Het voelde aan alsof er een wond in mijn hart werd opengere-
ten. Hoewel de geesten van Bubbie en mijn vader me wel hadden bezocht, was mijn verlangen naar mijn moeder intenser
geweest dan ik me tot nu toe had gerealiseerd. Alle woorden-

wisselingen die we hadden gehad, alle verschillen waren van geen betekenis. 'Mam!' riep ik, en ik keek omhoog naar de hemel. Een donkere wolk kroop voor de maan. Ik herinnerde me Isabels woorden: 'Ga meteen naar bed.' Misschien zal mijn moeder in een droom aan me verschijnen, dacht ik, maar toen ik mezelf overeind hees, voelde ik me toch ontmoedigd. Ik stopte het aansteker-potlood in mijn zak en de koffiekan in de bak voor oude metalen en ging naar binnen. Ik had het gevoel of er spelden in al mijn zenuwuiteinden gestoken waren; toch kroop ik naast Rory in bed en dwong mezelf mijn ogen te sluiten en stil te liggen. Na een paar minuten kwam het woord 'ma' over mijn lippen.

'Wa?' zei Rory.

'Niets, schat,' zei ik tegen hem.

Rory begon zachtjes te snurken. Ik probeerde mijn ademhaling af te stemmen op de zijne, maar zijn gesnurk was onregelmatig. Ik zou op de bank gemakkelijker in slaap hebben kunnen vallen, maar ik wilde niet dat Cara me daar de volgende ochtend zou vinden. Bovendien had Isabel gezegd 'Ga naar bed', niet 'Ga naar de bank.' Ik lag daar en herinnerde me mijn moeder die me op het strand insmeerde met zonnebrandolie, haar hand glad en warm. Ik herinnerde me haar rode lippenstift op de rand van haar koffiekopje. Ik herinnerde me dat ze mijn zakken controleerde om te zien of ik een zakdoek bij me had. Misschien was dat alles wat ik ooit zou hebben: herinneringen.

's Ochtends kleedde ik me aan, en om mezelf te kalmeren ging ik naar de woonkamer om te zingen. Weldra zonden de 'ohms' vertroostende golven door me heen die via mijn voetzolen naar de bloemen op het tapijt stroomden en via mijn kruin naar de plafondbalken, en door de ramen naar buiten, naar Grace Court.

De bel ging en de vertroostende energie verspreidde zich toen ik ging kijken wie het was. Lance stond aan de deur, met een gemengd boeket in cellofaan verpakt. Hij zag er hetzelfde uit, afgezien van een smalle stropdas, waar hij steeds aan plukte alsof hij wilde dat ik hem zag.

'Mevrouw K.,' zei hij, 'laat me alstublieft met Cara praten.'

Ik gooide mijn hoofd in mijn nek. Fred was de enige andere persoon die me ooit mevrouw K. had genoemd. Ik staarde naar Lance, mijn hand nog steeds op de deur, en hij stak me de bloemen toe. 'Ik heb deze voor u meegebracht,' zei hij. Hij bleef me aankijken.

Ik zuchtte. Hij had wel lef. Rory zou woest zijn als hij wist dat Lance zelfs maar in de buurt van ons huis was geweest. Ik stond op het punt Lance te vertellen dat ik zijn bloemen niet wilde, dat ik hem niet aan mijn deur wilde, toen ik zag dat zijn blik zich verplaatste naar iets achter mij. Ik draaide me om en zag Cara stil op de trap staan.

'Cara,' riep Lance, en hij stapte langs me heen.

'Cara,' zei ik, maar ze liep al naar Lance toe, haar blik vastgeklonken aan de zijne. Ik voelde de verandering in haar trillingen. Haar hersengolven werden trager, alsof ze nauwelijks ademhaalde. Langzaam liep ze naar hem toe, hem aankijkend alsof ze gehypnotiseerd was.

Ik liep naar de keuken, legde de bloemen op de keukentafel en ging zitten, me gespannen en ellendig voelend. Het waren mijn zaken niet en toch waren het wel degelijk mijn zaken.

'Was het voor jou net zo vreselijk als voor mij?' vroeg Cara, haar stem warm als honing.

'Het was afschuwelijk,' zei hij. 'Ik dacht dat ik je overal zag.'

'Ik ook,' zei Cara. 'Ik dacht dat ik je boven voor mijn raam zag en ik hoorde je steeds achter me lopen.'

Het was even stil. 'Ik heb je gemist,' zei Lance.

Ze kusten elkaar. Ze maakten plannen voor de toekomst zonder het zich zelfs maar te realiseren. Ik legde mijn hoofd in mijn handen. Als ik nu de kamer in zou gaan, als ik maar één woord van vermaning, laat staan protest zou laten horen, zou ik daarmee hun huwelijksakte, hun *kesobbe*, zo goed als ondertekenen.

'Mmm,' zei Lance. 'Iedereen bij Genara's zei steeds dat ik er zo afgeknapt uitzag.'

'Ben je naar de bar geweest?' vroeg Cara.

'Daar ga ik op vrijdagavond altijd heen, dat weet je.'

Het bleef vreemd lang stil. Toen zei Cara: 'Ben je naar Genara's geweest?'

'Ik werd helemaal gek. Ik moest iets doen om niet constant aan jou te denken, niet dan?'

'Je ging wel uit, maar je kwam niet naar mij toe?' Haar stem klonk alsof ze een pak slaag had gehad. 'Je had hierheen kunnen komen. Je had steentjes tegen mijn ruit kunnen gooien, dan was ik naar buiten gekomen. Of je had naar school kunnen komen om daar op me te wachten. Je had een van je vrienden een briefje voor me kunnen meegeven of je had kunnen wachten tot je oma sliep en me dan kunnen bellen.'

'Cara, ik was van plan naar je toe te komen.'

'O ja? Wanneer?'

'Toe nou. Je kent mijn oma. Ze lijkt wel een grenswachter als het om jou gaat.'

'Maar niet als het erom gaat met je vrienden naar een bar te gaan?'

'O, schatje,' zei hij. 'Doe nou niet zo!'

'Ik zou de oceaan zijn overgestoken om bij je te komen,' zei Cara. 'Weet je wel wat ik heb doorgemaakt? Ik heb je zo ontzettend gemist.'

'Ik kan het uitleggen,' zei hij.

Het bleef stil. Ik ging rechter zitten, kon me niet verroeren. Ik voelde Cara's energie tegen de muren op botsen.

'Ik zat hele nachten bij de telefoon te wachten tot ik iets van je zou horen,' zei ze ijzig.

'Verdorie,' zei hij geërgerd. 'Het spijt me dat ik niet meteen gekomen ben. Maar je hoeft me niet zo op m'n huid te zitten. Er zijn al genoeg andere mensen die dat doen. Ik dacht dat jij me begreep. Ik ben er nu. Dat is toch het belangrijkste, of niet?'

Ik voelde de energie weer veranderen, milder worden, en daarna was het stil. Ik hield mijn adem in. Ik wist wat voor naïeve spier het hart was en dat een kus je dingen kon doen geloven die je anders misschien nooit geloofd zou hebben.

'Lance...' begon ze, en ik voelde de twijfel in haar stem weer sterker worden. Kom op, Cara, spoorde ik haar aan. En toen zei Lance haar naam weer, als een betovering, een bezwering. 'Ca-ra,' fleemde hij. Ze hield op met praten en ik hoorde alleen nog een zucht van haar. Stilte. Ze kusten elkaar weer. En ik zat daar met een maag die zich omkeerde.

Korte tijd later ging Lance weg en Cara gleed als een geest langs me heen naar haar kamer.

'We houden haar binnen,' zei Rory toen hij thuiskwam. Hij sloeg zijn arm om mijn schouder. 'Laten we ophouden over onze problemen te praten en even gaan wandelen.'

Hand in hand maakten we een lange wandeling door Russell Gardens. Rory hield stil onder een lindeboom. 'Hoor eens,' zei hij. De tjilpende mussen deden de hartvormige blaadjes trillen. Rory hield me tegen zich aan en onze harten klopten tegen elkaar. Het was bijna middernacht. We gingen sneller lopen om thuis te komen. Rory kuste me in mijn hals. 'Ga mee naar bed,' fluisterde hij. Ik hoorde nog steeds Cara's vuilnisbakmuziek, maar zachtjes. Hoe graag ik ook met hem mee wilde gaan, mijn voeten leken plotseling aan de grond genageld. Ik wist niet waarom, maar ik moest beneden blijven. 'Ik kom zo meteen,' beloofde ik hem.

Hij zuchtte en ging naar boven. Ik begon door de woonkamer te ijsberen. Er verstreken tien minuten... vijftien. Waar wachtte ik op? Opeens hoorde ik de zijdeur zachtjes opengaan en zag ik Cara in haar strakste spijkerbroek en haar gezicht vol make-up. Ze hield haar hoge pumps in haar handen en liep op haar tenen. Ze schrok toen ze me zag. 'Ik dacht dat je al sliep,' zei ze.

'En ik dacht dat jij in je kamer zat,' pareerde ik. Maar bij het zien van haar uitgelopen mascara en trillende lippen sloeg ik mijn arm om haar heen en leidde haar naar de bank. Ze zakte in elkaar. 'Wat is er?' vroeg ik. Ze kon niet meteen antwoord geven.

'Is het Lance?' vroeg ik, en ze knikte.

Ze ademde diep in. 'Ik... ik ging naar Genara's,' zei ze. Ze keek me even aan en liet toen haar hoofd weer hangen. 'Ik wilde Lance verrassen.' Ze snufte tranen weg.

'Schatje...'

'Ik heb hem inderdaad verrast. Met Chrissie Slovak in zijn armen! Ik zag dat hij haar kuste,' snikte Cara.

Chrissie Slovak was het meisje dat bijna zelfmoord had gepleegd om hem. Hoe vaak moest Lance een meisje tot op het randje brengen. Ik boog me naar Cara toe, wilde haar pijn wegkussen zoals ik dat had gedaan toen ze klein was, maar hield me in en liet haar praten.

'Buiten Genara's probeerde hij me te vertellen dat Chrissie niets voor hem betekende, dat hij alleen bij haar was omdat hij mij zo miste,' zei Cara, terwijl de tranen over haar wangen liepen. Ze veegde ze weg met de rug van haar hand. 'Ik wou dat ik in mijn kamer was gebleven,' huilde ze. 'Dan had ik tenminste nog geloofd dat Lance van me hield.'

Ik aaide haar over haar hoofd, voelde haar pijn in mijn hart. 'Hoe zeer het ook doet, het is toch beter om de waarheid te weten,' zei ik. Daarop schoof ik naar haar toe en hield haar vast terwijl ze huilde.

Tijdens de voorjaarsvakantie was Cara nog steeds hele dagen thuis. Hoewel ze niet meer bij de telefoon zat te wachten tot Lance zou bellen en niet meer overeind sprong als de post kwam, had ze ook nog niets anders gevonden om zich mee bezig te houden. Ze begon haar haren in te vlechten, maar hield er halverwege mee op. Ze maakte de linkerhoek van een legpuzzel en schoof vervolgens de stukken weer in de doos. Ze zat zo diep in gedachten verzonken in haar kamer, dat ze me op de vierde dag niet eens hoorde binnenkomen. 'Het eten is klaar,' zei ik, maar ze bleef op haar bureaustoel heen en weer zitten draaien.

'Wat ben je aan het doen?' vroeg ik.

Ze staarde naar haar handen. 'Ik weet niet wat ik moet doen,' antwoordde ze. 'Niets interesseert me meer.'

'Je hebt tijd nodig. Heb geduld,' zei ik, het advies van Isabel herhalend.

Cara begon overal in huis te verdwijnen. Soms hoorde ik

haar op zolder rommelen en op een ochtend hoorde ik haar in het souterrain. 'Cara?' riep ik naar beneden.

'Ik ben hier,' riep ze naar boven.

Het souterrain? dacht ik. Ik hoorde gegons. 'Zit je te naaien?' vroeg ik.

'Gewoon wat met de machine te spelen,' zei ze.

Twee dagen lang zat ze uren achtereen beneden. Ik liet haar begaan. Ik wilde niet dat ze dacht dat ik haar liep te controleren. Het zat me dwars dat ze haar vakantie helemaal alleen binnenshuis doorbracht, maar ik moest haar de ruimte geven.

Rory kwam thuis met een grote transparante groene map onder zijn arm. 'Ik wil je iets laten zien,' zei hij glimlachend. Hij legde een paar computerspreadsheets op de eettafel.

Er stonden grafieken op en kolommen vol cijfers. 'Waar zit ik naar te kijken?' vroeg ik.

Hij volgde met zijn vinger de lijn van de grafiek. 'Dit is de winst sinds ik Fred vorige maand ontslagen heb,' zei hij.

De lijn vertoonde slechts een minimale stijging.

'Ik ben er nog lang niet,' legde Rory uit, 'maar volgens mijn berekeningen kan ik over een halfjaar alle crediteuren betaald hebben.'

'Is dat echt mogelijk?' vroeg ik, denkend aan de late betalingen van de zorgverzekeraars, maar ik kon toch iets van hoop in mijn stem laten doorklinken.

Rory hield zijn ogen op de spreadsheets gericht. 'Fred heeft veel meer gestolen dan alleen de sigaretten,' bekende hij. 'In een kruipruimte vond ik een zak vol nepleveringen die hij voor zichzelf apart had gelegd, samen met goederen die hij aan echte klanten had moeten afleveren. Hij moet daar al jaren mee bezig zijn geweest.'

Ik verstijfde, dacht aan al het geld dat met de vuilniszakken was verdwenen. Ons geld. Maar ik ademde diep in. Het had geen zin Rory de schuld te geven. 'Ik hoop dat het allemaal goed komt,' zei ik. En een klein deel van me geloofde dat het inderdaad goed zou komen.

Cara bracht nog steeds veel tijd in het souterrain door achter mijn moeders naaimachine; het leek me beter dan dat ze in haar kamer zat te treuren en naar muziek luisterde die beslist haar trommelvliezen zou beschadigen.

'Ze wordt een kluizenaar,' zei Rory.

Ik dacht aan baby Cara, die zich altijd door iedereen liet vasthouden. Ze had altijd een omhelzing overgehad voor een ander kind. Nu had ze zich teruggetrokken. Rory pakte mijn hand en opende de deur naar het souterrain. Halverwege de trap bleef ik staan. Cara zat aan mijn moeders naaimachine, zo in beslag genomen dat ze ons niet eens hoorde. Stukken van Rory's smoking lagen verknipt op de vloer, samen met de smaragdgroene satijn die ze had afgerold. Ze had een vestje uitgeknipt en het gevoerd met mijn moeders satijn. Cara had nog nooit op die machine genaaid, maar ze leidde de stof rustig en zeker onder de naald door, haar voet op het pedaal, haar gezicht vastberaden maar kalm. Ik herinnerde me mijn samengetrokken steken, de servetjes die nooit vierkant waren. Er straalde licht van haar uit en haar aura lichtte het duister van het souterrain op. Ik herinnerde me de woorden van Isabel: 'De gave van je dochter zal mettertijd worden onthuld, zodra ze haar voet op het pedaal zet.'

'Mijn moeder had altijd een patroon nodig, maar jij niet,' zei ik vol bewondering.

Cara keek op. Haar ogen wijd open, haar wenkbrauwen opgetrokken. Ze leek even verbijsterd als Rory en ik over haar naaiwerk. 'Ik weet niet hoe ik het doe,' zei ze. 'Ik kijk gewoon naar het materiaal en zie wat het moet worden.' Toen keek ze recht in mijn ogen. 'Misschien ben ik toch helderziend.'

Ik wilde haar vertellen over Leonardo da Vinci, die naar een witte muur staarde tot hij zag wat hij zou gaan schilderen, of Robert Louis Stevenson, die zei dat elfen hem de plot van zijn verhalen aanreikten. Maar ik zou voorlopig voorzichtig zijn. 'Alle creatieve mensen zijn helderziend,' zei ik.

Ze bloosde, duidelijk blij. 'Ik ben bijna klaar. Geef me nog heel even, dan zal ik het aanpassen.'

Rory en ik gingen hand in hand op de onderste tree zitten wachten, als een stel kinderen op een goochelaar.

Eindelijk hield Cara het vestje omhoog, schudde het uit en trok het aan. Het paste perfect. Het liet haar slanke taille prachtig uitkomen en het satijn paste precies bij haar ogen. 'Het is prachtig,' zei ik met een zucht.

We bleven daar een poosje naar haar zitten kijken terwijl ze het vestje weer uittrok, een draad in een naald deed en met de hand de kralen op de revers van het vestje begon te naaien die ze van de trui van de dikke vrouw had geknipt.

Ze was daar zo in verdiept dat ze zich niet eens leek te herinneren dat wij er nog zaten. Ze verkeerde in een trance, net zo diep en zo echt als de mijne waren. Rory keek naar haar alsof ze een zeldzame vogel was.

Stilletjes stond ik op, liep naar boven en de voordeur uit. Mijn brievenbus vloeide net zo over als mijn hart. Tussen de rekeningen en catalogi zat een prentbriefkaart met twee roze harten met scheve ogen en brede glimlachen erop. Het ene hart droeg een bikini met grote stippen, het andere een gestreepte zwembroek en een T-shirt met ACAPULCO erop. Ik draaide de kaart om en las:

Dag pop,
Heb besloten terug in het huwelijksbootje te stappen. Mijn ex en ik zijn op onze tweede huwelijksreis. Veel leuker dan onze eerste in Niagara Falls.

Vince

'Stel jezelf open voor ware liefde,' had ik tegen hem gezegd, en dat had hij gedaan.

Rory kwam naar buiten. 'Ik vroeg me af waar je gebleven was,' zei hij, een arm losjes om me heen slaand.

'Ik wil mezelf bekendmaken,' zei ik tegen Rory. 'Ik wil me niet meer verbergen. Ik heb zin om een bordje op te hangen met MIRIAM, HELDERZIENDE.'

'Ik vind het prima,' zei Rory.

Met mijn hoofd op zijn schouder vroeg ik me af hoe de buren zouden reageren als ik een bordje ophing. Alsof het zo was afgesproken, brachten Iris en Dick Gruber op dat moment hun Porsche voor ons tot stilstand. Dick boog zich over Iris heen en draaide het raampje open.

'We hebben gehoord dat jullie je huis gaan verkopen,' zei hij vergenoegd. 'Wanneer komt het op de markt?'

'Verkopen?' zei ik. 'Nee, hoor! Ik ga een bordje ophangen waarop staat: MIRIAM, HELDERZIENDE. BEL VOOR EEN AFSPRAAK.'

Iris' handen vlogen naar haar wangen. 'O, nee,' zei ze. 'Daar gaat de waarde van ons huis!'

Ik gooide mijn hoofd in mijn nek en lachte. Ik voelde me gereinigd, vrij van aardse rancune. Ik zou een mooie plank kopen, zoals die van Iris die ik verknald had, en koninginnenbrood leren bakken.

Dick draaide het raampje omhoog en reed de Porsche zijn oprit op.

'Dag,' zei ik, vrolijk zwaaiend.

Rory lachte en omhelsde me. We gingen op het randje van ons bordes zitten, onze vingers verstrengeld. Ik kon de energie door zijn lichaam voelen stromen en via zijn hand overgaan in de mijne, en mijn energie weer naar hem. De Grubers konden zo gemeen doen als ze wilden, ze maakten me niet meer van streek nu ik naar onze rustige straat met de grote huizen op percelen van duizend vierkante meter keek. Ik was op dat moment verliefd op de struiken die op diverse gazons tot kurkentrekkervormen waren gesnoeid, op de Mercedessen en Hummers op de opritten en op de afvalcontainers voor de huizen die hun jaarlijkse renovatie ondergingen. Ik was zelfs verliefd op onze buren met al hun tekortkomingen en hun wantrouwen, hun trieste echtscheidingen en wanhopige kapsels. Ik hield van hen allemaal. Twintig jaar geleden had ik in Queens willen blijven om dichter bij Bubbies geest te zijn, zodat ze zich thuis zou voelen als ze me kwam opzoeken, maar Rory had me overgehaald naar hier te verhuizen. Nu had ik het gevoel dat ik toch zelf voor Great Neck had gekozen, en dat Great Neck voor mij had gekozen.

Die avond zaten we voor het eerst in maanden weer met ons drieën aan tafel en praatten we als vrienden die elkaar een poos niet hadden gezien. Ik voelde mijn paranormale vermogens door me heen stromen. Ik hoefde maar naar Rory te kijken om te weten dat alles goed zou komen met hem. Ik keek naar Cara, me nogmaals verbazend over haar vestje, en zag plotseling een brief boven haar hoofd hangen. 'Aangenomen op Cornell!' Ik lachte hardop.

'Wat?' zei Cara, maar ik wilde het haar niet vertellen. Ik wilde de betovering niet verbreken.

We praatten en maakten grapjes en toen we na het eten uit elkaar gingen, was dat niet omdat we wilden ontsnappen, maar gewoon omdat we ergens anders heen getrokken werden: Cara naar haar naaiwerk, Rory naar zijn *National Geographic* en ikzelf ging voor het eerst in maanden weer opgewonden naar mijn werkkamer. Die was verbazingwekkend wit, alsof de geesten de bezem en poetsdoek uit de kast hadden gehaald en er schoon hadden gemaakt. De lucht voelde geladen aan. Ik zag een glimp van Kims wijze grootvader, het bruine bladvormige teken op zijn wang omkrullend in een glimlach. Vince Guardelli's vader stak zijn platgeslagen duim naar me op. Mijn werkkamer hing vol met de geesten van dode familieleden van cliënten, als gordijnen tijdens een uitverkoop. Statische geluiden zwollen aan en zwakten af. De geesten mompelden allemaal: 'Miriam, Miriam, Miriam.' Ze waren blij dat ik terug was.

Weer wenste ik dat mijn moeder bij hen was. Ik draaide mijn ogen naar rechts en probeerde haar te vinden, maar dacht toen aan wat Isabel had gezegd. 'Doe niet te hard je best.'

Ik zocht afleiding in het recht leggen van de papieren op mijn bureau. Ik ademde diep in, probeerde het intense verlangen los te laten dat in me verankerd zat. Opeens rook ik lavendel. 'Bubbie?' zei ik.

Ik keek op en zag haar lichtblauwe ogen omringd door de

zilveren ovalen van haar bril. Ook de rest van haar gezicht verscheen.

'Bubbie,' herhaalde ik toen ze rechts naast mijn bureau stond, zo dichtbij dat als ik niet beter had geweten, ik misschien geprobeerd zou hebben haar aan te raken. In mijn hart voelde ik vreugde en pijn, een roos met doornen. 'Bubbie, hoe kon je me in de steek laten terwijl dat Cara het leven had kunnen kosten?' vroeg ik verdrietig.

'Ik wist dat je Cara kon vinden,' zei Bubbie op fluistertoon. 'Maar je moest jezelf bewijzen dat je het in je had, zoals ik je jaren geleden verteld heb. Je moest de ware kracht van je gave ontdekken.' Even staarde ze voor zich uit. 'Toen ik destijds je theebladeren las, vertelde ik je dat je een goede man zou krijgen. Natuurlijk, hij was een *putz* om met die blonde *koerwe* te dansen, maar dat is alles wat hij gedaan heeft.'

'Dank je, Bubbie,' zei ik. Ik dacht aan Rory en mezelf, zoals we daar die avond in de sneeuw hadden staan ruziën. Ik dacht aan hoe hij tijdens het avondeten naar me had gekeken, en alle twijfel vervloog.

'Nesjommele, kijk eens wie ik heb meegebracht,' zei ze, naar de hoek van de kamer wijzend. En daar stond mijn vader in het donkerblauwe pak waarin hij begraven was te glimlachen.

'Putchkie,' zei hij. 'Ik zal er nooit meer tussenin zitten.'

'Wat bedoel je?' vroeg ik, maar terwijl ik keek vervaagden ze allebei. En toen zag ik naast de plek waar mijn vader had gestaan iets zilverigs bewegen, als het kwik in een thermometer. Ik draaide me ernaartoe. Een gestalte kreeg langzaam vorm. Handen vormden zich. Een grote ring met een amethist en diamantjes. Daarna het gezicht. Daar stond mijn moeder. Ze haalde een met juwelen bezet spiegeltje uit haar tas, bekeek zichzelf er even in, knipperde met haar lange wimpers naar zichzelf en sloot vervolgens het spiegeltje en stopte het terug in haar tas. Ze keek me aan en haar mond verstrakte. Ze hief abrupt haar hand en ik kromp ineen, maar ze bracht haar hand naar haar lippen en blies toen in mijn richting. Ik voelde heel zacht haar kus op mijn wang. Toen verdween ze.

Ik zat een paar minuten heel stil. Mijn moeder had me haar zegen gegeven. Ik voelde dat mijn hartchakra de hele kamer vulde met een warme gloed. Mijn lichaam leek gewichtloos, alsof ik kon zweven.

De telefoon ging. Ik nam op. 'Hallo,' zei ik. 'U spreekt met Miriam, de helderziende.'

Woord van dank

Ik wil mijn voormalige agente Caroline Carney bedanken omdat ze mijn roman heeft verkocht, en mijn nieuwe agente Marly Rusoff, die er tijd, energie en enthousiasme in heeft gestopt om het af te maken.

Duizendmaal dank aan Marysue Rucci, mijn fantastische redacteur, die meeging in de voorspelling die de helderziende Vincent Ragone zevenentwintig jaar geleden deed, dat ik een roman zou uitgeven bij Simon & Schuster, en voor haar geïnspireerde leiding bij elk concept. En ik dank Tara Parsons, mederedacteur, voor haar onschatbare input en vriendelijkheid, en Marie Lurie, Elizabeth Hayes en alle anderen bij Simon & Schuster die dit boek mogelijk hebben gemaakt.

Ik ben de dichteres/romanschrijfster/docente Jill Hoffman dankbaar, en mijn lieve vriendin romanschrijfster/columniste/docente Caroline Leavitt, voor hun briljante suggesties en royale steun tijdens mijn lange reis met dit boek, en ook Jennie Belle, die een vroeg concept heeft gelezen en me zei 'altijd naar het mooiste beeld te streven'.

Andere lezers die ik dankbaar ben zijn Mark Wisniewski, Cuddy Murray en Ann Saunders, die haar vaardigheden als professioneel organisator gebruikte om mij te helpen. Veel dank ook aan Lisa Dawn Saltzman, Dorrit Title, Hannah Ritter, Sylvia Davies en de begripvolle, bruisende docente Cynthia Shor, die me heeft geholpen door met de stofkam door het laatste concept heen te gaan. Dank verder aan mijn broer, Barry

Shapiro, omdat hij me opvrolijkt, en aan mijn zus, Nannette Lieblein, omdat ze er altijd voor me is.

Kent Ozarow en mijn poëzieworkshop dank ik omdat ze me gevoelig hebben gemaakt voor de klank, de textuur en de implicatie van woorden.

Over de auteur

Rochelle Jewel Shapiro woont in Great Neck, Long Island. Ze publiceerde de 'Lives'-column en 'The Medium Has a Message' in *The New York Times*, en haar korte verhaal 'The Wild Russian' verscheen in 2000 in *Father* van Pocket Books. *Miriam the Medium* is haar eerste roman. Kijk voor meer informatie over de auteur op miriamthemedium.com